新潮文庫

凶刃 用心棒日月抄

藤沢周平著

新潮社版

5319

凶《きょう》刃《じん》

用心棒日月抄

一

「ただいま申したような仔細《しさい》によって、組を解いて名簿を大目付にわたす。むろん、名簿は大目付の手もとに固く秘匿《ひとく》されて世に現われることはない約定《やくじょう》だが、その日を以《もっ》て嗅足《かぎあし》の組はお役目を終ることと相成る。ただし……」

と言って、正面に坐《すわ》っている男は自分の前にならんでいる十二名の武士を、右から左にじろりと見わたした。

場所は城下丑寅《うしとら》（北東）のはずれにある般若寺《はんにゃじ》の本堂で、時刻はおよそ四ツ（午後十時）過ぎだろう。二月に入って旬日が過ぎたというのに、夜気はまだしんしんと冷えるが、深夜の寺にあつまっている男たちは身じろぎもせず、顔を前にむけて男の言うことを聞いていた。ただし、と正面の男はもう一度言った。

「もし藩主家に異変あるときは、大目付の密命にしたがってただちに従前のお役目に復帰することになる。ま、そういうことにならぬよう、藩主家のためにも祈ろうか」

ここまで申したことについて、疑念あるいは異存があれば聞こう、と男は言った。鬢《びん》の毛が白く顔色は青白いが、面長《おもなが》の面上に威厳がただよう中年のその男は榊原造酒《さかきばらみき》。

家禄《かろく》三百石の奏者番が表向きの役だが、実際はその役を勤めることは稀《まれ》で、もっぱら加役の寺社奉行として知られる家の当主だった。

榊原は、自分の前に横一列にならんだ男たちが一語も発しないのを見ると、軽くうなずいて言葉をつづけた。

「嗅足は、もと旗本の第二組。藩草創から数えてざっと百五十年、藩主家ならびにわが藩を陰からささえて参った。その名誉ある組をわれらが代において解くことは、情においてしのびないところがあるが、時勢の流れ、ましてや殿ご自身の思《おぼ》し召しとあれば、これまたやむを得ないことである。長い間ごくろうであった」

「大目付どのに名簿がわたるのは、いつごろに相成りますか」

そう聞いたのは色の黒い、丸顔の男だった。榊原はその男をじろりと見た。

「近々と申しておこう」

「江戸の組も同様に解かれることになりましょうや」

「むろんだ。江戸には人を選んでさしむけ、解散を説かせるつもりでおる。ほかには？」

だが質問はそれだけだった。男たちはもとの無表情にもどった。男たちは必ずしも榊原を注視していなかった。無表情に前を向いていた。一基の燭台《しょくだい》だけが照らす男たちの顔は、表情を殺しているためか、どの顔も同じように見えた。

「なお、二の組には後日改めて申し聞かせるゆえ、さように心得られよ。では、別れの盃《さかずき》の儀を、古式を以て行なう」

榊原が言って手を二つ打つと、本堂の隅《すみ》の襖《ふすま》がひらいて、そこからあきらかに足軽身分と思われる身なりの、しかもかなりの年配の男が三人、重ねた白木の膳《ぜん》と酒と盃をささげて現われた。

三人の男は齢《とし》を感じさせないきびきびした動きで、榊原と十二人の男の前に膳を配り、素焼きの盃に、素焼きの酒壺《さかつぼ》から酒をついで回った。

では、と言って榊原が盃を掲げると、男たちも一斉《いっせい》に盃を掲げた。榊原が大声《たいせい》に言った。

「あら、めでたやな、戦《いくさ》は勝ちてやみにけれ……」

「戦は勝ちてやみにけれ……」

と男たちが唱和した。

「葦《あし》をば焼きて国に帰らん」

葦をば焼きて国に帰らんと男たちも唱和し、終るとともに盃をあけた。そしてつぎに、右脇《みぎわき》に置いていた太刀を左手につかみ上げると、一斉にやあ、と叫んで酒を干し終った土器《かわらけ》をはっしと刀の鍔《つば》に叩《たた》きつけ、割った。

それが済むと、十二人の男たちは一礼し、立って黙々と本堂の入口にむかった。そして扉《とびら》の内側で一斉に懐《ふところ》から頭巾《ずきん》を出して顔を包むと、大きな獣でも抜け出すように、足音も立てず一人ずつ姿を消した。最後に本堂の扉がぎいと音を立てて外からしまった。

その様子を見とどけると、袴《はかま》を払って榊原造酒も立ち上がり、庫裡《くり》にむかった。

「では、面倒をかけるがよしなにたのみいる」

渋谷《しぶや》甚之丞《じんのじょう》はそう言って膝《ひざ》を起こしかけたが、ふと物を思い出したという顔色になって、膝を畳にもどした。

「時に、牧《まき》の病気のことで近ごろ何か耳にしておるかな」

「いや、いっこうに」

と青江《あおえ》又八郎《またはちろう》は答えた。剣友の牧与之助が持病の労咳《ろうがい》が重くなって床についた、と聞いてから二月近くなるが、その後のことは知らなかった。

「一度見舞わねばならんと思っているが、なにせ暇がない。気持だけで、さっぱりその機会がない」

「いや、そのことだが……」

と言って、渋谷は口ごもった。そして、ちょっと首をひねってから言葉をつづけた。

「事実かどうか知らんが、じつは異なことを耳にした。牧は人が見舞いに行っても、謝して決して会わぬそうだ」

「ほほう」

又八郎は目を細めて渋谷の日焼けして黒い顔を見た。痛ましい話を聞いたようで、胸がさわいだ。

「人にも会いたくないほどに、身体《からだ》が弱ってしまったのか」

「そうだろうという者もいるが、単に牧は瘦《や》せた顔を人に見られたくないのだという者もおる」

「そう言えば、年賀の席で出会ったときは、もはやかなり窶《やつ》れておったな」

「多年の労咳が、いよいよ表に出て来たのだろう」

と渋谷が言い、二人はしばらく暗然と目を見かわした。

だがすぐに渋谷が、や、思わず長居して迷惑をかけたと言って、今度はすぐに席を立った。又八郎が渋谷を見送りながら玄関まで出ると、そこに待っていた渋谷の家の下僕が、跪《ひざまず》いて履物を直し、土間におりる主人の足もとを提灯《ちょうちん》で照らした。

気配をさとって外から見送りに出て来た青江家の下僕藤助にみちびかれて、渋谷主従が門を出て行くのを、又八郎は玄関の内から見送った。渋谷の太い首、盛り上がった肩が黒い影絵になって見えた。

――甚之丞も……。

むかしのようには剣も使えまいて、と又八郎は思った。外歩きの多い郡奉行《こおりぶぎょう》にしては無用の肉がつきすぎておる、と思ったのだが、それは自分自身のことでもあった。時どき庭におりて木刀を振ることこそ忘れないものの、時にはその木刀さえ重く感じるほどに、近ごろ肩にも腹にも贅肉《ぜいにく》が盈《み》ちていることを思い返して、又八郎はかすかな後悔に似た気持が胸を横切るのを感じた。

――わしと甚之丞は太り過ぎ……。

そして牧与之助は痩せすぎたか、と考えたが、むろんそれは洒落《しゃれ》にもならない感想だった。かつての剣の三羽烏《がらす》も、齢喰《く》っては形なしだなと思いながら、むっつりした顔で部屋にもどると、その顔色を気にしたのか、茶菓の跡を片づけていた妻の由亀《ゆき》が手をとめた。

「渋谷さまは、何か格別のご用でも」

と由亀は言った。女子《おなご》は来客の前に出ないしきたりなので、由亀は渋谷と夫の話を聞いていなかった。

　由亀はあと二、三年で四十になるが、色白でほっそりと痩せている。若いころはむしろ肉づきのよい娘だったのだが、又八郎の妻となって三人目の子を生んだあとは、ほっそりと肉が落ちてそのまま太らなかった。

「いや、大したことではない」

　又八郎は妻の懸《け》念《ねん》を察して、心配はいらぬという身振りを示した。

「あれの総領が、藩命で江戸の学塾に学んでおる。雄之《ゆうの》助《すけ》というのだが、その息子に金をとどけてくれという頼みだ」

「おや、それがそうですか」

　由亀は床の間を振りむいた。そこにさほどかさのない油紙の包みが載っている。又八郎は藩命で、月が変ると出府することになっていた。在府の期間はおよそ半年と指示されている。

「それだ。渋谷も人の親、わしにはとんと似ぬ伜《せがれ》だなどと言っておったが、遠くの息子が案じられてならんのだろうて」

「藩の学問所でも秀才でいらしたそうですね、その子は」

　由亀は言ってから、思案するように首を傾けた。

「うちの松三郎は、どのようになりますやら」

「まだわかるものか」

と又八郎は言った。

「いまは、やりたいことをやらせておけばよい」

三人の子は上二人が女子で、下が男子。青江家の跡取りになる松三郎はまだ十歳だった。城下の学塾に通い、また杉村という一刀流の道場にも通いはじめているが、本人の得手、不得手がはっきりするのは、まだ先のことだろうと又八郎は思っていた。

「でも、松三郎を見ておりますと……」

と由亀が言いかけたとき、玄関に人がおとずれた気配がし、やりとりの声につづいて客間に近づくひそやかな足音がした。襖《ふすま》の外から、旦那《だんな》さまと声をかけて来たのは藤助である。

又八郎があけていいぞと言うと、藤助は襖をあけ、廊下に膝頭をそろえた。

「榊原さまのお屋敷から、お使いがみえてございますが……」

「寺社奉行の榊原さまだな？」

「はい」

「用件は？」

「夜分おそくて申しわけないがというおことわりつきで、これからお屋敷までご足労ねがいたいというご口上でございます」

二

季節は間もなく三月になろうというのに、深夜の町を包む夜気はつめたかった。城の濠《ほり》ばたの桜の蕾《つぼみ》は日々ふくらんで来ているが、この分では花が咲くのはまだ先だろう、と又八郎は思った。

空は曇りで、まっくらな夜だった。先に立つ藤助が持つ提灯のあかりに、歩いて行く二人の足が、踊るような影を地面に落とすだけで、ほかには人はおろか、犬一匹の気配すらない夜道だった。

――寺社奉行が、何の用か。

と、また又八郎は思った。いくら考えても、何の心あたりもなかった。

勤めの上の話でもあるか、と思ってみた。又八郎はいま近習頭取《きんじゅうとうどり》という役職についている。その役料三十石をふくめて、百六十石の禄を喰《は》んでいる。しかし寺社奉行という職掌は、又八郎の勤めからはもっとも遠い部署で、奉行の榊原造酒が勤めの上の話で深夜呼び出しをかけるような用件があるとは思えなかった。

そうかといって、榊原奉行本人と個人的な面識があるわけではなかった。城内で出会えば、累代《るいだい》領内の寺社のことを扱って来た、古く特殊な家柄《いえがら》に敬意を表して、ねんごろに挨拶《あいさつ》はするものの、血色のわるい顔をした榊原に出会うのは、年に二、三回といったものだろう。

「旦那さま、着きましてございます」

藤助の声に顔を上げると、榊原家の門前だった。三百石の奏者番兼寺社奉行の屋敷にしては、大きすぎる門構えが濃い闇《やみ》の中にそびえていた。又八郎は考えごとを放棄して、潜《くぐ》り戸《ど》を入った。

門にも玄関にも灯《ひ》はなく、暗い家に思われたが、藤助が声を張って訪《おとな》いを入れると、すぐに手燭を持った人が現われて、又八郎と供の藤助をそれぞれの場所に案内した。

はたして家の中も、洩《も》れて来る灯のいろひとつなく暗かったが、みちびかれて入った奥の部屋には、大きな丸行燈《あんどん》がまぶしいほどの光を撒《ま》きちらしていた。そしてその灯の下で、小机にむかって書きものをしていた男が、筆をおいて又八郎を見た。屋敷のあるじ、榊原造酒だった。

「や、夜分にお呼び立てして恐縮……」

榊原は気さくに言って立って来ると、又八郎に坐るようにすすめ、自分もむかい合って坐った。

挨拶をかわしたあと、榊原は案内の家士が茶をすすめて去るまで黙然と口をつぐんでいたが、家士の足音が聞こえなくなると、ようやく口をひらいた。

「寺社奉行が何の用かと、さぞ当惑されたろう」

榊原は言って、顔にかすかな笑いをうかべた。

「はあ、たしかに」

「ごもっとも」

と榊原は言った。そしてひと息ついてからつづけた。

「月が変ると、江戸に参るそうだの」

「そうです」

「いつごろ、出国される?」

「御沙汰《おさた》では三月半ばとなっておりますが、それがしの出府は病気療養の小塚《こづか》どのと交代するということで、小塚どのの帰国の時期によって、多少の日にちのずれが出るかと思います」

小塚助左衛門《すけざえもん》は、江戸屋敷に二人いる近習頭取の一人だが、去年の暮れあたりから持病の腰痛《ようつう》が悪化し、勤めもままならない有様になったので病気療養のため一時帰国の許しが出た。そのため、小塚は帰国して腰痛にすぐれた効き目があると言われる温泉どころ、領内の鳥越の湯宿で加療することになり、かわりに国元の近習頭取の中から、又八郎が選ばれて出府することになったのである。

小塚助左衛門が、病身にもかかわらず国詰の許しを得られないのは江戸屋敷奥の御用人職を兼務しているためで、およそ半年の加療で病気が快方にむかえば、また江戸詰に復帰することになる。又八郎の江戸詰がおよそ半年と内示されているのはそのためだが、ただし又八郎は奥の御用人まで兼務するわけではない。

そういう事情のあらましを、又八郎は榊原に話した。榊原の話というものが、どうやら自分の出府に関係するらしいとさとったからである。

はたして、榊原はじっと耳を傾けた。そして又八郎の話が終るとすぐに言った。

「半年か。ちょうどよい」

「………」

「じつは、ごく内密の頼みがある」

言うと、榊原は又八郎の目をひたとのぞきこむようにした。寺社奉行の青白い顔が急に表情を失い、二つの目だけがこちらの気配を窺《うかが》っているような、奇妙な感触を又八郎は受けた。

「何ごとでしょうか」

「嗅足組について、そこもとはあらましのことを承知しているはずだ。さようだな」

「……………」

又八郎は無言で榊原を見返した。組について知るところは、他言無用と、先年病死したさきの家老にして組の頭《かしら》だった谷口権七郎《たにぐちごんしちろう》に固く釘《くぎ》をさされている。めったなことは言えなかった。

すると、その顔色を読んだらしい榊原が、すぐに言った。

「いやいや、ここでは何を言おうと懸念はいらぬ。わしがすなわち組の頭領。先年谷口どのより、この役を引き継いだのだ」

あっと又八郎は榊原を見た。思いがけないことを聞いた気がしたが、しかしそういう目で見れば、榊原造酒はいかにも陰の組の頭に似つかわしい人物のようでもあった。

「そこでもう一度聞くが、組のあらましは谷口どのから耳にしておるな」

「ごくあらましのことにござる」

慎重に又八郎は言った。

「たとえば組の人々についてはほとんど何も聞いておりません」

「しかし、江戸の組の者とは、多少のつき合いがあったはずだ」

と榊原は言った。江戸屋敷の女嗅足、佐知《さち》たちのことを言っているのだと又八郎は思った。不意打ちに、頰《ほお》がほてって来るのを感じたが、どうにかこらえた。榊原は佐知と自分とのつき合いについて、どのあたりまで知っているのだろうかと思った。

しかし榊原は、又八郎の動揺に気づいていて知らぬふりを装うのか、それともまったく気づいていないのか淡々とつづけた。

「さて、そこでおてまえに秘事を打ち明けねばならんのだが、言うまでもなくこれから申すことは他言無用となされたい。よろしいか」

「承知してござる」

「このたびにわかに嗅足組を解散し、身柄を大目付に預けることと相成った」

唐突に榊原は言った。そして、多分又八郎の顔にうかんだ驚愕《きょうがく》のいろを読んだのだろう、言いわけがましい口調でつづけた。

「もとよりわれら組の者の意思ではないが、殿のご命令ゆえ、いかんともしがたい」

「殿が組を解けと申されるからには、何か理由でも？」

「理由はある」

と榊原は言い、去年の秋に城下で旅の者が横死し、その死骸《しがい》が二日ほどして消失するという事件があったのを知っているかと言った。又八郎はうなずいた。

それは城下で一時大きな評判になった事件だった。城の北濠のそばで、刀による深手を負って絶命している町人姿の旅の者が発見され、町奉行の手の者によって般若寺《はんにゃじ》にはこばれた。一方城下の宿屋を虱《しらみ》つぶしに調べた結果、その男は甚内町の結城屋《ゆうきや》に泊っていた二人の江戸者のうちの一人と判明したが、もう一人の行方は知れなかった。

奉行所では、商用で城下をおとずれた二人が、商いの上のことで争いを生じ、一人がもう一人を殺害して逃げ去ったのではないかという推論をくだしたが、宿帳に記されている身元をたしかめることが必要だとしても、死骸をそのままにはしておけなかった。般若寺の和尚《おしょう》に供養《くよう》してもらって、寺内に仮埋葬することにした。

ところが、その死骸は一夜にして忽然《こつぜん》と寺の本堂から消え失せてしまったのである。明日は仮埋葬しようとしていた寺も、立ち会うはずだった奉行所の同心たちも、唖然《あぜん》として顔を見合わせるだけだった。

「まあ大体はそういう話になっているわけだが、事実は異る」

と榊原は言った。

「結城屋に泊っていた二人の商人は、将軍家から遣わされた隠密《おんみつ》で、数日領内できわめて不審な挙動を示した二人を追いつめて処分したのは、わが組の者だ。一人は殺害したが、一人は逃げられたという報告がわしにとどいた」

「不審な挙動と申しますと？」

「二人の者は行商人で、城下から領内の村々まで小間物と錦袋円《きんたいえん》という江戸上野池《いけ》の端《はた》の高名な薬を売り歩き、小間物はともかく薬はよく売れておったそうだ」

「…………」

「ところがこの二人、はじめは神妙に商いをしておったが、やがて村を回っては山の名を確かめ川の幅をはかり、ひそかに図面らしきものをつくりはじめた。城下でも、めったに人も歩かぬような小路《こうじ》まで出入りし、城の濠幅などをさぐったりした形跡がある」

「ははあ」

「しかし、ま、ここまでは挙動不審と申しても実害はない。ところが、ある朝蔵番が城の戌亥《いぬい》（北西）にある武器蔵が破られた跡があるのに気づいた。こっちが手出しせぬとみて図に乗ったのだろう。そこで急遽《きゅうきょ》、兵粮《ひょうろう》蔵、城下はずれ曾根《そね》村の焔硝《えんしょう》蔵といった要所にわが組の者を配ったところ、はたしてある夜、焔硝蔵の方に二人が現われたという次第だ」

「…………」

「現われたら有無を言わせず処分せよ、と言いつけておいたから、組の者はただちに二人を闇に葬《ほうむ》りにかかったのだが、そのときはまだ男どもの身分がわかっていたわけではない。隣国から来た探索の者ではないかと疑った程度でな。ところがそのすぐあとに、わしも藩の執政も動転するようなことが起きた」

と榊原が言った。

未申《ひつじさる》（南西）の方角に、藩と国境《くにざかい》を接するさほど大きからぬ幕府の天領がある。事件があった翌日、そこにある代官所から人が来てひそかに藩の重職に面会をもとめた。来藩したのは代官自身で、事件は一切不問ということにしてもらってかまわぬが、死者の遺骸だけは代官所に引き取りたいというのが、来藩の口上だった。死者が将軍家派遣の隠密であることを、言外に白状したようなものである。

執政たちはいそぎ協議した結果、ふたたび嗅足組に連絡をとることにした。組に連絡をとることが出来るのは執政のうちの一人だけで、その秘密の相印《あいじるし》によって家老と榊原が会う場合は、榊原は面《おもて》を布でつつみ、声音を変えるのがしきたりだった。ともあれ、その時の両者の談合によって、隠密の遺骸は夜の間に般若寺から国境まではこばれ、そこでひそかに天領の者に引きわたされたのである。

「ところが、それには後日談がある」

話はこちらの方が本筋だ、と榊原は言った。

三

去年の暮れ近い時期に、藩主壱岐守《いきのかみ》が将軍吉宗《よしむね》の謁見《えつけん》をたまわる機会があった。儀礼的なその用件が済んで退出しようとした壱岐守を、吉宗が呼びとめて言った。

「壱岐は国元に忍びを養っていると聞くが、まことか」

「は、いや」

壱岐守は絶句した。その秋の事件は、ひそかに壱岐守に報告されたが、事柄は闇から闇に葬らるべきものであるという執政の総意も同時に伝えられた。非は将軍家にあるという解釈である。

壱岐守は、その報告を了承した。だから、暗にそのときの事件を諷《ふう》したかのような、将軍家の唐突な下問に、一瞬言葉を失ったのである。

ちらと仰ぐと、吉宗はかすかな笑いを顔にうかべていた。だが、壱岐守はその笑いの中に、たとえば人を試すような油断のならないものがふくまれているように感じて目を伏せた。もともと蒲柳《ほりゆう》の質の壱岐守は、あばたづらで六尺を越える大男である将軍が苦手だった。

背筋がざわめくような不吉な気分を押さえて、壱岐守は一礼するときっぱりと言った。

「それは、何かの誤伝かと思われます。わが領内には、そのような者はおりません」

「ほう、そうか」

吉宗は面を伏せている壱岐守をじっと見つめている気配だったが、やがて言った。

「ほかに話すこともあったが、誤伝なら仕方ない。さがってよいぞ」

そういう仔細《しさい》があって、殿が将軍家の前で誤伝と言い切ったときに、嗅足組《かぎあしぐみ》の勤めは終ったのだと榊原は言った。

「組を存続することは将軍家を欺《あざむ》くことになる、というよりも事が露《あら》われればお家の大事、ということは殿のご沙汰を待つまでもない、自明の道理。殿の密命によって組を解くのに何の異存もないが、ひとつ気がかりなことがある」

榊原は又八郎をじっと見た。

「さっき申した江戸の組のことだ」

「はあ」

「江戸屋敷は、由来陰謀の巣であった。それで、早い時期に江戸に組を設けて殿の身辺の警固、謀議の探索にあたらせて来たわけだが、いまはその頭がさきの頭領谷口どのの血筋の人であることは、そこもとも承知と思う」

「谷口佐知どののことを申されるなら、そのとおりです」

「さよう、その佐知どのだ」

　と榊原は言った。

「ところでその江戸の組には、さきほど申した昨年暮れのいきさつも、それを受けて殿から嗅足組に下された密命も伝えられてはいない」

「すると、これから」

「いかにもこれから伝えねばならぬが、気がかりというのはそこのところだ」

「…………」

「なまなかの者が接触して解散を説いても、江戸の嗅足はすぐには信用せぬかも知れぬ」

「まさか」

　と又八郎は言った。

「佐知どのは聡明《そうめい》な女子《おなご》、事情を話せばただちに了解いたしましょう」

「いやいや、さにあらず」

榊原は無表情に言った。

「嗅足はまず人を疑う。これが鉄則でござる。たやすくは人は信ぜぬ」

「しかし……」

と又八郎は言った。

「同じ組の者を疑うことはありますまい」

「いや、それが……」

榊原は身じろぎして、膝《ひざ》をそろえ直した。

「江戸の組は、必ずしも国元の組の配下というわけではない。むろん時には配下として、国元の命令で一体となってはたらくこともないではないが、大方は独力で動くことが出来る権限をあたえられている。いちいち国元の許可を得ては仕事にならぬというのが、谷口権七郎どののご意向であった」

「…………」

「谷口どののご存命中は、それで問題はなかった。佐知どのとは親子だからの。だが谷口どのが死なれたあとは、そのやり方から思わざる弊が生じた」

「…………」

「ひと口に申せば、相互不信といったものだ」

榊原の青ざめた顔に、はじめて困惑したような表情がうかび、榊原は小さくため息をついた。

「二度ばかり、江戸は国元を疑い、国元は江戸のやり方を疑うということがあった。故人を誣《し》いるようで言いにくいが、谷口権七郎どのが佐知どのに与えた権限が大き過ぎたとわしは思っておる」

「佐知どのが、言うことを聞かぬということですか」

「いや、そうではない」

榊原はまた、もとの無表情にもどった。

「ただ、底のところにさっき申した不信が存在するということだ。だから、誰でもよい、配下の者を江戸にやって組の解散を説かせるというわけにはいかんだろう。今度はとりわけ問題が大き過ぎ、唐突に過ぎる」

「お話をうかがうと、いかにもそのように思われます」

と又八郎は言った。

「しかし、榊原さまが説けばむろん、佐知どのはしたがうほかはないと思いますが」

「むろん、わしか谷村が……」

と言って、榊原は顔をしかめた。嗅足の頭は失言したのだ。谷村というのは勘定組にいる谷村市兵衛《いちべえ》のことだろうか、と又八郎はすばやく思った。その谷村はおそらく組の幹部なのだ。

「不信と申したが、わしと佐知どのの間には、問題は何もない。有無相通じておる。わしが江戸に行くか、佐知どのを国元に呼び寄せれば、事はただちに解決する」

「すると、ほかに何がご心配で？」

「いまは誰も動けぬということだ。殿が帰国されるまであらましひと月。その間に、二の組ととなえる嗅足の足軽組を、永世口止めを誓わせて解散し、組内にある書き留めの書類のたぐいをのこらず処分し、名簿をそろえて極秘のうちに大目付に手渡さねばならぬ」

「…………」

「ここで肝心なのは、こういう動きの一切を何人《なんぴと》にも悟られてはならん、ということだ。と言うのは、組の解散が外に洩《も》れれば、いつ先年の寿庵《じゅあん》さまのような野心家が出て来て陰謀をたくらみ、組を横取りするかわからぬ。と言うわけで、わしはもちろん、しかるべき組の者も、江戸の佐知どのも一切動かしたくはないという時期に来ておる」

「わかりました」

と又八郎は言った。寺社奉行にして、嗅足組の頭でもある男が自分を屋敷に呼んだわけが腑《ふ》に落ちて来た。

その又八郎に、しばらく無言の目をそそいでから、榊原は口をひらいた。

「回りくどい話をした。しかしひと通りの事情を心得ておいてもらわんとな」

「…………」

「江戸に参ったら、ひそかに佐知どのに会い、組を解散し、そのあと目立たぬように帰すべき組の者は帰国させるよう説いてもらいたい。そこもとの申すことなら聞くはずだ。むろんわしの手紙も持参してもらうのだが、余人には頼めぬことだ。引き受けていただきたい」

四

その日、青江又八郎は非番だったが、四ツ（午前十時）過ぎに登城した。小塚助左衛門が予定どおり帰国し、出府は三日後に迫ったが、まだ関所手形と路銀が出ていなかったので、催促に行ったのである。

道中の路銀は、直接金銭を出し入れする元締役所から出るので、城に登るとすぐにそちらに行ったが、明日まで待てと言われた。

そう言った係り役人は山野という、元締下役を勤めている男で、下からすくい上げるような目で又八郎を見ると、出発は三日後とうかがっていますがと言った。あわてるなというわけである。

それだけでもいや味なのに、山野はもうひとつ皮肉をつけ加えた。

「青江さまは、今日は非番ではなかったのでしょうか」

「いかにも非番」

又八郎はむっとして言い返した。

「わが藩の元締役人は、吝《しわ》いのがそろっていると聞くゆえ、念のため催促に罷《まか》り出たのだ。明日はちゃんと用意しておいてもらいたい」

だがせっかくの又八郎の見幕も、山野にはいっこうに通じないらしく、その男は髪の毛が大幅に後退した光る頭をうつむけて、はやそろばんを引きよせながら帳面をのぞいている。話は終ったという態度だった。金をにぎっている元締役人は、いったいに態度が大きい。

山野の光る頭をにらみつけて元締役所を出ると、又八郎は奥の近習頭取詰所にむかった。途中、中庭のそばを通ると桃の花が咲いていた。まだいくらか日射《ひざ》しに硬さが残ってはいるが、三月の光はあかるく中庭を照らしていて、その桃の花はまぎれもなく春の到来を告げていた。

その見事な花に一瞬目を奪われたものの、又八郎の胸にある不快な気分は、それですっきりと消えたわけではなかった。無礼な男だ、とまだ山野に腹が立っていた。

元締役人はわが金を惜しむがごとくに出費を惜しむと言われるが、ほんとだなと思っていた。藩の金を預る役人が、あまり気前がよくても難があるかも知れないが、理由のある出費を惜しむのはただの役人根性に過ぎぬ。

——要するに……。

連中はふだん金銭ばかり相手にしているので、人とのつき合い方を知らんのではないかと思いながら歩いて行くと、すれ違う者がしきりに挨拶《あいさつ》を残して行く。中には立ちどまって、今日は非番ではなかったのかと聞く者もいた。

近習頭取の詰所の前まで来ると、ちょうど内から襖《ふすま》がひらいて、若い男が一人出て来たところだった。ふだん見かけない顔である。立ちどまって見ていると、若い男は鋭い一瞥《いちべつ》を又八郎に投げ、ついで少しあわてたようなそぶりの一礼を残して去った。

「やあ、青江」

詰所に入ると、机にむかって書類を見ていた男が、振りむいて声をかけて来た。平《ひら》塚与太夫《つかよだゆう》という同僚である。今日出仕しているはずのもう一人の近習頭取、前沢勢《まえざわせい》右衛門《えもん》の姿は見えなかった。

「これを取りに来たかな」

平塚は、腕をのばして書類箱をさぐると、関所手形をつかんで又八郎に渡した。手形は長さ五寸、幅四寸の木札で、将棋の駒《こま》の形を模している。

「今朝とどいたばかりだ」

「や、相済まん」

又八郎は木札を押しいただいた。月番家老津田内膳《つだないぜん》の名前で、青江又八郎が江戸に行く者である旨《むね》を保証していた。公用の旅で、べつに関所手形が出たのをありがたがるいわれはないのだが、元締役所のことが頭にあって、つい手が額に行ったようである。

もっとも、それで無駄足《むだあし》にならずに済んだことも事実だった。

「まだとどいていなければ、ご家老に催促せねばと思って来たのだ」

「出発がせまって来たからの」

平塚は言って、又八郎の顔を見た。

「路銀は出たか」

「まだだ。いや、それはいいがあそこの対応がじつにけしからん」

又八郎が、元締役所の対応についてひとくさり話して聞かせると、平塚は笑った。

「そういうことを言うのは山野杢内《もくない》だろう」

「その男だ」

「あれは札つきの評判のよくないおやじでな。何十年も金銭とにらめっこして来ると、ああいうひねたおやじが出来上がるらしい。元締役所から金を受け取るときは、手ににぎるまでみな気を揉《も》むと、もっぱらの評判だ」

「山野はいくつかな」

「そろそろ五十半ばだろう。もっとも金の出し入れは山野に聞けというほどで、藩金の出納《すいとう》については元締めもおよばぬ明るさだとも言う」

平塚がそう言ったとき、近習詰所の方から大勢がざわめく物音が聞こえて来た。ざわめきの中に、押さえた笑い声もまじっている。耳を傾けてから、又八郎が言った。

「若い者が、また浮かれておるな」

「それだ」

平塚はにがい顔をした。

「貴公がこの前申した、鬼のいぬ間《ま》の洗濯《せんたく》というやつだ。近ごろ、だいぶ緩んでおる」

「ま、気持はわからんでもない。やつめらは、殿が帰国すれば一年は、羽根をのばすこともままならぬと思っているのだ」

「勢右衛門もそう申して、まあ、大目にみておけなどと言うが、わしは気に喰《く》わん」

と堅物の平塚は言った。

「殿が帰国されたとき、おん前にふやけた顔をつん出されてはわれらが恥辱。そこで一喝《いっかつ》喰らわしてやろうかと思っていたところに、親戚《しんせき》の者が参ってな」

「ほう、さっき見えたひとは親戚か」

と又八郎は言った。眼光鋭い若者だったという記憶が残っている。

「城中では、あまり見かけない若者だったが」

「鶴崎新五郎《つるさきしんごろう》と言って、徒目付《かち》をしておる。ふだんは大目付屋敷にいるのだ」

「ははあ」

「今日は、大目付の供をして来たそうだ」

と言ってから、平塚は膝を寄せると急に声をひそめた。

「ところで、表の方で何か変りはなかったか」

「はて」

又八郎は首をひねった。

「格別変りあるとは見えなかったが、何か」

「昨夜のことだ」

平塚はさらに膝をすすめて来た。

「寺社奉行の榊原さまが何者かに殺害されたらしい」

「なんと」

又八郎は呆然《ぼうぜん》と平塚の顔を見た。

「それはまことか」

「新五郎がそう申したからには、間違いはないはずだ。大目付はそのことで、急ぎ月番家老と談合するために登城したと言っておる」

頭取詰所の空気が、にわかに冷えて来たように又八郎は感じた。榊原を殺害したのは何者か、榊原に委託された密事はどうなるのかといったことが、瞬時に頭の中を駆けめぐった。

「殺されたのは……」

又八郎はようやく言った。

「屋敷の内でか」

「いや、榊原さまは昨夜用あって他出したらしい。屋敷の門前まで帰って来ると、そこに刺客《しかく》が待ちうけていたということだ。供をしていた爺《じじい》が助けをもとめに屋敷に駆けこみ、助勢と一緒にもどってみると、榊原さまは、はや門前で絶命していたそうだ」

「刺客は一人かな」

「さあて、新五郎もそこまでは話さなんだ」

五

ふた晩間をおいて、明日は出国という日の夜に又八郎は瓜屋《うりや》町の大目付屋敷をたずねた。供は連れずに単身で、時刻にも十分気を配って大目付屋敷に着いたのは、およそ五ツ半（午後九時）過ぎだったろう。

この時刻なら、屋敷の者も寝る者は寝てしまうだろうと思いながら来たのだが、玄関に入ると、あにはからんや屋敷の中は煌々《こうこう》と灯《ひ》がともっている。又八郎は内心舌打ちしたが、考えてみれば大目付は、寺社奉行殺害の犯人を追ってまだ大捕物の最中だったわけで、屋敷には手足となって働く徒目付、足軽目付がまだ家にも帰らずに詰めているものと思われた。

だが訪《おとな》いの声に応じて出て来た年寄りの家士は心利《き》いた男で、又八郎が姓名、身分を名乗り、内密に大目付に会いたいと言うと、ただちに母屋《おもや》の奥まった場所に案内した。

老人は又八郎を部屋の前の暗い廊下に待たせたまま、いったん引き返して火を持って来た。そして行燈《あんどん》に灯を入れてから、又八郎を部屋の中に招きいれた。

「主人はただいま会議中です」

と老人は言った。

「少し手間どるかも知れませんが、必ずお会いになりますのでしばらくお待ちください」

そう言うと老人は、てきぱきとした動作で襖をしめ、足音も立てずに去った。秘密の面会人の扱いを心得ているような、馴《な》れた物腰が感じられた。

老人の言ったとおり、又八郎はそれからざっと半刻《はんとき》（一時間）ほども待たされたが、長録寺の鐘がかすかに四ツ（午後十時）を告げるとすぐに、今度は若い家士がお茶をはこんで来た。そしてすぐあとから大目付が部屋に入って来た。

「や、待たせた」

と、大目付の兼松甚左衛門《かねまつじんざえもん》は言った。大目付が安藤七十郎から兼松に代ってから、十年ほどは経《た》つだろう。襲職当時に、少壮気鋭の兼松と言われた大目付も、十年の在職の間に髪に白いものがまじり、顔には小皺《こじわ》がふえた。

しかしそのかわりに、町奉行とともに藩の司法の要《かなめ》に坐《すわ》る法執行官の貫禄《かんろく》は、風貌《ふうぼう》にも大柄《おおがら》な身体にもあきらかににじみ出ていた。齢《とし》は又八郎より五つ六つ上のはずで、五十に手がとどいたかどうかだろう。

「青江は……」

茶をひとすすりし、又八郎にもすすめてから、兼松は怪訝《けげん》そうに言った。

「江戸に行くのではなかったのか」

「はあ、明日出立いたします」

と又八郎は言って、ひと膝《ひざ》前に出た。

「その前に、大目付に内密のお話がございまして、罷《まか》り出ました」

「うん、聞こう」

と兼松は言った。

「じつは先月の末、つまり半月ほど前のことですが……」

「………」

「亡《な》くなられた寺社奉行に呼ばれて、重大なことを頼まれました」

「よし、つづけて話してくれ」

と言うと、大目付は腕を組んで目をつぶった。すると大目付の顔には齢相応のおとろえと、濃い疲労のいろがうかび上がって来た。おそらく連日の探索の指揮に、疲れがたまっているのだろう。

「寺社奉行はこのたび嗅足組を解散し、組の名簿を兼松さまに提出すると言われました」

又八郎は寺社奉行と会った夜に、寺社奉行すなわち嗅足組の頭である榊原造酒が又八郎に打ち明けたことをのこらず話した。

兼松は目をつぶったまま、一言もはさまずじっと聞いている。

「組を解く事情を話されたあとに、寺社奉行は、いや、榊原さまは江戸に行くそれがしに頼みごとをひとつされました」

「…………」

「江戸の嗅足組に解散を説く役目を委託されたのです。ご自分や組の重だった者は動けぬと申されました。そこで、出府の用が出来たそれがしが嗅足組の大体に通じ、また、かつて江戸の組とともに仕事をしたこともあるのを思い出されて、頼みごとをしたものと思われます」

「それで？」

目をひらいた大目付が言った。疲労のいろは掻《か》き消えて、鋭い目が又八郎を見ていた。又八郎も、その目を見返した。

「そこで、二、三おうかがいしたいことがございます」

「うむ」

「嗅足組解散のことを、榊原さまからお聞きでしょうか」

「聞いた。それについては談合済みだ」

「すると、名簿もとどいておりますか」

「一の組の者、つまり士分の者の名簿はとどいておる。これは間に合った。しかし二の組、卒《そつ》の者たちの名簿はまだだった」

「と言いますと？」

「ま、そこもとには話しておくのがいいかも知れん。事件のあと、ただちに二の組の名簿を押さえにかかったが、榊原の居間では見つからなかった。どうも、書き上がったものが何者かに奪われた気がしてならんのだて」

「…………」

「しかし、突きとめる手段がないわけではない。一の組の者に質《ただ》せば、二の組の者の大体の名前はうかんで来よう。しかし、その場合も多少の遺漏は出るだろうな」

「もうひとつおうかがいします」

と又八郎は言った。

「それがしが江戸の組と接触することは、お聞きになっておりますか」

「いや、それは聞いておらなんだ」

「すると、組を解くように説得する役目は、このまますすめてよろしいわけでしょうか」

「むろんだ。おう、そうだ。事件で少し動転しておったが、榊原が死んだいまとなっては、その件はわしから改めて頼むべきことだ。よろしく頼むぞ」

「あ、いや、そういう意味で申したのではありません」

又八郎は少しあわてた。

「出発する前に、一応たしかめたかっただけです」

「江戸の組の頭によろしく伝えてくれ」

と兼松は言った。

「女子たちの名簿はいらぬ。ただ、そのまま江戸屋敷に勤めておっては、殿の思《おぼ》し召

しに逆らうことになるゆえ、お役目で出府している者は、少しずつ帰国させるように
と佐知どのに申してくれ。ただし、ごく目立たぬように手配することと言ってもらお
うか」
「かしこまりました」
これで大体たずねて来た目的は達したと思ったが、又八郎はまだ聞くことが残って
いるような気がした。
「榊原さまのお話では……」
と又八郎は言った。
「嗅足組と将軍家隠密との争闘が、将軍家のお耳に達したのが組解散の理由になった
ということでしたが、事実でしょうか」
「それもある。が、それだけではない」
と兼松は言った。
「一昨年、御用人の船橋光四郎が、帰国中に暗殺されるということがあったのをおぼ
えているかの」
「いかにも、そういうことがありました」
「殿はそのときの一件を、何者かの使嗾《しそう》をうけた嗅足組のしわざと見たらしい。誰か

が、殿の耳にそのように吹きこんだのかも知れんが、なにせ船橋は側近中の側近、殿はその一件以来、嗅足組に対する不快なお気持を隠せずにおられたようだ」

「それは、はじめてうかがいました」

「ま、嗅足組などというものは、もはや時代おくれの党、解散する方がよい」

兼松甚左衛門は吐き捨てるように言った。

「なまじそういうものがあるばかりに、わが野心に利用しようなどとたくらむやつばらが出て来る」

「榊原さまを殺害した犯人ですが……」

又八郎は、胸の中でずっと考えて来たことを口にしてみた。

「組の解散に不満を持つ者のしわざではないでしょうか」

「大きにそう考えられる。と言うよりも、理由はそのほかに見当らないと言うほどのものだ。榊原は身辺清潔な人間だし、調べた限りでは人に恨まれるような筋合いは何ひとつなかった」

「…………」

「そこで、とりあえず名簿がとどいている一の組の者を、一人ずつひそかに呼んで訊《じん》問《もん》しているところだが、いまのところは、まだ何も出て来ておらぬ。ま、しかし、遅くとも青江が江戸にいる間には目鼻をつけたいものだ」

大目付がそう言ったのをしおに、又八郎は夜分遅い訪問を詫《わ》びて、一礼すると腰を浮かした。

尻《しり》さがりに襖ぎわまでしりぞいて、又八郎がさらに一礼して立とうとしたとき、大目付が話しておくことがあると言った。

「船橋暗殺の一件に、嗅足組がかかわり合っていると殿が思われたのには理由がある。じつに水際《みずぎわ》立った暗殺で、あとには足あとひとつ残っていなかったのだ」

「………」

「しかし、殿は間違っておられた。その証拠がひとつだけ残っていて、遺骸《いがい》の傷が剣客のものだった」

又八郎が顔を上げると、兼松はうなずいてみせた。

「わしにも若干の心得はあって、嗅足組のやり方は聞いておる。ところが遺骸は、傷あとの形もとどめを刺す場所も嗅足の手段とは異っていた。それに嗅足組は痩《や》せても枯れても殿直属を誇りとする組。殿の意に反した暗殺をやるとは考えられぬ」

「ごもっとも」

「ところで、話というのはだ」

兼松は吐息をひとつついた。

「わしのみるところ、榊原を殺害した人物と、二年前に船橋光四郎を暗殺した人間は同一人物だ」

「なんと」

「一の組の者を調べてもおそらく埒《らち》はあくまい。二年前に影も見せずに消えた男が、また凶刃《きょうじん》をふるったとわしはみておる。となると、組解散に不満の者が榊原を殺害したという筋も、なお検討の余地があろう」

大目付の屋敷を出ると、湿った夜気が又八郎をつつんで来た。大目付の最後の言葉がもたらしたおどろきが、まだ胸に残っていた。

——誰だ。

と思った。検死にあたった兼松が、ひと目で剣客の傷と見破ったような刀を遣う男と言えば、いまは誰だろうと穿鑿《せんさく》する気持が動いたのである。

むかしなら牧、渋谷、青江と言われたろう。だが、そう呼ばれた時期は短くて、いまや牧は労咳《ろうがい》病みで床に臥《ふ》し、渋谷と又八郎はせり出して来た下腹を人目から隠すのに苦労するという有様である。とてもその格ではない。

いまは馬廻《うままわ》りの松波庄蔵《まつなみしょうぞう》、近習組の戸田甚五郎、もしくは勘定組の村越金之助あたりかと思ったが、その誰もが陰謀に加担して要職の者を斬《き》って回るような人物には思えなかった。三人ともに気性快活な若者である。

——わからんな。

又八郎は匙《さじ》を投げた。大目付が、なぜ最後にあんな話を持ち出したのかも謎《なぞ》だった。あれは藩にとって、かなりの秘事ではなかったのか。

又八郎は頭を振った。明日は早立ちで出発しなければならない身だった。深刻な話はひとまずおいて、家にもどったら十分に眠らねばならぬ。そう思ったとき、頭の中に一人の男の顔がうかんで来た。元締役所の山野杢内の顔である。

——言わんことじゃない。

路銀の手渡しは、やはりぎりぎりの今日になってしまったではないか。それを恐縮するどころか、あくまでも恩着せがましいあの態度はなんだ、と又八郎は思った。

その敵は、又八郎の気持が大目付との今夜の会見から逸《そ》れて、きわめて私的な怒気の方に移ったところを見はからったように、ちょうどその時に襲いかかって来たのである。

異様な夜気のそよぎを感じ取った瞬間、又八郎は本能的に体をひねってのがれると、そのまま数歩前に走り、走りながら刀の鯉口《こいぐち》を切った。そして振りむいたときには、敵が目の前に迫っていたが、抜いた刀は斬りかかって来た敵の刀をはね上げるのに間に合った。

擦れ違いながら、敵はさらに身を沈めて又八郎の胴を薙《な》いで行った。すばやい剣だったが、又八郎はその刀を払った。そのまま、襲いかかって来た敵は闇《やみ》の奥に姿を消した。地面に落ちて燃えている提灯《ちょうちん》の灯に、走り去る男の黒々とした着流しのうしろ姿がうかんだが、それも一瞬のことだった。

又八郎は刀を鞘《さや》にもどした。何者だろうと思った。そのときになって、全身に総毛立つような緊張が走った。自分まで狙《ねら》われるとは、多少の用心はしたものの、じつは思いもよらなかったのである。心あたりはまったくなかった。

――しかし……。

歩き出したとき、又八郎はふと思った。おれも、まんざらでもないのではないか。斬り合いの一部始終は、はっきりと頭に残っていた。襲って来たのは決して凡庸の遣い手ではなかったにもかかわらず、間一髪の防ぎわざが、ことごとく間に合ったのを又八郎は感じている。身体《からだ》が、往年の剣技をおぼえていたとしか言いようがない。

又八郎は左手をのばして、右肩をさぐった。羽織の袖《そで》が、そこで切り裂かれていた。気配を察知するのがほんの一瞬おくれていたら、取り返しのつかない手傷を負ったに違いなかった。

安堵《あんど》の思いが胸にひろがった。その安堵には、手傷を負わずにすんだということのほかに、思ったよりも身体が動いた満足感がふくまれていた。

すると、その安堵感に便乗したように、何の脈絡もなく山野杢内の陰気な顔までもどって来たが、又八郎はその杢内の無礼も許してやりたくなった。

――要するに……。

藩が貧しいために、出納に吝《しわ》いのが習い性になったのではないか。そうだとすれば、杢内も気の毒な男だと又八郎は思った。

河岸の広い道に出て、提灯はなくとも地面の白さが見えるようになった。もう襲われる心配はなさそうだった。


途中で帰国する藩主の行列に会い、附き添いの重職に挨拶《あいさつ》したほかは、一人きりの十日ほどの旅だった。用心に用心を重ねたが、あやしい人間は現われず、又八郎は無事に芝・佐久間小路《こうじ》そばの江戸屋敷に到着した。

江戸家老に会い、同役の近習頭取に挨拶をしたあと、案内された屋敷内の長屋に落ちついた。そのまま又八郎は、佐知が自分の出府を嗅《か》ぎつけて忍んで来るのをじっと待ちうけた。

六

片手に提灯をさげ、片手に傘《かさ》をさした渋谷雄之助の姿が遠ざかるのを、青江又八郎は江戸屋敷の門扉《もんぴ》の外からしばらく見送った。何年ぶりかで顔を合わせた雄之助は、父親には似ない性格のおとなしい若者だったが、提灯の灯にうかぶうしろ姿は、なかなか骨格たくましく見える。

――よい息子ではないか。

と又八郎は思った。わが家の上の娘に似合うかな、とふと思ったのは、やはり親の情というものかも知れなかった。

ついさっき降り出したばかりの雨が、提灯の光にうかび上がる雄之助のまわりを霧のように包んでいる。雨のせいか、ほかには人影は見えなかった。雄之助の姿が小さくなり、やがてふっと角を曲ったらしく、あとはくら闇に塗りつぶされるのを見とどけてから、又八郎は潜り戸を入った。

門番にことわりを言って戸を閉めさせ、長屋にむかう途中で、不意に横なぐりの雨が吹きつけて来て身体を濡《ぬ》らした。雨そのものはまだ小降りだが、風が出て来たようだった。

長屋にもどると、又八郎は手拭《てぬぐ》いを出して顔と髪を拭《ふ》き、ついでに濡れた袖のあたりも手拭いを押しつけて拭いた。それから台所におりて、さっき雄之助が下げて行った椀《わん》と小皿を洗った。

屋敷の中では区別なくお長屋と言いならわしているが、又八郎は役持ちなので、住んでいるのは一戸建ての役宅だった。むかしは役宅にはそれぞれに召使いがつけられたらしいのだが、近年は経費の節約が言われて、万蔵という年寄りの下男が、又八郎の長屋と若殿新次郎君附きの内御用人村越儀兵衛《むらこしぎへえ》の長屋の二軒を掛け持ちで、飯を支度し、雑用を足すだけである。しかも万蔵は二軒につきっきりというのではなく、用がないときは屋敷内の仕事にもどり、そちらの勤めの方が本物だった。

もっとも、だからといって万蔵に気を遣って皿を洗うことはないのだが、江戸屋敷の一人暮らしに馴《な》れて来ると、又八郎の身にも心にも、次第に往年の用心棒暮らしの、身軽だった日々の感触がもどって来るようでもある。もと用心棒の近習頭取は、せっせと椀と皿を洗った。

――それにしても……。

物を洗い終った手を拭いて居間にもどりながら、又八郎はもう一度、さっきまでそこにいて飯を喰《く》っていた渋谷雄之助のことを思った。あれは、感じのいい若者に育ちよった。

藩主が帰国すると、屋敷内の人数は急に減って、近習組も残るは三分の一になってしまうので、頭取の勤めも手持ぶさたなほどにひまになる。藩主がいようといまいと変りなくいそがしい留守居や奥勤めの役職にくらべれば、申しわけないほどだった。といっても定められた勤めの中身というものがあって、非番の日が来なければ、ひまだからと勝手に外に出るわけにいかない。そのあたりはむしろ国勤めよりも不自由だった。

そこで、又八郎は今日、外に用足しに行くという万蔵に手紙を託して、雄之助が起居している四谷御門外塩町の学塾までとどけさせたのである。父親から金を預って来ておる、つごうのよい折に藩邸まで取りに来るようにと書いた手紙を万蔵に持たせたとき、又八郎は、雄之助が来るのははやくて二、三日後だろうと思ったのだが、あにはからんや、本人は使いの万蔵を追い越す勢いで、七ツ（午後四時）ごろにははやくも又八郎を訪ねて来た。

これには又八郎もおどろいたが、聞いてみると、真偽のほどは疑わしいものの、それほどに金に窮していたというのではなく、懐《なつ》かしさに飛んで来たという言い分がうれしくて、万蔵に言いつけて雄之助にも晩飯を喰わせたのである。

むろん、ただうれしいばかりが理由ではない。又八郎は、飯を喰わせながら雄之助から近ごろの江戸での暮らしぶりを聞き出すつもりだった。雄之助は親友の子である。甚之丞にしても、ただ金をわたすだけのお使いを頼んだわけではあるまい。近況に耳かたむけて、もし悩みごとがあればはげまし、暮らしぶりに曲ったところが見えれば叱《しか》ってやろう、といったようなことはすぐ頭にうかんで来る。又八郎はそういう齢《とし》になっていた。

しかし、話してみると雄之助はそんな心配は必要のない若者のようだった。構えたところがまったくなく、若い者としては物足りないほどおとなしく見えるのはたしかだが、しかし物言いはぺらぺらした感じではなくて、むしろかなりの訥弁《とつべん》だが、それがむしろこの若者に一種の重厚な印象をつけ加えていた。

聞いたところによると、雄之助は学塾に寝泊りして、師匠から食事を給されているのだが、それは勉学のかたわら師匠の著述を手伝う仕事があって、のぞまれてそうしているのだという。最後に雄之助は、その学塾で塾頭をつとめているとはずかしげに言った。

しかし、ふだんあまりうまいものは喰っていないらしく、そうした話のあとで、万蔵が得意の煮魚と豆腐の味噌汁《みそしる》、里芋の煮つけ、国元の香りがぷんぷんする漬け物《つけもの》という献立ての夜食を出すと、雄之助は急に黙りこんで、又八郎のすすめの言葉もそこそこに飯にかぶりついた。

雄之助は山盛りで三椀の飯をたべた。漬け物ひとつ残さずたいらげて満足そうに礼を言うと、先に終っていた又八郎の椀や皿まで台所にはこんだ。それがいま又八郎が後始末した、食事の残骸である。

——あの調子だと……。

また飯を喰いに来るかも知れんな、と又八郎は思った。それが厄介《やっかい》だとは少しも思わず、腹に笑いが動いた。今日のことを渋谷に知らせてやろうかと思った。国元と江戸屋敷の間は、しじゅう誰かが行き来している。手紙を書いてやれば、渋谷は安心もし喜びもするだろうと思いながら、又八郎は台所仕事が済むと机にむかった。

渋谷甚之丞に書いた手紙に封をし、机を片寄せてから隣の寝間に夜具を敷いたとき、時刻は五ツ半（午後九時）を回っていたろう。いつの間にか、風雨が強くなっていた。長屋の屋根を叩《たた》く雨音にまじって風の音がし、雨はときどき入口横の羽目板のあたりに、はげしくしぶく音を立てる。

一人で聞く風雨の音は、又八郎のような風流事とは概《おおむ》ね無縁な男の胸にも、かすかな孤独感をはこんで来た。夜具に横たわったまま、又八郎は闇の中に目をみひらいてじっと外の物音を聞いたが、やがていつとはなく眠った。

時刻は何刻《なんどき》ごろだったろうか。又八郎は目覚めた。目覚めると同時に、手は無意識に枕《まくら》もとの刀をつかんだ。寝間のくら闇の中に人がいた。

はね起きようとしたとき、くら闇にいる人間が声をかけて来た。

「お目覚めですか」

それは嗅足の江戸組の頭《かしら》佐知の声だった。吐息をついて、又八郎は刀を放し上半身だけ床の上に起こした。すると、佐知は又八郎のその姿が見えているように、どうぞ、そのままでお聞きくださいましと言った。

外には相変らず風雨の音がした。風も雨も、又八郎が床についたころよりもさらにはげしさを増し、屋根を打つ雨が風にあおられて、時おりざっざっと物を叩きつけるような音を立てる。それなのに、佐知の低い声は一語のまぎれもなく、又八郎の耳に入って来た。

「不用意にお声を立てなさるな」

と佐知は警告した。そして誰が話し声を聞きとがめないものでもありませんからとつけ加えた。

佐知が用心に用心を重ねている気配が、又八郎にも伝わって来た。むろんそういう事情はあらまし呑《の》みこんでいるので、又八郎は屋敷内にいるはずの佐知に連絡したいそぶりなど、毛筋ほども表に出さず、出府を嗅ぎつけて先方が連絡して来るのを待ちうけたのだが、佐知の警戒ぶりは又八郎の予想を越えていた。なるほど、これでなければ隠密《おんみつ》の役目は勤まるまいと思いながら、又八郎は黙然と佐知の声に耳を傾けた。

「あなたさまが、小塚さまと交代で出府なさることも、先日お屋敷に到着されたことも存じておりました。うれしゅうございました」

佐知はそう言ったが、声は淡々としていた。

「つもる話もございますが、ここでは出来ませぬ。若松町の平田の家をおぼえておいでですか」

「忘れてはおらぬ」

と又八郎が言った。平田というのは薬研堀《やげんぼり》の南にある若松町に住む町医者である。どういうつながりになっているのか、たしかめたことはないが、佐知は非番の日などに、その家をわが実家のように勝手に使っているように見えた。主人の鱗白《りんぱく》に、又八郎は一度傷の手当てをしてもらったことがある。

「明後日《あさって》から三日、青江さまは非番とおうかがいしました。そこで明後日の夕方、七ツ（午後四時）ごろまでに、平田の家においでいただけますか」

「うかがおう」

しゃべるなと言われたので、又八郎は言葉を節約した。その折は、ひとに見られぬようになされませ、とつけ加えてから佐知は言った。

「では、委細はその節に。どうぞこのままおやすみなさいませ」

佐知のその声は、夜具の足もとの方角になる部屋の隅《すみ》から聞こえて来る。やすめと言われても、佐知がそこにいては横になりにくかった。

又八郎が上半身を起こしたままでじっとしていると、佐知がどうなさいましたと言った。

「わたくしは勝手に出て行きます。かまわずに横になってください」

「…………」

「十六年も音信もなくほっておかれたからと、寝首を掻《か》くようなことはいたしませぬ。安心しておやすみなさいませ」

と佐知は言った。

又八郎は苦笑して横になった。そう言われても、そう簡単に眠れるものではあるまいと思ったのに、意外にも眠気はたやすくおとずれて来て、又八郎はうつらうつらとした。又八郎は、ゆったりとした解放感につつまれていた。

むろん解放感は、ただ佐知と無事に連絡がついたというだけのものではなかった。心の奥底にひろがる深い安堵がある。又八郎は、佐知の最後のひと言でそれまで胸の中にあったかすかな緊張感、言ってみれば佐知との再会にそなえてひそかに身構えていた気分が、一度に消滅したのを感じていた。

長い年月の間に佐知は変ったろうか、あるいは再会する自分を、佐知はどんなふうにむかえるだろうかといったたぐいの、かすかな罪悪感までまじる懸念《けねん》を、さっきのひと言がきれいに拭い去ってしまったように思えたのである。

どちらかと言えば、堅苦しいほどに生《き》まじめなところがある佐知が、軽口めいた言い方をしたのは意外だったが、その軽口で、佐知はわたしは少しも変っていませんよと告げたことになるだろうか。

同時にそこには、かつて身も心も許し合った者同士だけに通じる、限りない許容がふくまれているのに気づかないほど、又八郎も鈍感ではない。しかしこのくつろぎを……。

――ひとにさとられてはならんな。

ましてや妻には、と又八郎は思った。その思いは、ちくりと胸を刺すべつの罪の意識をはこんで来た。しかし、それでも佐知の許容は快いものだった。

ふと目覚めると、部屋の中から佐知の気配が消えていた。風雨の音が、まだ長屋をつつんでいる。その音に背をむけるように寝返りを打つと、又八郎はにわかに深い眠りに落ちて行った。

七

若松町は元禄《げんろく》年間に隣の村松町からわかれた小さな町で、三方を武家屋敷に囲まれた物静かな場所である。

町医平田麟白の家も、しもた屋の塀《へい》や生垣《いけがき》がつづく静かな道のそばにあった。かつて藩主の伯父寿庵保方《じゅあんやすかた》が、佐知たち江戸嗅足を抹殺《まっさつ》するために刺客を送ってきたとき、佐知の隠れ家である平田の家も刺客に踏みこまれて、主人の麟白をはじめとする家族が、しばらく本所の方に難を避けるということがあったが、いまはむろん、人々は家にもどっているのだろう。

一片の雲も見えないほどよく晴れた日で、日はやや西空に傾いたものの、日射しはかなり暑かった。平田の家の黒板塀につづく門の格子戸《こうしど》の前に立ったとき、又八郎は少し汗ばんでいた。格子戸をあける前に、すばやく道の左右に目を配ったが、突きあたりの村松町に沿う通りに町人の姿が動いているだけで、ほかに不審な人影は見あたらなかった。

家に入って訪《おとな》いをいれると、すぐに返事がして佐知が出て来た。先夜のことなどなかったかのように、佐知は丁寧に三つ指をつくと、お待ちしておりました、どうぞお上がりくださいましと言った。

一瞬、又八郎は十何年ものむかしに時が逆もどりしたような錯覚に襲われた。そのころに、何度かこの家をおとずれて佐知にむかえられたことがあったせいでもあろうが、目の前の佐知がその当時とさほど変っていないように見えるのが、むしろ一番の理由だったかも知れない。

むろん、まったく変らないというのではなかった。佐知は頰《ほお》がわずかに丸味を帯び、坐《すわ》っている腿《もも》のあたりにも、むかしはなかった肉が盈《み》ちているのを感じさせる体型に変っていた。だが皮膚はなめらかで瞳《ひとみ》は娘のように黒く、生気にあふれて又八郎を見つめている。

「何をごらんになっていますか」

訝《いぶか》しむように佐知が言った。

「いや、失礼」

又八郎は口籠《くちごも》り、いそいで上にあがった。すると佐知は、むかしと同じように先に立って、いそぎ足に茶の間の横を通りすぎ、又八郎を奥の部屋に案内した。

その部屋には思い出があった。佐知の助けで幕府隠密の手からのがれて、数日化膿《かのう》した足の傷を手当てしながら寝ていた部屋であり、何度か佐知と打ち合わせのために会い、時には手料理を馳走《ちそう》になった部屋でもあった。

部屋はきれいに片づいて、畳も障子もまだ新しかった。壁ぎわには桐《きり》の箪笥《たんす》と小さな茶箪笥がならべてあり、箪笥のそばにはきれいに灰を掻いた箱火鉢《はこひばち》が置いてあった。茶箪笥の上に箱に入れた人形がのせてあり、その箱の前面はギヤマンだった。

ギヤマンの奥からこちらを見ている町娘をかたどった人形が、国元でよく見かける人形なのに気づいて、又八郎はちくりと胸が痛んだ。思いがけないところで、佐知の孤独な気持をのぞいてしまったような気がしたのである。人形と並んで、壺《つぼ》に小手毬《こでまり》の花が投げ入れてあった。大きな青磁壺に、白い花がよく似合い、それがこの部屋の季節のいろどりだった。壺の下の方に、これも見覚えのある小さな鈴がある。

箪笥と反対側の押入れの襖《ふすま》の前には、空の衣桁《いこう》が半ば畳まれて立っていた。又八郎が部屋の中を眺《なが》めていると、いったん部屋を出て行った佐知がもどって来た。手に盆をささげていた。

「お久しゅうございます。お変りもなくけっこうに存じまする」

佐知が改めて挨拶した。

「いやもう、齢でな。腹が出て来よった」

と又八郎は言った。

「久しく音信もせず、相済まなんだ」

「この間申し上げたことですか」

又八郎の前にお茶と餅菓子《もちがし》を配りながら、佐知は微笑した。

「あれはうれしさのあまりに、つい口が滑ったはしたない冗談。どうぞお気にかけられますな」

「さようか、わしには本音に聞こえたが……」

「それは、お気持にやましいところがおありだからではありませんか」

言ってから、佐知は袂《たもと》をすくい上げて口もとを覆《おお》うと、くすくす笑った。

おや、と又八郎は思った。知り合ったころの佐知は、どちらかといえば暗い感じがする娘だったが、その理由はわかっている。佐知は妾腹《しょうふく》の娘として日陰で育ち、十七のときには父親の命令で意に染まない嫁入りをした。政略結婚といった色あいのその縁組は、わずか半年で破局を迎え、佐知は今度は父権七郎の密命で江戸に出た。

あとで又八郎が聞いた佐知の過去はそういうもので、何気ない表情や挙措にふと現われる暗さは仕方がないものだったと言えるだろう。はじめて言葉をかわしたころの佐知は寡黙《かもく》で、ひたすらに堅苦しかったものである。

しかしその後佐知は、又八郎を助けて幕府隠密、妖剣士《ようけんし》大富静馬《おおとみしずま》とたたかい、つぎには又八郎の助勢をうけて筒井杏平《つついきょうへい》ら、国元から派遣されて来た刺客と死闘を演じることになった。

その間、ざっと三年。又八郎が帰国したわずかな時期をのぞいて、二人ははからずも生死を共にする運命の日々を送ったのだが、その間に又八郎が気づいたことは、佐知が少しずつ心をひらき、ついには又八郎に心をのぞかせるのを厭《いと》わなくなったということだった。

二人の間にあったつつましい情事のことだけを言うのではない。佐知の人柄《ひとがら》が、生《き》まじめなところは仕方ないとしても、全体として明るく変り、人に打ちとけるようになったことを又八郎は言いたいのだった。その変化は喜ばしいものだったのである。

だが、十六年間又八郎は佐知をほったらかしにしておいた。他意はなく、また忘れたわけでもないが、別れるときに佐知が言ったような江戸詰の機会が一度もなく、やがて役持ちに変ると、勤めの日々は家をかえりみるいとまもないほどに多忙をきわめた。そして気がつくと十六年の歳月が経《た》っていた、というのが偽りのない実感だったのである。

再会を前に、佐知は変ったろうかと思ったとき、又八郎の念頭にあったのは、はじめて出会ったころの、固い殻《から》に閉じこもって容易に人を近づけなかった佐知の姿だった。その暗さこそ、佐知の本性のように見えたものである。長い別離の間にそこまで逆もどりすることは十分にあり得る、と思ったのだ。

幸いなことに、一昨日の夜中の会話は、又八郎のその心配を一掃するものだった。しかしそれですっかり安心したわけではなく、又八郎は今日は怨《うら》み言《ごと》のひとつも聞かされるのではないかと思いながら来たのだが、意外なことに、佐知はひたすらに明かった。

又八郎の胸に、べつの疑念がうかび上がって来た。佐知はむかし話していた再婚に踏み切り、又八郎との音信不通などは気にかける必要がなくなったのだとも考えられる。そうした事情を、何ひとつ耳にしているわけではないのだが、と又八郎は思った。

だがその疑念は、ほんの一瞬胸をかすめただけで、すぐに消えた。

――そうではないだろう。

と又八郎は思った。一昨日の夜のこと、そして目の前の佐知を思いくらべれば、佐知がいまだにひとり身で、純粋に二人の再会を喜んでいることはまず疑いの余地がない。いらざる臆測《おくそく》など口に出したら、佐知に蔑《さげす》まれようと又八郎は思った。

「何をお考えですか」

と佐知が言った。又八郎の沈黙を訝《いぶか》しんだようである。

「お茶を召し上がれ。お菓子は、のちほどお夜食をさし上げますから、おいやでしたら残されてもけっこうですけれど」

「十六年と言うが、なに、あっという間に過ぎた」

と言って、又八郎はお茶を飲んだ。香ばしい茶だった。

「わたしもそう思います」

と佐知は言って目を伏せた。

「お別れしたのは、ついこの間のことのようにしか思われません」

「そなたは変らぬ。むかしとくらべて、どこが変ったかと思うようなものだ」

「太りました」

佐知はほとんど無邪気なほどの、率直な口調で言った。

「それに小《こ》皺《じわ》もふえましたし。でも、もうそろそろ四十女ですからいたし方ありません」

佐知は言ってから、少し声を落とした。

「青江さまは、小塚さまの代りというお役目のほかに、こちらに何かご用があったのではありませんか」

「いかにも」

又八郎はおどろいて言った。

「何か、国元から知らせでも？」

「いいえ」

佐知は首を振った。

「ただ、青江さまはこちらにみえられた翌日には、もうひとに見張られておりましたので」

「屋敷うちでか」

「そうです」

「ほほう」

佐知がこの家に自分を呼んだのは、ただ旧交をあたためようというだけのことではなかったらしい、と又八郎は思いあたった。出発前に、国元で起きた一連の出来事が電光のように脳裏をかすめ、又八郎は強い緊張にとらえられるのを感じた。

　又八郎は茶碗《ちゃわん》を置くと、背筋をのばした。

「その見張りの人間が何者か、おわかりか」

「はい。野呂助作《のろすけさく》という者です」

「野呂？」

「青江さまがお屋敷に到着された翌日、国元から足軽が二人参りまして、勤番の者二人と交代しました。新たに到着した二人のうちの一人が野呂です」

「素姓は？」

「新しい二人、帰国した二人、ともに御物頭《おものがしら》矢島利兵衛さまの組の者ですが、わたくしのみるところ、野呂は国元の嗅足《かぎあし》の者に相違ありません」

「ははあ」

　出発前に大目付の兼松から聞いた、二の組の名簿が奪われた疑いがあるという言葉を、又八郎は思い出した。兼松はその後、二の組すなわち卒の嗅足組を掌握したのだろうか。

　それはともかく、と又八郎は思った。江戸屋敷に着いてから数日、佐知がちらとも姿を見せなかったのは多分そのためだったのだろう。

「小塚どのとの交代は藩命による公式のものだが、じつは……」

と又八郎は言った。

「こちらに来る前に、榊原さまからそなたへの伝言を頼まれた」

「………」

少し間を置いてから、佐知は小さな声ではいと言った。目はまたたきもせず、又八郎を注視している。

「江戸の組を解散し、お役目でこちらにいる者は目立たぬように帰国させよ、ということであった」

「………」

「国元の組はすでに解散し、身柄を大目付の兼松さまに預けることになったとも申された。そこに至った理由は……」

又八郎は、嗅足組が解体を余儀なくされた理由を、榊原造酒《さかきばらみき》に聞いたとおりに、こまかに話した。佐知は時どき短く相槌《あいづち》の声をはさむだけで、自分の意見は言わずに聞いている。嗅足組解体の話は、小さくはない衝撃をあたえたはずだが、佐知は表情には出さなかった。

「このことは、ほかに誰からか聞かれたかな。それともはじめてか」

「はじめてうかがいました」

「では、お頭の榊原さまが何者かに暗殺されたことは？」

「そのことは聞きました」

佐知は淡々と言った。

「青江さまより一日早く来た国元の飛脚が、その知らせを持って来たそうです」

「さようか」

又八郎はうなずいた。

「その凶事があったのが、わしが国元を立つ四日前のことでな。わしもおどろいたが、少し間を置いて、さよう、出国の前夜に大目付をたずねた。榊原さまが申されたことに変更がないのかどうかをたしかめに行ったのだが、兼松さまは変更はないと言われた」

「…………」

「一の組の名簿はもう兼松さまにとどいていて、江戸の組の解散も、そのままにすすめてくれということだった。江戸の組の名簿をとどける必要はなく、隠密のうちに帰すべき者を帰すようにと榊原さまと同じことを申された。そうそう、佐知どのによろしく申してくれと言っておったな」

「さようですか」

佐知は言って、目を膝《ひざ》に落とした。又八郎が言ったことを吟味するように、そのままの姿勢で長い間考えに沈んでいたが、やがて顔を上げると軽く辞儀をした。

「たしかにうけたまわりました。兼松さまのご命令のようにいたしましょう」

八

奥から現われた若い女が行燈《あんどん》に灯《ひ》をともしたときは、まだ外の明るみが部屋にさしこんでいて、灯には少し早いのではないかと思ったほどだったが、佐知とさしむかいで夜食を喰《た》べ終るころには、障子の外はすっかり暗くなっていた。

佐知が壷のそばから鈴を取り上げて振ると、さっきから甲斐甲斐《かいがい》しく食事の世話をしていた娘が、静かに入って来て膳《ぜん》を下げ、やがてお茶を持って来た。

「いや、馳走になった」

と又八郎は言った。無人かと思ったほど静かだった平田の家は、又八郎と佐知が夜食をとるころになると、ひとしきり奥の方でざわめく人の気配がしたが、いまはまたひっそりと静まり返っている。

「でも、魚が……」

　と佐知は言った。

「国元からおいでになっては、いまひとつお口に合わなかったのでは」

「しかし、万蔵の手料理よりはよほどうまい」

　又八郎が言うと、佐知は口を手で覆って笑った。次第によっては人もあやめる女嗅足の頭とは見えず、佐知は平凡な武家女に見えた。着ている物も、藍《あい》に小紋を散らした地味なものだった。もっとも、小紋は近ごろのはやりでもある。

「出来れば、わたくしがお食事をつくってさし上げられるといいのですけれども……」

　くつろいだ気分にそそのかされたように、ふと口を滑らせてから、佐知は少し顔を赤らめた。いまの言葉は、やはり佐知がまだひとり身だという証拠だろうかと思いながら、又八郎は気づかないふりをして、国元の喰べ物に話を移した。

　又八郎と佐知は、いまごろはシュンを迎えているはずの筍《たけのこ》や山菜、鰊《にしん》、それともう少し季節が移って、梅雨のころに極上の美味をそなえると言われている小鯛《こだい》などを話題にした。

佐知は十八のときに江戸に出て、以来ただ一度しか帰国したことがないという。それなのにというべきか、それゆえにいっそうそうなるのか、又八郎がびっくりするほど、克明に国元の喰べ物を記憶していた。いまも、あたかも目の前にその物があるように話している。

「夏ごろになると、村の者がみょうがを売りに回って来たものですが、近ごろも参りますか」

「来ておるようだな」

「あれは不思議なことに、平地では良い物が育たぬそうです。日陰の山畑がよろしいと聞きました」

佐知はそんなことまで知っていた。

「香りがよい」

と又八郎も言った。

「薬味や料理のツマにしてもいいが、汁の実にしてもけっこううまい。それから漬け物があったかな」

「紫蘇《しそ》漬けがございますね。わたくしはあれが好きでした」

又八郎の目に、紫蘇の葉に真赤にそまったみょうが漬けがうかんだ。たちまち口中に唾《つば》がわいて、せっかく馳走になった夜食の味も消し飛んだ思いだった。

「うむ、あれはうまい。絶妙の味というべきものだ」

今度は佐知が自分で立って、新しい茶をいれて来た。

「さて、話は尽きぬが、そろそろおいとませぬとな」

又八郎は言ったが、そこでさっきから胸の中で次第に塊って来ていた疑問が、ようやくまとまって口に出た。

「ところで、わしを監視している野呂という男だが、いったい誰に命令されてそうしておるのかな」

「お心あたりはありませんか」

佐知は又八郎をじっと見た。又八郎は首を振って、ないと言った。

「ただ、さっきは言わなんだが、兼松さまに会った帰りの夜道で、わしは何者かに襲われておる」

「…………」

佐知はいくらか目をみひらくようにしたが、声は出さずに黙然と又八郎を見ている。

「それも、襲って来たのが何者か、あるいは襲わせた者がいればそれは誰か、一切が不明のままだ。ただわずかに心にうかんで来るのは、誰かは知らぬが、わしが嗅足組解体の秘事に近づいたこと、あるいは江戸のそなたに組の解散を伝える役を引きうけたことを喜ばぬ者がいるのではないかということだ」

「…………」

「ほかに、わしが闇討《やみう》ちにあう理由は見あたらぬ」

「そのようでございますね」

「不思議なのは、わしが榊原さまに会ったこと、つぎに大目付に会ったことを、誰があのようにいち早く知ることが出来たかということだ」

「…………」

「榊原さまに呼び出されたのは深夜であった。四ツ（午後十時）は十分に過ぎておったろう。大目付の屋敷にうかがったのはそれより早い時刻だったが、榊原さまが亡《な》くなられた後だ。当然用心した。単身で、人目につかぬように密行したつもりだったが、帰り道に刺客が待ち構えていたという次第だ」

「榊原さまのお屋敷も、大目付さまのお屋敷も見張られていたのでございましょう」

「しかし、話の中身がどうしてわかるな」

「さあ」

「断言は出来ぬが、野呂という男は、わしを襲った人間とつながっておるかも知れんな。つかまえて締め上げれば、何か吐くかも知れん」

「青江さま」

　佐知が、すっと背筋をのばしたように見えた。佐知は低いがきっぱりした声を出した。

「野呂にお手出しは無用でございます。嗅足は、責めても秘密は吐きません。それに、青江さまのお話をうかがって、このたびの組の解散には、何かもっと大きな裏の動きが隠れているような気がして参りました」

「榊原さまが言われた理由とは違う、べつのたくらみがあるということかの」

「それも考えられますが、あるいはそうではなくて、突然に持ち上がった組の解散話が、藩内のある人間にとって歓迎出来ないものであるということかも知れません」

「ほほう、そういう考え方もあるか」

「野呂はこのまま泳がせておきましょう」

　と佐知は言った。

「青江さまとわたくしどものつながりさえ覚《さと》られなければ、どうということはない男です。あるいはむしろ、野呂を使っている者を突きとめる糸口になるかも知れませんので」

「相わかった。ところで……」

又八郎はあっさりとさっきの提案をひっこめた。

「大目付兼松甚左衛門どのは信用出来る人物かの」

「なぜ、そのようなことを？」

佐知は冷静な目で又八郎を見た。

「いや、大目付ならあの夜、わしを襲わせることも出来たはずだと思ったのだが」

「いいえ」

佐知は首を振った。又八郎に目をむけたまま、しばらく考えこむように黙りこんだあとで、佐知は他言なされますなと言った。

「兼松甚左衛門さまは組内の人、二年のちにはある筋のひきで御番頭にすすまれ、榊原さまからお頭の役を引きつぐことになっておりました」

「…………」

「解散はいたしましても、兼松さまが名簿をにぎっておられる限り、組はほそぼそと生きながらえることになります」

又八郎は息を呑《の》んだ。闇の組の粘りづよい生命力を、ふと垣間見《かいまみ》た気がした。

「そのことは、殿もご存じであられるのか」

「いいえ、殿はご存じありません。藩のさる重職の方が承知しているだけです」

「さる重職か」

又八郎は鋭く佐知を見た。

「それが誰かは、わしにも言えんというわけだ」

「はい。それはたとえ青江さまでも申し上げられません」

佐知も真直《まっすぐ》に又八郎を見返していた。無表情な女嗅足の顔になっていた。

「では、これにておいとまいたそうか」

夜食を馳走になった礼をのべて、又八郎が立ちかけると、佐知はくれぐれも野呂助作に気をつけるようにと言って、手短かに野呂の容貌《ようぼう》風体を語って聞かせた。

「あ、それから……」

又八郎の刀を捧《ささ》げ持って、部屋から入口までつき従って来た佐知が、ふと物を思い出したというふうに言った。

「細谷《ほそや》源太夫《げんだゆう》さまには、まだお会いになっておりませんね」

「むろん、まだだ。非番になったので、一度たずねてみようかと考えておった」

「その細谷さまですが……」

佐知は又八郎に刀をわたすと、自分も土間に降りて履物をはいた。家の外まで見送るつもりらしかった。

「半年ほど前に、偶然に橋本町の例の口入れ屋の前でお見かけしました」

「橋本町の……相模屋《さがみや》、ほほう……」

又八郎は、またしても時代が十数年ものむかしにもどったような感覚を味わった。

丁寧につぎをあてた袴《はかま》の腰に、大刀をぶちこんだひげづらの大男細谷源太夫、そしていつも腹をすかせて狼《おおかみ》のように頰《ほお》がこけていた浪人青江又八郎。一度ひっぱったぐらいでは決してあかない障子戸を蹴《け》とばしてあけて、日があたる道からうす暗い店に入るやいなや、主《あるじ》の吉蔵《きちぞう》との間にはじまる猥雑《わいざつ》で活気にあふれたやりとり。

――吉蔵は……。

まだ丈夫でいるのかな、しかしおやじはいったい齢はいくつになったのだ、と又八郎は思った。

「細谷も、たまにはむかしを懐かしんで、相模屋をのぞきに行っておるとみえる」

「いえ」

佐知は又八郎の思い違いをただす、といったふうに少し早口で遮《さえぎ》った。

「あの、そうではなくて、あの方はお仕事を頼みに行かれたのだと思いますが……」

「…………」

「着ている物もお粗末でしたし、それにいったいのご様子がうらぶれたご浪人ふうで」

「しかし、細谷は……」

近藤という七千石の幕臣の家に仕えているはずだ、と言おうとして又八郎は口をつぐんだ。

――いや、そうではなかろう。

と又八郎は思った。細谷は、いつごろかは知らぬが、またしても禄《ろく》を離れたに違いない。佐知が見間違うはずはないのだ。

そう思ったとき、又八郎の胸に一種やりきれないような重苦しい気分がわき上がって来た。憤《いきどお》りとも悲哀感ともつかないその感情は、まっすぐにまだ会っていない細谷源太夫にむかっている。何をやっているのだと思った。若いうちならともかく、細谷はもう五十半ばに達しているはずである。どうするつもりだと思った。

――その齢《とし》で……。

まだ相模屋の軒先をうろついているとは、何という体たらくだ。老いはすぐ目の前ではないか。

「相模屋をたずねられてはいかがですか」

又八郎が声を失って立っていると、佐知が低い声をかけて来た。

「そうすれば事情が知れると存じますが」

「そうだな」

又八郎は、やっと気を取りなおして、佐知の声の方にむき直った。二人は入口の前にひろがる暗い庭に出ていた。闇夜だったが、意外に近く佐知のほの白い顔が見えた。かすかに化粧の香がただよって来る。

その白い顔といい匂《にお》いがする身体《からだ》を手もとにたぐり寄せたくて、胸が一瞬はげしく動悸《どうき》を高めたのを押さえて、又八郎は平静を装った声で言った。

「事情を聞いてみぬことにはな。では、いろいろとご造作に相なった。久しぶりに会えて愉快だった」

「青江さま」

佐知の声がささやくように低くなった。と思うと、佐知はゆらりと近づいて、胸と胸を触れ合わせるばかりのところまで来た。少し顫《ふる》えを帯びた声で、佐知が言った。

「また、お会い出来ますか」

「むろんだ」

答えて、又八郎が思わず手をさしのべると、佐知もためらわずに腕の中に入って来て又八郎にすがり、胸に顔を伏せた。二人ははげしく抱き合い、そのまま無言の時が流れた。

家の中で、誰かが灯を持って茶の間を出ると、入口の奥の方に行った。背をむけているのに、佐知はその動きが見えたように、ようやく又八郎の胸から顔をはなした。

「折を見て、またわたくしから連絡してもよろしゅうございますか」

「そうしてくれ。今度は外で飯でも喰《く》おう」

「もし緊急のことがあるときは、この家に連絡をくださいませ。すぐにわたくしまで通じますゆえ」

「心得た」

又八郎がもう一度身体を引きよせると、佐知もつつましく抱き返して来た。

佐知に見送られて、又八郎は若松町の暗い路上に出た。むせるような佐知の残り香が胸もとに残っていた。またしてもかすかな罪の意識が胸にうかんで来たが、まだざわめいている血がすぐにその殊勝な気持をどこかにはこび去った。

九

頬がこけて色が黒く、干《ほ》し柿《がき》のような顔をした年寄りが、戸をあけた又八郎を正面からじっと見た。一度思い切った蹴《け》りを入れ、しかるのちうしろ手に戸をしめながら、又八郎も男を見返した。ひとつかみほどしかない髪も眉《まゆ》も白く、男の顔と喉《のど》のあたりは無数の皺《しわ》に覆《おお》われている。

――これが……。

あの吉蔵だろうかと半信半疑でいると、干し柿のじいさんが、まるで昨日別れた人間に声をかけるような口調で話しかけて来た。

「これは青江さま、おめずらしい。あなたさまはご出世なされましたようで、いや、ごりっぱになられましたな」

「やっぱりおやじか。いや、あの節は世話になった」

又八郎は途中で買って来た菓子折の包みをさし出しながら言った。

「丸顔が細長くなったので、見違えるところだったぞ」

「大病をしましてな、三年ほど寝ていました」

吉蔵はにたりと笑った。するとほんのわずかだが、狸《たぬき》に似たむかしの丸顔の感じが出た。

「ほんと、命拾いをいたしましたです、はい」

「それは大変だったな。しかし、見たところ丈夫になったようで何よりだ」

言いながら、又八郎が上がり框《かまち》に腰をおろすと、吉蔵は緩慢な身動きでうしろを向いた。

「おいねや、お茶を持っておいで」

めずらしいお客さまだよ、と吉蔵は声を張り上げた。

その声はさすがにむかしの張りを失い、歯も欠けたらしくいささか言語不明瞭《ふめいりよう》だが、吉蔵のその声で又八郎は、奥の方から色が黒くて無口な、二十《はたち》前後の娘いねが出て来るのではないかというあやしい気分に襲われたが、そういうことは起こらなかった。

部屋の境にあるのれんをわけて出て来たのは、背中に子供をひとりくくりつけた大《おお》柄《がら》な中年女だった。

「おやまあ、青江さま」

見違えるほどに太って、どういうわけか肌《はだ》の色まで白くなったいねは、すぐに又八郎を思い出したらしくそう言うと、ぺたりと畳に坐《すわ》りこんで挨拶《あいさつ》をした。

「まあ、ごりっぱになられまして。お丈夫そうで何よりでございます。おとっつぁんとも、青江さまはどのようにしておいでだろうかと、時どきおうわさを申し上げていたんですよ」

「そなたもなかなか貫禄《かんろく》のあるおかみぶりで……」

と又八郎は言った。

「さては、よい婿《むこ》にめぐまれたとみえる」

「はい、おかげさまで」

むかしは少々陰気なほどに無口だった娘が、又八郎の言葉に臆面《おくめん》もない笑顔を見せ、そればかりでなく、遠慮のない大年増《おおどしま》の目で又八郎のふくらんだ腹のあたりをじろじろ見ている。

「青江さまはほんとに姿のいいご浪人さんでしたのに……」

自分のことは棚《たな》に上げて、いねは手で口を覆うとくすくす笑った。

「まあ、すっかりおなかもお出になられて……」

「何をつまらないことを言っている。はやくお茶をお持ちしなさい」

これは青江さまにいただいたおみやげだと菓子折をわたすと、いねは背中で眠っている子供の首がくらりとひっくり返るほど、丁寧な辞儀をして奥にひっこんだ。

「十六年も経《た》つと、世の中も変るが人も変る」

又八郎が言うと、おいねのことですかいと吉蔵が言った。

「あれは婿をもらってから、すっかりおしゃべり女になりました」

「けっこうではないか。娘のころは、少々陰気な子だった」

「はい、さようでございました。それがあなた、婿をもらって子供が一人生まれると、ぶくぶく太って口まで達者になりましてな。何のことはない、あたしの死んだ家内そっくりになりましたので、はい」

「なるほど」

又八郎は何となくおかしかった。

「で、婿どのはどういうおひとだな？」

「通いで、さるお店《たな》の番頭をしております」

吉蔵は、帳簿や硯《すずり》をのせてある机のむこう側で胸を張ったが、すぐに顔を寄せて来ると声を落とした。

「なあーに、番頭と言いましても、この先の富沢町にある小さな古手屋《ふるて》で番頭と呼ばれているだけでして。年に何度かは、江戸近郷を荷を背負って回らなければお給金をいただけないという、しがない商人ですよ」

「ははあ」

「覇気《はき》というものが、まるでない男でしてな」

吉蔵はますます声をひそめて、婿の棚おろしをはじめた。

「あたしゃ、あんな男と連れ添って仲むつまじくしている娘の気が知れませんです、はい」

「しかし、その婿は……」

と又八郎が言いかけたとき、いねが盆にお茶をのせて奥から出て来た。すると吉蔵が急に声を張り上げて、そりゃ青江さま、じつの娘ほどいいものはありませんよと言った。

「この前のわずらいでは、あたしゃてっきり死ぬものと覚悟しました。助かったのは、これの看病のおかげですよ」

「まあ、おとっつぁんたら……」

婿の悪口を言われているとは夢にも思わないらしく、いねは顔を赤らめてたしなめた。

「身内の自慢話などやめなさいな、聞きぐるしいから。ねえ、青江さま」

どうぞごゆっくりと言って、子供を背負ったいねが引っこむと、又八郎はさっき言いかけた言葉をむし返した。

「しかし婿どのは、おやじも承知の上でおいねと一緒にしたのであろうが……」

「もちろん、そうです。おいねは母親がいないせいか、なにせ縁遠かったもので、あたしも心配になりましてむかしの知り合いの古手屋に頼んで相手をさがしてもらいました。それがいまの婿でして……」

「それなら文句を言うこともあるまいに」

と又八郎は言った。自分の齢も考えずに、若夫婦の悪口を言っている吉蔵にかすかな懸念《けねん》を感じる。だが、吉蔵は膨《ふく》れっつらをした。

「はじめはおとなしくて婿むきかなと思ったのですよ。でも、男なら野田屋のような小店の番頭で満足してちゃいけません。とんだ眼鏡ちがいでした」

「しかしな、おやじ」

又八郎は振りむいて、吉蔵をたしなめた。

「あまり元気のいい婿も考えものだぞ。山っ気を出されて、家、財産を潰《つぶ》されたらどうする。多少働きが少なくとも、給金をもらって家の者と仲むつまじく暮らしておれば、上等の婿と言うべきではないのか」

「そんなものかも知れませんけれども、そばで見ているあたしとしては、もう少し何とかならないものかと……」

「おやじ、そなた齢はいくつになった」

と又八郎が聞いた。

「あたしですか。六十四でございますよ」

そうか、はじめて会ったときに五十前後と見たが、それではあのころはまだこのおれと同年ぐらい、四十半ばだったのだなと又八郎は思った。

「六十四にもなればだ、そろそろ若い者にかわいがられる年寄りにならないといかんだろう。婿の悪口などを、あまり外には言わん方がいいのではないか」

「外になんか言いませんよ」

吉蔵は、また膨れっつらをした。

「ひさしぶりにあなたさまにお会いしたから、愚痴を聞いていただいたまで。それが悪うございましたかね」

「いや、べつに悪くはない」

又八郎は苦笑した。すっかりむかしの気分がもどって来て、又八郎は親身な口調になった。

「おやじの気持もよくわかる。ずっと娘と二人暮らしのところに、婿とは言え、他人が入りこんで来たのだから気持が尖《とが》るときもあるだろう。しかし、おいねの気持も考えてやらねばならんぞ。おやじが亭主を嫌《きら》っているなどと知れば、おいねが悲しもうて」

さて、と又八郎は口調を改めた。

「ところで、今日はちとたずねたいことがあって参ったのだ」

「その先をおっしゃっちゃいけませんよ、青江さま」

と吉蔵が言った。さっきの膨れっつらはどこへやら、吉蔵はにたにた笑っている。

「その先はあたしが言わせてもらいます。細谷さまのことでしょう、お聞きになりたいというのは……」

「そのとおりだ」

鼻をうごめかしている感じの吉蔵を見て、又八郎はまたにが笑いした。

「ここへ来ているそうだの」

「さようでございます」

「で、何か……」

又八郎は一番気になっていることを聞いた。

「やはり、用心棒といった仕事をもとめに来るのか」

「ほかには使い途《みち》がございませんもので」

吉蔵は、これだけはむかしと変らないすげない言い方をした。しかしすぐに、そのことに気づいたらしく言い直した。

「あのお齢、あのお身体でしょう。結局は用心棒といったお仕事が、いちばん楽なのです、ええ」

「そんなものか」

「そうでございますとも。いくらお身体が大きくても、もう人足仕事というお齢ではありません。そうかと言って、あのいかついお身体ではなまなかの年寄り仕事にもむかないというわけでして……」

「……………」

「案じることはございません。用心棒と申しましても、みながみな命がけというわけではありませんし、ああしてどーんと構えている分には、細谷さまの貫禄というものはまだまだどうして、大したものでございますよ」

「しかし、中にはやはり危ない仕事もあるだろう」

「はい、たまにはございます」

吉蔵はけろりとして言った。

「ただし、そういうお仕事はお手当ても高うございますから」

「細谷はいつごろからここに来るようになったのかな」

「はて、三年ぐらいになりますかな」

「やはり浪人したのだろうな」

「はい、ご本人は浪人ではなく隠居だと言っておられますが、どんなものでしょうか。安手間のお仕事でもおことわりにならないところを見ますと、暮らしにゆとりがあってのご隠居とは思えませんけれども」

「隠居というのはただのテレ隠しだろう」

と又八郎は言った。

「ところで浪人した事情、本人の言う隠居した事情は聞いておらんかな」

「奉公先のお旗本さまが潰れたとか、所帯が小さくなられたとか言っておりましたが、くわしいことは存じません」

「やつのいまの住居《すまい》は？」

「それがでございます、青江さま」

吉蔵は口をとがらせた。

「いくら聞いても申されません。知っていないと、いざというときのご連絡がつきませんと、再々申し上げるのですがお聞き入れになりませんので。困ったおひとです」

「では、こっちから用があるときは、どう連絡するのだ」

又八郎が言ったとき、外から戸を蹴とばして、若い武士が一人店に入って来た。細おもての美貌《びぼう》のその武士は、又八郎を見ると軽く一礼して土間の隅《すみ》に寄り、そこに静かに立っている。

「この方は初村賛之丞《はつむらさんのじよう》さまと申されましてな。お若くともご浪人さんで、あたしの店の常連客です」

　吉蔵は紹介してからつけ加えた。

「この方に言えば、細谷さまには連絡がつきます」

十

「いそいで支度いたすが、外で待ってもらうのは気の毒……」

　青江又八郎は、迎えに来た初村賛之丞に声をかけた。初村はお長屋の前に日を浴びて立っている。

「暫時《ざんじ》、内に入らぬか」

「……………」

「ほかに、人はおらぬゆえ遠慮は無用だ」

又八郎はさらにすすめたが、初村は無言で会釈《えしやく》を返しただけだった。

――無口な男だな。

奥に入って着換えながら、又八郎は表に立っている初村のことを考えた。無口というよりも、幾分変り者といった印象を、又八郎は表の男から受けている。

半月ほど前に、又八郎は口入れ屋の吉蔵に初村を引き合わされた。吉蔵をたずねたのは、かつての用心棒時代の仲間細谷源太夫の消息を聞くためだったのだが、ちょうど来合わせた初村賛之丞に頼めば、細谷には難なく連絡がつくと吉蔵は言ったのである。

それではすぐに、細谷の住居なり、いまの雇われ先なりが知れたかといえば、否《いな》である。細谷はいま、どこに住んでおるかなと、いとも気軽にたずねる又八郎に、初村はにべもなくこう言った。

「いま申し上げてはぐあい悪《あ》しゅうござる。いずれ、ご案内つかまつる」

たったそれだけである。あとはうんでもすんでもなかった。

又八郎ははじめ唖然《あぜん》とし、つぎには細谷と自分との、かつてのひとかたならぬ親密な交際なるものを縷々《るる》説明した上に、ひさしぶりに江戸に来たので会いたいと思ったまで、他意はないなどと何となく弁解口調で論じ立て、そばから吉蔵も又八郎の言うことをいちいち保証したが、初村の態度は変らなかった。住居を言えないわけは何かというやや気色《けしき》ばんだ質問にも、沈黙したままだった。

細谷が、いったいなに様のつもりだと、又八郎もしまいには頭に血がのぼった。

「すると何かの、細谷は悪事でも働いておって、ひとには住居も明かせぬというわけか」

初村は繰り返したが、又八郎が、ついいきり立ったのを恥じたほどに、落ちついて丁寧な口調だった。

「いまはちと、ぐあい悪しゅうござる」

そこで又八郎は、吉蔵から紙と筆を借り、門番に見せる門札代わりの証文を書いて初村に渡し、後日の連絡を頼むと、不本意な気持を抱いたままその日は藩屋敷にもどったのだった。その初村が、今日突然に訪れて来て、又八郎を細谷の家に案内すると言ったのである。

又八郎は非番ではなく御屋敷御殿に詰めていたので、取次が初村の来訪を告げてから、お長屋に帰って外出の支度にかかるまで、ざっと半刻《はんとき》（一時間）ほどは手間取った。むろん又八郎はその間、客を供待ち部屋に案内して茶菓を振舞うようにと取次に言いつけたのだが、初村は建物の中には入らなかったという。すすめを固辞して、暑い日が射《さ》す前庭にじっと立っていたというからには、やはり幾分変った男なのだろうが、しかし取次も、初村の風体を見て無理にはすすめなかったのではないかと、支度を終って外に出ながら又八郎は思った。

初村賛之丞は、浪人にしては身ぎれいな男だった。若い者らしく、衣服にも髪にも気を遣っているのが見てとれる。だが初村には、見る者が見ればすぐにも気づくほどの、暗い剣気がまつわりついていた。又八郎は、相模屋の土間で顔を合わせたとたんに、そのことに気づいている。

武芸の心得があるとも思えない取次の中間《ちゅうげん》に剣気が読めたとは思えないが、初村が身にまとっている、何とはない底気味わるく暗い感じには気づいたに違いない。

又八郎は、白日の下であらぬ方に目をやりながら、いまも身の回りに剣気を漂わせて立っている男に声をかけた。

「長々、お待たせした」

「…………」

はっと、初村が身構えたようだった。あるいは放心していて、又八郎の足音を聞きのがしたのかも知れなかった。初村はまぶしいものを見るようにして又八郎を見返すと、いやと言った。

「では、ご案内いただこうか」

と、又八郎は言った。

初村をともなって、又八郎が屋敷の門の方に歩いて行くと、ちょうど前方の視界を横切る形で、御屋敷御殿から門にむかう男が一人見えた。男の姿は、門の手前にある植込みの陰にすぐに隠れたが、商人だった。商談を終って帰る出入り商人だろう、と又八郎が思ったとき、つづいてもう一人の男が同じ場所を横切った。

――何だ、あれは。

又八郎が思わず見送る目になったのは、後の男が前の商人の後をつけて行くように見えたからである。追って行った男は野呂助作。佐知が国元から来た嗅足《かぎあし》と断じた足軽だった。

又八郎は少しいそぎ足になって門まで行ったが、二人の姿はもうそのあたりには見えなかった。

「いま、商人が一人帰ったろう」

と、又八郎は門番に言った。

「どこの店の者だ」

「杉村屋の手代でございます」

「弓町の太物《ふともの》問屋か」

と又八郎は言った。杉村屋は古くからの出入り商人である。季節を前に、麻の生地《きじ》でも売込みに来たに違いない。

「会ったのは御納戸《おなんど》だな」

「いえ、御買物方の寺内さまにというおことわりでした」

「ははあ」

又八郎は目を足もとに落とした。寺内という男は奥方さま附きの買物役である。

「杉村屋の手代は、いつも来る男か」

「は、いえ」

中年の門番は、うろたえた顔をした。

「だろうと思いますが、はっきりはいたしません。何かご不審でも……」

「門札は確かめたろうな」

「はい、それはもちろん」

「それならよい。いや、べつに不審というわけではない。気にするな」

又八郎は行き過ぎてから、また二、三歩もどって聞いた。

「いま、野呂助作が出て行ったろう」

「はい」

「行先を申したか」

「いえ、近くまで使いに行くと言っただけで……」

杉村屋の手代を、何のために野呂が追って行ったのだろうと又八郎は思った。うなずけなかった。

──見間違いか。

と又八郎は、さっきの光景を振りかえってみた。しかし、すぐにいやと思った。見間違いではなかった。やや遠目だったにしろ、野呂助作の足音をしのぶような足のはこび、すべての注意を前方に奪われている顔つきは容易に見てとれた。そして、そこには疑いもなく、何者かを追うことに気を奪われている気配が、露骨に出ていたのである。

──わしには、目もくれなんだ。

と又八郎は思った。

正確に言えば、少し違う。門にむかう野呂は、野呂の方から言えばお長屋がならぶ右手奥の方から近づく又八郎と初村を、ちらりと見た。

——だが、野呂の目にはわれわれ二人は映らなかったろう。

と、又八郎は断定した。佐知の言葉を信じれば、又八郎の行動を監視しているはずの男が、一瞬も足をゆるめることなく、門の方に姿を消したのである。

——しかし、何のために……。

野呂は杉村屋の手代を追って行ったのか、と又八郎の考えは堂々めぐりに陥る。それも嗅足の男が、追跡の気配を消すゆとりもないほどに、あわてふためいていたのはなぜか。

季節は、時おり梅雨のはしりと思われる雨を見るようになって、一日がいかにも長くなった。しかしその長い日も、初村にしたがっていくつかの町を通りすぎる間に、ようやく暮れかけて来た。

いそがしく人が行きかう道に落ちる光が、やわらかくなり、かわりに町には濃い影の部分がひろがっている。

「まだ、よほど先かの」

又八郎が声をかけると、初村がはじめて又八郎に顔をむけた。

「あの橋を渡れば、すぐでござる」

又八郎は初村が指さした橋を見た。ほんのわずかな日の光をとどめるだけで、大部分は濃い影に覆われている橋は、たしか亀島橋《かめじまばし》と言ったはずで、その先は霊岸島《れいがんじま》の町々である。

――何だ、霊岸島なら……。

さほど遠からぬ場所ではないか、もったいぶりおってと、又八郎は思った。

潮の匂いを嗅ぎながら橋を渡ると、初村は河岸の道をさらに南にすすんだ。又八郎の脳裏に、またしても野呂助作の顔がうかんで来る。

――近所まで使いに行くと言ったのは、嘘《うそ》だ。

と思った。しかし、なぜ門番に嘘をついてまで、太物問屋の手代の後を追わねばならないのかは、少しもわからなかった。

「ここでござる」

初村の声に、又八郎は顔を上げて目の前の裏店《うらだな》を見た。

浪人したころに又八郎が住んだ、元鳥越町寿松院裏の裏店も粗末だったが、いま二人が目の前にしている裏店ほどでなかったことはたしかである。目の前にあるのはあばら屋だった。

軒はあちこちで垂れさがり、表障子は破れ、羽目板は朽ちて、いたるところで裂け目を見せていた。その荒れようは、日が落ちた薄暮の光の中でも難なく見てとれた。

しかし、そのあばら屋に住む住人たちの方はいたって元気らしく、赤子の泣く声、子供を叱《しか》る母親の声、罵《のの》りあう兄弟喧嘩《げんか》の声、年寄りの笑い声などが路地にあふれ、その狭い路地を、数人の子供たちが右に走り、左に走り、ちょっと立ちどまっては又八郎と初村を眺《なが》め、またうしろを走り抜けて木戸を出て行ったりしている。

あちこちの家から灯《ひ》が洩《も》れ、煮物の匂いがただよいはじめている中で、初村がここだと言った家だけが、ひっそりと暗く、物音もなく静まり返っている。

「いまごろは、大概眠っておられる」

と、初村が言った。

「声をかけられては、いかがですか」

十一

土間に踏みこんで、又八郎が二度、三度と声をかけると、やがて障子の奥で応《いら》えとも咳《せき》ばらいともつかない喉声《のどごえ》がし、つづいて獣がのた打ちまわるような物音が起きた。

どしどしというその物音はしばらくつづいて、やがてその音がやむとようやく障子の内側に灯がともった。

「青江か」

しわがれた声が言った。

「待っておった。入ってくれ」

障子をあけて又八郎が部屋に上がると、そのあとに初村賛之丞がつづいた。

「やあ、久しいな、源太夫」

言いながら、又八郎はケバ立った畳に坐《すわ》ったが、そのときには細谷をたずねて来たことを、心底から後悔していた。

目の前に、襤褸《ぼろ》をまとった、蓬髪《ほうはつ》の肥大漢があぐらをかいていた。細谷の髪とひげは半ば白く変り、皮膚はたるんであごは二重にくびれている。その顔に、細谷源太夫は正体不明の笑いをうかべて、じっと又八郎を見守っていた。そして細谷の身体からは、やはり正体不明の、饐《す》えたような甘酸《あまず》っぱい匂いが押し寄せて来る。

うろたえて又八郎は目をそらすと、部屋の中を見回した。大あわてで畳んだとわかる夜具が、部屋の隅に置いてあるが、夜具の生地は垢《あか》のためだろう、てらてらと光っている。それと壁に押しつけてある長火鉢《ながひばち》、その上に載っている鍋《なべ》と二、三の食器、長火鉢のそばに立ててある三本の貸徳利《かしどくり》。それが目に見える家財のすべてだった。

よく見ると貸徳利は夜具のそばにも見えていて、一本は折り畳んだ夜具の間から首だけ出し、もう一本は尻《しり》をこちらにむけて転っていた。徳利についている名前はすべて丸子屋で、おそらくこのあたりの行きつけの酒屋なのだろう。獣がのた打ちまわるようだった物音は、おれの目から万年床と徳利を隠すための音だったらしい、と又八郎は思った。

細谷はむかしの細谷ならず、目の前の大男は酒毒に蝕《むしば》まれているらしいと、又八郎は悟った。もっとも細谷の酒好きはいまにはじまったことではなく、用心棒で組んでいたむかしも、二人でむやみやたらに飲み回っていたのではあるが。

「一人暮らしか」

様子を見れば聞くまでもないことだったが、又八郎は一応確かめた。

「そうだ」

「ご新造《しんぞ》は？」

「五年前に死んだ」

「病気か」

「うむ、心《しん》ノ臓《ぞう》をやられてな」

奇妙な笑いを引っこめると、細谷の顔は暗く老《ふ》けてみえた。細谷は馬の鼻息のようなため息をひとつついた。

「医者を呼ぶ間もない、あっという間の出来事じゃった」

「それは気の毒だったな」

又八郎は、貧しい暮らしの中で応対がつねに明るかった細谷の妻女の顔を思いうかべた。その顔は当然若々しいが、どういう加減か、やはりいまの老い、かつうらぶれた細谷にもぴったりと似合っている。

「貧を苦にしない人だった」

「うむ」

「子たちは？」

「男が二人、女が一人はやり病いで死んだ。が、ほかは元気でやっておる」

細谷の顔に急に赤味がさした。細谷は又八郎から目をはずすと、きょろきょろと徳利を置いてあるあたりを見回した。一杯やりたくなったに違いない。

「総領は、ほれ、貴公も知っておるとおりの学問好きでな。そっちで伸びた。いまは北陸のさる藩に、儒者で抱えられておる。殿さまに論語を講義しておるというから、大したものだ」

「それはめでたい」

と又八郎は言った。

「すると、もはや妻帯しておる齢《とし》ごろだな」

「嫁がいて、子が二人おる。わしも孫持ちになった。年寄るも道理よ」

細谷はやっとむかしの調子を取りもどしたようだった。懐《なつ》かしいむかしを知る相手が現われて、舌もなめらかに動くのか、声が幾分生気を帯びて来た。

「伜《せがれ》夫婦は、こんな裏店《うらだな》にくすぶっておらんで、越前に来いと申す。孝行の真似《まね》ごとをさせろというわけだ。いまのままでは、たった一人の親を粗末にしておるようで、心ぐるしいとも言っておった」

細谷はそこで急に声を落とし、秘密を打ち明けるような口調になった。

「しかし、青江。わしは行かんぞ。断じて行かん」

「どうしてだ。総領息子のせっかくの気持を無にしては、かわいそうではないか」

「いや、ところがな」

細谷はまた、徳利のある方をちらちらと見た。顔に渇《かわ》いたような表情が現われた。

「伜の家は微禄《びろく》だ。嫁は気立てのよい女だからして、暮らしの苦労などということはおくびにも出さぬが、わしにはわかっておる。むかしのわしら同様、まず親子四人が喰《く》うのに精一杯よ。そこに、この年寄りがころがり込むわけにはいかんではないか」

「………」

「いや、それでわしがしょぼくれておるなどとは思わんでもらいたい。見るとおり、わしは元気一杯。わが身ひとつの世すぎの金を工面するぐらいは、まだおのれの才覚で出来る。なあ、賛之丞」

細谷は、又八郎のうしろにいる初村に声をかけたが、初村は生気のない声ではあと応じただけだった。

「きちっと引き合わせようか。これは初村賛之丞だ」

と細谷が言った。

「それとも、この男の素姓は吉蔵に聞いておるかな」

「いや、くわしいことは知らん」

「賛之丞は丹波《たんば》あたりの藩を浪人した男で、丹石流《たんせき》の名手だ。わしは三年前からこの男と組んでおるが、賛之丞とめぐり合ったことを、神の加護と感謝しておる。つまり、何だ。危ないところを、再三にわたって助けられておるというわけよ」

「ほう、さようか」

又八郎は初村を振りむいた。しかし初村は、膝《ひざ》を抱いて腰を落とし柱に背を預けた恰好《かっこう》で、呆然《ぼうぜん》と行燈《あんどん》の灯《ひ》を見ているだけだった。

外の明るみの中で見た禍々《まがまが》しい剣気は跡形もなく消えて、初村は深い放心に落ちこんでいるようにも見える。

「ところがこの男は、厄介《やっかい》な問題をひとつ抱えておってな」

と細谷は言った。

「この若さで敵《かたき》と狙《ねら》われる身だ」

「ほほう」

又八郎はもう一度初村を振りむいたが、初村の表情に変化はなかった。ぼんやりと行燈に目をむけている。

「いつか必ず、国元から敵を討ちに人がやって来ると申しておる」

そう言った直後に、細谷は突然に大きく身ぶるいした。つづいて人に聞こえるほどの音を立てて、歯を嚙《か》み鳴らした。細谷は顔を伏せ、ふるえる手を懸命に膝の上に押さえつけようとしている。

初村の素姓を物語っているうちに感情が激した、と見えなくもなかったが、又八郎にはひと目でわかった。細谷の身体《からだ》のふるえは酒毒のせいである。

多分細谷は、又八郎を迎えるためにつつしんだか、あるいは買い置きの酒を切らしたかして、いまは酒の気が途切れているのであろう。その懸命に自制していたものが、ぷっつりと糸が切れて表に出てしまったように見えた。そういう男が国元にいて、又八郎もまんざら事情を知らないわけではない。

この身体のふるえ、胸がわるくなるような甘酸っぱい体臭……。これは相当のものだぞ、と又八郎が暗然としていると、細谷が顔を伏せたままふるえ声で、困ったものだと言った。

自分のことではなくて、初村の話のつづきらしい。細谷は必死にこの場を切り抜けようとしていた。

「え、得がたい相棒なのに、な」

「厄介な話だ」

又八郎は相槌《あいづち》を打ち、細谷の醜態には気づかないふりをして、ところで、ちょっと外に飲みに出ぬかと言った。

「ひさしぶりに、古い友だちと一杯やりたいものだ」

「なに、なに……」

細谷は顔を上げた。顔面は青白いが、一杯やるの一語が利《き》いたのか、身体のふるえはぴたりとおさまっている。

細谷の顔に笑いがうかんで来た。細谷は元気よく、そうか、うっかりしとったと言った。

「当然、旧交をあたためるところだな」

「そのとおりだ」

「しかしご覧のとおりで、生憎《あいにく》とわしは今夜、酒代《さかて》の持ち合わせがない」

「そんなことは心配するな」

又八郎は内心笑いを嚙み殺しながら、鷹揚《おうよう》に胸を叩《たた》いた。

「貴公とこの若い者に酒を降舞うぐらいの金はある」

又八郎が言うと、それまで無言、無表情だった初村賛之丞が、のっそりと立ち上がった。この男も案外な酒好きなのかも知れなかった。

灯を消して、三人は貧しげな裏店を抜け出した。次男坊をおぼえておるか、と歩きながら細谷が言った。

「あれは利かん気の子供だったから道場に通わせたら、めきめき腕を上げよった。わしに似とるのだ。先年、つてがあって西国のさる藩に仕えた。小藩だが裕福な殿さまだから、けっこうな禄をもらっておる。わしにそっちへ来ぬかと言うが、ひとり者のところに行っても仕方ないゆえ、行かぬ」

さほどいそいでもいないのに、細谷はともすれば二人に遅れがちになり、ぜいぜいと喘《あえ》いだ。

「一人暮らしが一番気楽だ。姉娘ははやく死んだが、妹は江戸の内に嫁《とつ》いでおってな。時どき親の様子を見に来る。さびしいことはない」

細谷の言葉は、しまいの方はひとりごとのようになった。

一人暮らしがいいと言い、子供たちはみなりっぱに成人して父親を気遣っているように言っているが、はたしてそうかと又八郎は思う。疑いが残るのは、たったいま見て来た裏店の有様が目にうかぶからである。

「気をつけろ、石だぞ」

躓《つまず》いた細谷に、又八郎は手をさしのべた。

十二

いとなみは、途中から貪《むさぼ》り合うような激しいものになった。どちらが誘ったとも誘われたともなく、予期せぬ愛欲の深みに落ちて行ったのは、歳月の空白がもたらした渇きと、さだめない行末が指し示している不安のせいだったかも知れない。

男も女も、人知れず心の中に抱えるその空虚を、相手から奪うもので満たそうと、身悶《みもだ》えていた。それはどこかしら苦行を思わせる姿でもあった。女は幾度も闇《やみ》に裸の手を這《は》わせ、おのれを深く満たしつつあるものの存在を確かめた。そして、長い抱擁のあとについに満たされたことを告げる叫びを洩《も》らしたときも、その声は苦行の成就を告げる苦痛をふくんでいなかったとは言えない。

佐知は、又八郎が身体をはなして横になると、一度目を闇にひらいたようだった。それからひっそりと又八郎の胸に顔を寄せて来て、静かな呼吸を繰り返した。やがてしばらくして、又八郎の胸がつめたくなり、呼吸が平静さを取りもどすのを見さだめたように、無言のまま床をすべり出ると、隣にある自分の夜具にもどった。一連の無言の動きの中に、四十を迎えようとしている佐知のつつしみが現われているようだった。そのすべてを、又八郎は見ていた。

——佐知は……。

齢を忘れて取り乱してしまったと、自分を恥じているのだろうかと又八郎は思った。もしそうであれば、それは無用の恥じらいというものだった。闇の中の佐知の印象は、ほとんど可憐《かれん》なほどで、肉こそやや豊かさを増したものの、肌《はだ》はなめらかに、その身体はむかしと変りないかぐわしい香を放っていたのである。

又八郎は寝返って天井を仰いだ。木挽町《こびきちょう》の北隣、松村町の小料理屋「さざ波」の一室は闇につつまれていたが、明かり取りの障子がかすかに白く、そのために、部屋は真の闇に塗りつぶされることから免《まぬか》れていた。そばを流れる三十間堀《ぼり》の河明かりが、障子にとどくのかも知れなかった。

又八郎は仰向いたまま、ちらと佐知を見た。と言っても、闇の中では夜具のふくらみさえ定かには見えなかったが、そこに佐知が横たわっている気配だけは濃厚に伝わって来る。その気配は、又八郎の胸に疑いようのない幸福感をはこんで来た。寝る前に、佐知に数日前に会った細谷源太夫の暮らしぶりを語って聞かせたせいでもあるだろう。

だがその幸福感も確かなものではなかった。うしろに回ってみれば、すなわちはかない正体と澄明《ちょうめい》な悲しみが張りついているようでもある。束《つか》の間《ま》のしあわせに過ぎぬと、ふと又八郎は思わぬでもない。胸にわずかに苦しいものがしのびこんで来るのを感じた。人は、やがて来る別れを思って、いっそ出会わねばよかったと思うことはないのだろうか、と又八郎はかつては胸にもうかばなかったようなことを思ってみる。

又八郎は小さく首を振った。それはいまこのときに考えるのにふさわしい想念とは思えなかった。佐知に声をかけて、そなたの胸と腿《もも》のうつくしさ、肌のかぐわしさ、なめらかさはむかしにもまさるとほめてやるべきかも知れないと思ったとき、部屋の外にかすかな物音がした。

　佐知が床に起き上がる気配がした。すると、もう一度かすかな物音がした。それは明かり取りの障子に、こまかな、たとえば砂のような物が当った音らしいと、又八郎にも見当がついた。佐知はもう着換えはじめている。よく見えなくとも、気配でわかった。

「どうしたな」

　起き上がりながら、又八郎が声をかけると、佐知はお静かにとささやいた。佐知は床の外に出て畳の上にうずくまったようである。障子の前に、黒い影がうかび上がった。

　すると外で、ピヨピヨピヨピヨという小鳥の啼《な》き声がした。千鳥の声のようである。それにこたえて、うずくまっている佐知が巧みに口笛を鳴らした。ピョイピョイピョイ、ピピピと聞きとれた。すると今度は外の声が、ピョイピョイピョイ、ピピピと啼いた。かぶせるように、佐知の口笛がピヨピヨピヨと澄んだ音を伝えた。外の声はそれでやんだ。

「青江さま」

　床に起き直っている又八郎のそばにもどった佐知が、早口の声でささやいた。

「異変が起きたようです。ちょっと外に出ますゆえ、寝ながらお待ちくださいまし」

「手を貸そうか」

「いえ、一人で大丈夫です。すぐにもどります」

と佐知は言った。

物音を立てずに、佐知は障子をあけて廊下に出て行った。そのまま障子のむこう側はひっそりとしたが、やがてその障子に白い光がぼっと射《さ》し、すぐに消えた。

二人がいる部屋は「さざ波」の離れになっているが、時刻はまだ四ツ（午後十時）前後で、母屋《おもや》には人が起きているはずである。佐知は庭に出て塀《へい》を乗りこえる道をえらんだようだが、さすがに江戸嗅足組《かぎあしぐみ》の頭《かしら》で、気配も残さず外の闇に抜け出たようである。

――異変とは何か。

言われたように、床に身を横たえながら、又八郎は佐知が言い残した言葉に考えをもどした。

佐知がこの小料理屋の離れにいると知って連絡して来たのは、むろん江戸嗅足の女だろう。障子に投げた砂のようなもの、そのあとの千鳥の啼き声は、組で定めてある何らかの符丁のようなものに違いない。だからこそ、佐知は相手と話す前に、異変が起きたことを知ったのである。

　嗅足の女が、夜中に三十間堀の端にあるこの小料理屋まで知らせに来るからには、異変は小さからぬものであることが考えられる。しかも猶予《ゆうよ》を許さない、そういうたちのもののように思われた。

　異変は藩の大事といったものである可能性もあり、その場合は又八郎自身も、のんき気に小料理屋の奥に寝ていることが許されないことになるが、佐知から得た感触はべつのものだった、と又八郎は思い返している。

　佐知のそぶりから又八郎が受け取ったのは、もっと内輪な感じである。すなわち異変は、江戸嗅足に関連するものではないのだろうか。だから佐知は、寝て待っていろと言ったのだ。しかし、いったい江戸嗅足に何が起きたのだろうか。

　ことりと、風が戸を鳴らしたほどの物音がしたと思ったときには、佐知はもう部屋の中にもどっていた。だがすぐには又八郎のそばに寄らないで、佐知は部屋の隅《すみ》、明かり取りの障子のそばに行ってうずくまった。

「いかがいたした」

　起き直って声をかけた又八郎は、ふと胸を衝《つ》かれて声を呑《の》んだ。背をまるめて坐《すわ》った佐知が、手で顔を覆《おお》ったように見えたからである。又八郎は立って、そばに行った。

「何事だ」

「ごめんなさいまし、ただいま、すぐに……」

佐知は取りみだした声で意味不明な言葉をつぶやくと、やっと又八郎に向き直った。そのまましばらく首を垂れていたが、つぎに顔を上げたときには、佐知はいつもの落ちついた声音を取りもどしていた。

「失礼いたしました。つい、お見ぐるしいところをお目にかけました」

「そんなことはよろしい。何があったか、聞きたいものだ」

「はい。先日国元に帰した組の女子《おなご》三人が、帰国当日から翌日にかけて、相ついで変死したと知らせが来ました」

「変死？」

「何者かに襲われて二人は即死、一人は深手を負って生死不明ということです」

「しまった」

又八郎は思わず、低い後悔の声を洩らした。委細はむろんわからないが、明らかに見えていることがひとつあった。組の解散は解散として、嗅足の女たちを国元に帰すべきではなかったのだということである。そこには、何事か知らぬが陰謀が張りめぐらされていて、佐知の配下はその網にかかって抹殺《まっさつ》されたようである。

――女たちを……。

国元に帰すようにと佐知に伝えたのはこのおれだ、と又八郎は思った。その事実が又八郎の胸に突き刺さって来た。女たちは、疑いもせず懐かしい故郷に帰っただろう。しかし佐知に伝えるようにと、その伝言を託したのは、寺社奉行にして嗅足組の頭を兼ねる榊原造酒である。ところが榊原は暗殺された。つぎにその伝言に触れたのは、表向きでも裏でも、死んだ榊原の陰の役目を引きついだ大目付兼松甚左衛門である。

推測のような陰謀があるとすれば、取りあえず疑うべきはこの二人ではなかろうか。

だが、死んだ榊原がこの酷薄な陰謀を残して行ったとは考えられない。

「罠《わな》だ」

と又八郎は言った。

「兼松が仕かけたことに違いあるまい。おのれ……」

「めったなことを申されますな」

と、佐知がたしなめた。佐知はもう、すっかり落ちつきを取りもどしたようだった。

「兼松さまは、いまはまことの意味の陰の頭領、そのようなことをなさるとは思われません」

「しかし、ほかに組の女子が帰国するのを知っている者がいるとは思えん」

「そこは解《げ》せぬところですが……」

佐知は声を落としたが、すぐに気を取り直したように言った。

「三日後に、とよが江戸に参ります。それでいくらかくわしい事情が聞けましょう」

「…………」

「今夜の知らせはとよが送ってよこしたものです。お忘れですか、とよを……」

「はて、そなたの配下だったかの」

「わたくしが大富静馬の手に落ちて、不覚にも霊岸島のお寺に幽閉されましたとき……」

「おお、あのときの女中か」

と又八郎は言った。古い色彩の絵が、目の内によみがえった。

藩の機密を記した書類をにぎって出奔した大富静馬を追って、二度目の脱藩をしたとき、又八郎に力を貸していた佐知が大富に囚《と》らわれ、又八郎はとよという佐知の配下の案内で、霊岸島の慶光院という寺に奪還に行ったことがある。とよは見かけは平凡な中年女だったが、そのときは勇敢にたたかって、又八郎を助けたのだった。

そのくすんだ色をした絵には、一点はなやかに彩《いろど》られた部分がある、と又八郎はふと懐かしく思い返していた。幽閉され、縛られていた佐知を解き放って助け起こしたとき、又八郎と佐知は闇の中で一瞬抱き合っている。激した感情に誘われたとはいえ、はじめてのことだった。

だが佐知の方は、又八郎の気持の動きには気づくはずもなく、淡々と言っていた。

「とよには、若松町の家で話を聞きます。出来れば、青江さまにも立合っていただきとうございますが」

「むろん、参ろう」

「しかし、それにしても……」

佐知は解しかねるといった口調で言った。

「このたびの無残な仕打ちは、何のためでございましょうね」

「誰かは知らぬが、江戸の女嗅足を根絶やしにするつもりだろうて」

又八郎はそのとき、胸の中にくすぶる余憤にうながされて、自分でもやや極端と思われる言葉を吐き出したのだが、その言葉は、のちに考え合わせるとかなりのところまで、事件の真相を言いあてていたのである。

でも、と佐知は言った。

「それでは先に三人を斬《き》ってしまったのは、迂闊《うかつ》ではございませんか。残る者は当然用心しますよ」

「なるほど」

又八郎はうなずいた。佐知は、もはや一人といえども配下の嗅足は国元には帰さぬと言っているのだ。当然である。だが、敵はそのことを予期しなかったろうか。

「ゆさぶりをかけたつもりかな」

考えてから、又八郎は言った。

「江戸嗅足が、動揺して水面下から姿を現わすのを狙《ねら》ったとも考えられる。げんに、元の嗅足とよは出府の途中にある」

「でも、何のためですか」

と佐知は言った。

「黙っていれば組の者は続々と国元に帰り、一網打尽にすることも出来るでしょうに。なぜわざわざ警戒心を起こさせるようなことをしたのかがわかりません」

「あせっておるのかも知れんな」

と又八郎は言った。

「鏖《みなごろ》しにすることを？」

「まあ、そうだ」

佐知は一瞬絶句したように沈黙したが、またつづけた。

「誰かにとって、江戸の組の抹殺をいそがなければならない事情がある、とお考えなのですね」

「そうとしか考えられぬ」

「事情とは何だとお考えですか」

「わからぬ」

又八郎は言った。いまいる闇の中のように、皆目見当がつかなかった。

「そなたの方に、なにか心あたりはないか」

「いまは思いあたることはありませぬ。でも、どんな些細《ささい》なことがそのどなたかのご機嫌《きげん》を損じたかわかりませぬゆえ、組の者をあつめて、こまかに話し合ってみるつもりです」

「くれぐれも人に覚られぬようにな」

嗅足の頭にそう言うのは異なものだったが、又八郎は忠告せずにいられなかった。今度の事件には、よほどの裏があると思っていた。

「江戸に出て来るとよにも、見張りの者がついて来ると考えねばなるまい」

「多分……」

と佐知は言ったが、その声は平静だった。

「でも、とよが見張りを連れて来る方がいいと、わたくしは思っています。どんな男が後をつけて来るかに興味があります。うまく行けば、正体不明の敵を知る手がかりをつかめるかも知れません」

「まさに、正体不明の敵だな」

「いずれはつきとめます。お力を貸してくださいまし」

佐知はきっぱりと言った。

「手を貸すのは当然だ。わしとしても、一日もはやくその男の正体を知りたいものだ」

「正体が知れたときはいかがいたしますか」

「相手が何者であれ、家中の面前に引き出して面皮を剝《は》いでやる」

又八郎が言うと、佐知は不意に又八郎の手をさぐって強くにぎった。しかし又八郎がその手をつかまえて引きよせようとすると、ついと逃げた。そして、今夜は帰りますと言った。

「ご一緒に泊めていただくつもりでしたが、組の者が不安がっておりますので」

佐知は言いながら巧みに燧石《ひうちいし》を使って、行燈《あんどん》に灯をいれた。灯影《ほかげ》に、血の気を失った佐知の顔がうかび上がった。

佐知は夜具をたたみ、着つけをなおすと行燈のそばに坐った。そしてその陰にかくれるようにしながら、手早く髪をなおした。ほんの一瞬の動きだったが、艶《えん》なしぐさに見えた。

その姿を見ながら、又八郎が言った。

「わしは泊った方がいいかな」

「そうなさいませ」

佐知はテキパキと言った。

「もう遅うございますし、それに、いまから帰っては屋敷の者に怪しまれましょう」

「それもそうだ」

「怪しむと言えば……」

立ち上がりかけて、佐知は膝《ひざ》を畳にもどした。大事なことを忘れていましたと言った。

「二日前に、国元から新規の足軽が五人到着したのはご存じですか」

「それは聞いておる」

「ご用心なさいませ。その五人は、すべて国元の二の組の嗅足です」

「ほほう」

「それといまひとつ」

と佐知は言った。

「さきに来た野呂助作と、今度の五人が、どなたの支配に入ったか、お聞きおよびでしょうか」

「足軽は、何であろう」

と又八郎は言った。

「たしか、御屋敷支配の下につくのではなかったかな」

「それが、そうではございません」

佐知は声をひそめた。

「野呂をふくめた新規の足軽を指図しているのは、おどろかれますな、内御用人の村《むら》越儀《こしぎ》兵衛《へえ》さまです」

佐知を帰したあと、又八郎は部屋にもどって灯を消すと、床にもぐった。しかし、考えることが多くてすぐには眠れそうもなかった。

佐知が得た感触によれば、二の組の嗅足が屋敷内にふえているのは無気味ではあるけれども、目的が女嗅足のあぶり出しにあるとは思えないという。では、その男たちが誰に命令されて、何のために江戸屋敷にあつまって来たのかといえば、皆目見当もつかないのだ。

むろん嗅足の男たちは、一部は物頭《ものがしら》矢島利兵衛の組下、ほかは同じく物頭今野武左衛門の組下であり、きちんとした役目を受領して出府して来ているのだが、それは表向きの顔にすぎない。彼らには裏がある。そこまではわかるが、その裏が何なのかはわからぬ、と又八郎は堂々めぐりをしている。

一杯やりたかったがそんな時刻ではなさそうだった。又八郎は仕方なく目をつぶった。

十三

長屋にもどって、味気なく昼飯のお茶漬《ちゃづ》けを掻《か》きこんでいると、表で何やら騒然と物音がした。箸《はし》をとめて耳を澄ましたが、鋭く争い合うようだった声はもはややんでいる。又八郎はまた、たくあんを噛《か》みながらお茶漬けを掻きこんだ。

万蔵が飯の支度をするのは、朝晩だけである。昼飯までは手が回らないというだけでなく、諸経費節約の折から、昼は朝の残り飯で済ませろというのが、屋敷の方針らしかった。万蔵はそのかわり、たくあんとかなすびの味噌《みそ》漬《づ》けといった、味のよい漬け物をそろえておく。そこでお茶漬け、といっても火を燃やすのが億劫《おっくう》なときは、飯に水をぶっかけて喰《た》べる。

又八郎はまた箸をとめた。今度は長屋の前を人が走って行く。又八郎はあわてて残っているお茶漬けを掻きこんだ。

外に出ると、門に近い、足軽、中間《ちゅうげん》の住む長屋の前に人だかりが出来ていた。やはり、何かの異変があったのだと覚《さと》った。人を掻きわけて前に出ると、長屋の入口の前に戸板が置かれ、その上に横たわっている病人を、白髪で大柄《おおがら》な医者が、覆いかぶさるようにして見ているところだった。むし暑いうす曇りの日射しが地面を照らし、病人はぴくりとも動かなかった。

急に医者が立ち上がった。そしてそばにいる男に首を振って見せた。医者は田辺道庵《どうあん》と言い、齢は取っているが外科も出来るので、屋敷では信用されている医者だった。表の医者で身分は低い。

田辺道庵が立ち上がったので、病人の顔が見えた。又八郎は思わずぎくりとした。戸板に横たわっているのは野呂助作だった。野呂は数カ所の手傷を負い、ことに右肩の傷は鎖骨の下まで斬り下げられている。それが致命傷だった。野呂は絶命していた。

「どこで？」

又八郎は立っている男にたずねた。ひょろりと背が高く、顔色のわるいその男は黒谷半蔵という足軽目付である。顔見知りである。黒谷は又八郎に一礼してから、道庵に言った。

「お医者どの、引き揚げてもらってけっこうですぞ。ごくろうでした」

黒谷は言ってから、又八郎に向き直った。

「見つかったのは、溜池《ためいけ》の落ち口に近い葵坂《あおいざか》のそばです。近くの辻《つじ》番所から知らせがあって、行って見たら野呂でした」

これで、当屋敷の者とわかったようですと言って、黒谷は手につかんでいた物を又八郎に見せた。

夜間通行の際に門番に示す木札だった。暮れ六ツ（午後六時）以後は、この門札を所持していないと、士分といえども門を通れない。江戸屋敷では、国元並みのきびしい門法が施《し》かれていた。

「野呂の刀を改めたか」

「はあ、かなりはげしい斬り合いがあったようです」

「事情は？」

「いえ、皆目知れません。これから聞き回るところです。ただ……」

「ただ？」

「門番の話によると、野呂が外に出たのは昨夜の五ツ（午後八時）少し前だそうです。それから、昨夜だけでなく、それまでもちょいちょい夜分に外に出ていたという証言がありました」

黒谷は風貌《ふうぼう》に似合わず、俊敏な調べが出来る男のようだった。要点だけを、かいつまんで言う話しぶりにも、又八郎は好意を持った。

「貴様らの所属はどうなっているのかな」

「当屋敷では御小姓頭《おこしょうがしら》の附属ということになっておりますが、いまは御小姓頭が帰国中で、一応ご家老のお指図を仰いでおります」

「半蔵、ちょっと耳を貸せ」

又八郎は黒谷を、長屋の羽目板のそばまで押して行った。

「今度の事件だが、わしに少し心あたりがある」

「あ、まことですか」

「うむ、そこで相談だが、この調べ、わしと組んでみる気はないか」

「と、申されますと」

「つまり、わしにもこの事件の調べに首を突っこんでみたい気持があるのだ。もちろん、ご家老にはわしから話して、了解を取る」

「はあ、それはもちろんおまかせしますが……」

と言ったが、黒谷半蔵はやや困惑したような顔をしている。又八郎は、その黒谷をさらに長屋の角の方まで引っぱって行った。

「半蔵、この事件はただの行きずりの喧嘩《けんか》ではないぞ」

「やはり……」

と黒谷が言った。又八郎を見た目がにわかに鋭くなった。

「どうもただごとではない気がしておりましたが……」

「調べは秘密を要する。だが、そのことに気づいている者は、当屋敷でわしのほかにはおらんようなのだ」

言いながら又八郎は、誰かにしきりに背中を見られているような気がして振りむいた。すると、いっこうに減らない人垣《ひとがき》の端の方に、例の五人組の足軽が顔をそろえていた。佐知から聞いたあとで、それとなく顔と名前を確かめてある嗅足二の組の男たちは、無表情に又八郎と黒谷を注視している。又八郎が振りむいても、目をそらさなかった。

「わしはさっそくご家老に会う。おぬしはこのまま調べをつづけてくれ」

又八郎は黒谷の肩を叩《たた》いて、その場をはなれた。

江戸家老上坂内膳《かみさかないぜん》は、旧間宮派につながる温厚な老人である。又八郎が足軽野呂助作の変死事件の調べを指揮してみたいと言うと、あっさりと許可した。

「探索の役目の者は徒《かち》目付一人、足軽目付三人で、ほかには附属の小者もおらんが、必要なら中間頭の方から少し人数を出させよう。自由に使ってくれ」

「いや、いまのところは人手はいりません」

「ちょうどよかった。わしが直接指図するわけにもいかんので、誰かに頼もうと思っていたところだ」

と家老は言った。上坂は温厚だが、事なかれの怠惰が目立つ家老でもあった。降ってわいた事件をほっておくわけにはむろんいかないが、自分で調べを指図するのはまっぴらだと、家老の顔には書いてある。

それでも気にはなるとみえて、家老は言った。

「屋敷に傷がつくような事件ではあるまいな」

「そうではないと思いますが」

「なるべく内輪に始末するよう、心がけてもらいたい」

承知しましたと又八郎は言った。

「ほかに……」

　又八郎はさぐりをいれてみた。念頭に内御用人の村越の顔を思い描いている。

「この事件を調べてみたいという方はおられませんでしたか」

「調べる？　いや、おらんな。誰のことを言っておるのだ」

「内御用人どの」

「村越が、まさか」

　と家老は言った。

「村越は奥勤めだ。表の取締りには口は出さん」

「しかし死んだ野呂は、村越どのの支配に入っていたと聞いております」

「あれは何だ、そういう男たちを若干名奥で使いたいという要望を村越が出して、国元から呼び寄せることになったのだ。それで村越が重宝して使っているというだけで、支配が村越というわけではない」

「国元では、どなたがその手続きをされたか、ご存じでしょうか」

「むろん物頭だ。ええーと、たしか矢島と今野、この二人の組から来ておるはずだが」

　半ばは予想していたことだが、家老は足軽の異動についてはくわしいことは何も知らされていない様子だった。又八郎はやや気落ちして家老の顔を眺《なが》めた。

その夜おそく、佐知が又八郎の長屋に来た。警告を発して又八郎の大声を封じてから、佐知は明日とよが来ると言った。

「とよが千住上宿《せんじゅかみじゅく》に入るのは、明日の八ツ（午後二時）前後、そこまでおいでになれば、とよをつけて来る者がいるかどうか、知れると思います。わたくしはそこまで参りますが、青江さまも明日からは非番、おいでになりますか」

「行こう」

「では、上宿のあやめ屋という腰かけ茶屋に休んで、お待ちなさいませ。ただし、わたくしを探してはなりませぬ。また、とよにも声をおかけにならぬように」

「承知した」

「そのあとは五ツ（午後八時）ごろまでに若松町までおいで頂けば、とよの話が聞けると思います。夜食も用意いたしまする」

「万事承知した。馳走《ちそう》をたのむぞ。万蔵がつくる食事は近ごろ堪えがたい」

しっと、佐知は警告の声を発した。

「それにしても、今日の野呂のことはおどろきました。でも、あれで二の組の男たちは、こちらにはかかわりがないことがはっきりいたしました」

「やはり、そうか」

「わたくしたちの敵は、国元におります」

「明日……」

又八郎は闇《やみ》にむかって声をひそめた。佐知がどこに坐《すわ》っているのかも、はっきりとはわからなかった。

「その手先が顔を見せるかも知れぬというわけだ」

「くれぐれもご用心を。ではおやすみなされませ」

言うと、佐知の気配はふっと掻き消えた。

十四

あやめ屋というのは、千住上宿の旅籠《はたご》の間にはさまっている腰かけ茶屋のひとつだった。頼めば酒も出す店で、現に旅姿のまま一杯聞こしめして、顔を赤くしている男たちもいたが、青江又八郎はむろんそれどころではない。飲みすぎたお茶で腹をがぼがぼいわせながら、油断なく表に目を配っていた。

しかしずいぶん前に八ツ（午後二時）の鐘の音を聞いて、それからざっと半刻《はんとき》余、どう考えても時刻は八ツ半（午後三時）を回ったのではないかと思われるのに、とよらしい女は現われず、また二、三度、粗末な造りだが広さだけは十分にある茶屋の内を見回したが、佐知の姿も見えなかった。もっとも探すなと釘《くぎ》を刺されているので、店の内を見たといっても、いちいち人の顔をたしかめたわけではない。

——さてさて……。

手を上げて茶汲《ちゃく》み女《おんな》を呼び、力のない声でもう一杯茶を頼みながら、又八郎はふと疑念にとらわれている。ひょっとしたら、店の前を通り過ぎたとよを見過ごしてしまったのではなかろうか。

茶屋の前は往還である。日光街道、その先につづく奥州《おうしゅう》街道、この宿の中ほどから分れる佐倉道を目ざす旅人、あるいはそれらの街道を江戸を目ざして来て、いまようやく千住宿に着いた者、または大千住千二百軒と唱える繁華な宿場町の住人たちが、茶屋の前を右に行き、左に行きして休む間もない。

加えて時刻は間もなく七ツ（午後四時）を迎えようというところで、かしましく声をかけながら旅人の袖《そで》を引く旅籠の女、遊女屋の男衆の姿まで道にちらちらする。面識はあるといっても、ひさしく顔を見ていないとよを見のがしてしまったということは、十分にあり得ると又八郎は思った。

だが、又八郎はすぐに思い返した。佐知の指示はそういう曖昧《あいまい》なものではなかったことに思いあたっている。この茶屋で待てと言ったのだ。

——待つに如《し》かず。

又八郎はぬるくなった茶を飲みくだし、掌《てのひら》で額の汗をぬぐった。いつの間にか吹いていた風がぱたりとやんで、表の往還からむっとするほどに暑い照り返しが茶屋の中に入って来ている。

すると、又八郎が思い直すのを待っていたように、茶屋の前に立った女がすたすたと中に入って来た。髪に白いものがまじり、浅黒い顔に頬骨《ほおぼね》が高いその女は、五十半ばほどの年配と思われるのに、身のこなしにどことなく軽快な感じをとどめていた。

又八郎は即座に思い出した。とよである。

とよは又八郎からはなれたところを通って奥に行くと、背負っていた小さな荷をほどいてから腰をおろし、寄って行った小女に何か言った。お茶を頼んだのだろう。

そこまで見て、又八郎は顔を表にもどした。すると入口のすぐそばの腰かけに、いましも武士が一人腰をおろすのが見えた。打飼《うちが》いを背負った武士は、腰をおろしてからかぶっていた編笠《あみがさ》を取った。又八郎の眼《め》から、男の横顔が見える。

又八郎は一瞬目を疑い、つぎにいそいで顔をそむけた。緊張で胸が固くなるのを感じた。男は、見た目に間違いがなければ安斎彦十郎《あんざいひこじゅうろう》だった。

——送り狼《おおかみ》は、安斎か。

と、又八郎は思った。

安斎彦十郎は、御供目付からのちに御書院目付に転じた安斎伊兵衛の四男で、一度は御馬役の兵頭家《ひょうどうけ》に婿《むこ》に入ったが、家つきの娘である妻女が病死すると不縁になって実家にもどった。

これはめずらしい例と言えた。子のない嫁が、夫の病死によって実家にもどされることは間々ある。しかし婿はすでに公《おおや》けに認められているその家の跡つぎである。死んだ妻女にもし姉妹があれば極力添わせ、なければ血縁から手ごろな女子をさがして妻《め》あわせるのが通常の手続きといえるものだが、兵頭彦十郎は実家に帰って安斎彦十郎にもどり、そのまま安斎家の厄介《やっかい》叔父になった。

つまり二度と他家の婿になることもなく、また安斎家は御書院目付とは言え、百石そこその禄高《ろくだか》なので、藩にねがって分家させるなどということは思いもよらず、彦十郎はそのまま家中の表面からぷっつりと姿を消してしまったのである。

安斎彦十郎のそういう進退は、したがって事情を知った家中の人々に奇異な感じをあたえたのであるが、彦十郎の性格を熟知している一部の者の反応は違っていた。彼らは事情を聞くとなるほどといった顔を見合わせたのである。安斎彦十郎は変り者だった。ひと口で言えば稀代《きだい》の拗《す》ね者《もの》だった。

そのことを知る男たちは、今度のいきさつについて、彦十郎がみずから兵頭家をとび出したのかも知れないが、娘の死を機会に、兵頭家の方がかねてにがにがしく思っていた風変りな婿をほうり出したということも、大いにあり得ると考えたのであった。

又八郎は又八郎で、またべつの方角から安斎彦十郎の名前を耳にしていた。彦十郎は加治という戸田流の道場で牧与之助と同門だった。加治道場は門弟わずか十五人、城下でもっとも小さな道場だったが、そこから牧与之助という麒麟《きりんじ》児を生み出したのである。そして、若いころの安斎彦十郎の剣は、名手牧与之助と甲乙つけがたかったと言われている。

しかしここぞという試合では、彦十郎はどうしても牧に勝てなかった。彦十郎の竹刀《しない》は捩《ねじ》れると、見る目をそなえた男たちが言った。まさに勝ちを制しようというそのときに、彦十郎の竹刀は奇妙に捩れてあらぬ方を打つという意味だったらしい。そして、それを聞いた者は誰もが彦十郎の性格に思いあたったらしい。彦十郎は人の言うことにしたがわず、無理にしたがわせようとすれば必ずその逆を行なう拗ね者だった。剣にもその性行が現われたことを、人々は納得したのである。

その欠陥のために、彦十郎はついに牧与之助を抜くことが出来なかったけれども、一方で彦十郎の剣には、正統から逸《そ》れたがために会得《えとく》したかとみられる一点無気味な冴《さ》えを隠していて、一時は、牧をのぞけば敵する者がいないだろうと評判された。

又八郎は立ち合ったことがないが、又八郎と斬《き》り合って若くして命を落とした貫心《かんしん》流の名手筒井杏平《つついきょうへい》が、その以前に彦十郎と試合して、後半一方的に翻弄《ほんろう》された話は記憶に残っている。その妖剣《ようけん》の持主が、あやめ屋の腰かけに休んでいた。

交際はないが、その面体には記憶があった。茶をひと口すすっては、身じろぎもせず目を往還にもどす動作を繰り返している男の鼻梁《びりょう》は高く、眼窩《がんか》と頬は深くくぼんでいる。紛れもなく安斎彦十郎だった。だが齢《とし》は又八郎とおっつかっつのはずなのに、どういうわけか髪は真白だった。

――陰の仕事のせいか。

と又八郎は思った。いつの間にか、帰国した女嗅足《かぎあし》を斬った人間、さらには榊原造酒《さかきばらみき》を暗殺し、又八郎にまで闇討ちをかけて来た黒々とした人影に、彦十郎の姿をかさねて見ている。これ以上の嵌《は》まり役はあるまいと思われるほど、彦十郎と影の男はぴたりとかさなった。

その彦十郎が手を振って小女を呼んだ。見るととよが店を出たところだった。彦十郎はいそぐ様子もなく、茶代をはらうとのっそりと立ち上がった。その場で編笠をかぶり直してから外に出て行った。髪こそ白いものの、一連の動きはしなやかで、若々しいと言ってもいいほどなのを心にとめながら、又八郎も茶代をはらって店を出た。

風がないので、やや西に回った日は宿をつらぬく往還をまともに焼いていた。旅人も荷馬も駕籠《かご》舁《か》きも、汗をしたたらせて又八郎と擦れちがって行った。前の方に、安斎彦十郎の編笠と痩《や》せた肩が見えた。そのさらに前にいるはずのとよの姿は、人ごみにまぎれて見えなかった。

——ま、彦十郎が見えていればよい。

と又八郎は思った。さっき心にうかんだように、安斎彦十郎が目ざす暗殺者なのかどうかは、まだわからない。だが前を行くその男が、とよの後をつけてはるばると国元から旅して来たことは疑いのない事実だろう。

彦十郎が、なぜ途中でとよに手を出さなかったか。言うまでもなく、とよの後をつけて女嗅足の隠れ家、又八郎が知る限りでは若松町にある例の町医の家を突きとめようという算段に相違ない。そこまで考えると、彦十郎のうしろ姿は、ふたたび黒々とした影の男に変るように思われた。

――そうはさせんぞ。

と又八郎は思った。やつがそのつもりでいるなら、途中で邪魔を入れてやろう。

ところが又八郎のその意気ごみは、橋をわたって千住下宿《しもじゅく》と呼ぶ小塚原《こづかっぱら》町と中村町のあたりまで来たときに、突然に方途を失った。安斎彦十郎を見失ったのである。又八郎はあわてて路上にとよの姿を探したが、とよも見えなかった。

町境のあたりで、やや黄ばんだ日射《ひざ》しがまともに目に入ったと思ったつぎの瞬間、目をひらいたときには二人が消えていたのである。客を呼ぶ男女の騒々しい声を浴びながら、又八郎は足をとめた。

左右に旅籠や小店がならび、間にはあやめ屋を狭くしたような腰かけ茶屋もはさまっているが、道は一本道である。それなのに安斎彦十郎の編笠はどこにも見えなかった。まさかこのあたりでまた茶屋に寄るわけはなかろうと思ったが、又八郎は注意深く左右の商い店や旅籠の入口に目を配りながら歩き出した。ほんのわずかの間目をはなしたことを悔いていたが、怪訝《けげん》な思いにもとらわれていた。

しかし彦十郎もとよも、さらには佐知らしい女も現われる気配はなかった。

十五

又八郎はいったん屋敷の長屋にもどったが、ひと休みすると今度は若松町の町医の家に行くために屋敷を出た。長い夏の日もようやく暮れかけて、芝口御門から出雲《いずも》町に入ると、頭上にひらひらと蝙蝠《こうもり》が舞った。

とよと安斎彦十郎はどこに消えたのか、と又八郎は歩きながら考えていた。彦十郎が、とよを嗅足の女と見破っていたことはあきらかである。とよが江戸に到着した同じ日に、十数年も姿を見かけたことのない男が、突然に江戸に姿を現わしたのを偶然と見ることは出来ない。彦十郎が、昨夜佐知が言ったとよをつけて来た者だという確信は動かなかった。

だからこそ、彦十郎はとよの後をつけて、女嗅足の隠れ家に案内させるつもりだと断じたのだが、それならば二人はどこに姿を消したのだろう。あるいは彦十郎は、何かの秘密をにぎって江戸に来るとよを、ただ消すだけが目的でついて来た男で、千住宿に入ってようやくその機会をつかんだということなのか。それならば……。

——あのあたりを、もう少しくわしく調べてみるべきだったか。

と又八郎は思った。旅籠の裏の田圃《たんぼ》のへりに、血まみれになって倒れているとよの姿がふと頭をかすめて、又八郎はいやな気分になった。もしそんなことがあれば、こっちの手抜かりということになろう。

若松町の平田の家に着いて訪《おとな》いを入れると、佐知ではなく若い娘が出て来た。あきらかに武家の娘だった。江戸屋敷から来た女嗅足だろう。まだ二十《はたち》前と見える娘は、丁重な作法で又八郎を迎えると奥に案内したが、そこは又八郎が佐知と会ういつもの部屋とは違っていた。

案内されたのは、十二畳ほどもあろうかと思われるひろい部屋だった。そして中に数人の女と一人の男がいた。

又八郎は思わず部屋の入口で足をとめた。顔には出さなかったが、胸に衝撃を受けていた。女たちの中に、旅に日焼けしたとよがまじっているのは喜ぶべきことだったが、部屋の隅《すみ》に白髪の痩せた男が坐っていて、それが安斎彦十郎だった。

解《げ》せぬ思いで又八郎は部屋に入った。又八郎が姿を現わすと、女たちは私語をやめ、つかんでいた茶碗《ちゃわん》を盆にもどして、無言のまま一礼した。女たちは若い娘もおり、四十を過ぎた中年女もおり、また奥勤めふうの女、あるいは台所に働く婢《はしため》とわかる身なりの女、夫婦勤めの雑用向きと思われる女子《おなご》といろいろで、とよのほかには見知っている顔がいなかったが、女たちの方は又八郎が何者であるかを心得ているように見えた。

女たちにつづいて、彦十郎も軽い会釈を送って来た。ということは、この男も仲間なのだろうと又八郎は思ったが、まだ不審な気持が消えたわけではなかった。

又八郎も一礼を返した。そしてとよに言った。

「とよ、このたびはごくろうだったな」

「いいえ」

とよは、又八郎が自分をおぼえていたのがうれしかったらしく、頬骨の高い、いかつい顔に微笑をうかべて又八郎を見た。

「またお目にかかれて、うれしゅうございます」

「元気そうで何よりだ」

又八郎がそう言ったとき、襖《ふすま》がひらいて佐知とさっき又八郎を玄関先に迎えた娘が、部屋に入って来た。

「青江さま、今夜はご足労をかけて相済みませぬ」

行燈《あんどん》のそばに坐った佐知が、低く落ちついた声をかけて来た。佐知の声音には又八郎の身分をうやまう気配があふれていたが、しかしこの席では佐知が主人で、又八郎はただの一客人に過ぎないことは誰の目にもあきらかだった。

佐知は前にこの家で又八郎と会ったときとは異る、もっと地味な紺がすりの着物に身を包んでいた。

「では、はじめましょうか。みなさん、なるべく灯《ひ》の近くに寄ってくだされ」

佐知がそう言うと、女たちは従順に膝《ひざ》をすべらせて、取り囲むように佐知のそばに寄った。彦十郎は超然とした態度で動かなかったが、佐知はそちらは無視した。

「申し上げます」

三十前後の女がつづいて言った。多分こういう集まりの時のしきたりなのだろう、誰それは奥のご用で外出がかなわない、何某《なにがし》はお使いでご分家に行っていて来られないと、女は今夜の集まりに不参の者の動静を報告した。

「園どのは腹病みがなおらずに、これも不参でございます」

と女は報告をしめくくった。女の報告を聞くと、国元にもどって暗殺者に襲われた三人をのぞいても、佐知の指揮下にまだ十人前後の女嗅足がいる勘定になるようだった。

「回状で申したとおり、とよはさきほど江戸に着きました。まず、その話をききましょう」

佐知は言うと、とよにむかって、殺された三人について知っていることはどんな些《さ》細《さい》なことでも、洩《も》れなく話すようにと言った。

もとは、生家がある足軽組屋敷の塀外《へいそと》にたどりついたところで殺され、喜乃《きの》は家にもどり、すぐそばの湯屋に出かけた帰りを襲われ、杉江は二人の横死を知った翌日の午後、家の者に大目付屋敷に行くと言いおいて外出し、兼松家がある瓜屋《うりや》町に入ったところで襲撃された。

もとが襲われたのは、空にまだ明るみが残るたそがれ時、喜乃は夜の闇の中で襲われ、手むかうひまもなく殺害された模様だと、とよは言った。

「しかし杉江どのが襲われたのは白昼、その上杉江どのは油断なく用意をして参った様子でした」

杉江は二十の娘だが、短刀術の遣い手だった。襲って来た男に敢然と立ちむかった。しかし襲撃者は、杉江の予想を越えた剣技の持主だった。互角にたたかえたのはほんのはじめだけで、あとは一方的に押され、斬られたという状況らしかった。

しかし重傷を負いながらも、斬り合いを目撃して遠くから駆けつけた人間に救われ、大目付屋敷まではこんでもらえたのは、力をふりしぼって、最後まで反撃をあきらめなかったせいだろう。杉江が襲われて、大目付屋敷に収容されたことを知ったとよは、すぐに駆けつけた。

帰国後のとよは、微禄《びろく》の普請《ふしん》組平潟藤助《ひらかたとうすけ》の後妻におさまっていて、元嗅足の素姓は夫にも伏せている身である。重傷を負った杉江をたずねて行くことは、かなりの危険をともなう行為だったが、元嗅足には元嗅足の掟《おきて》があった。その掟にしたがって、瓜屋町の大目付屋敷に急行したのである。

「杉江は、口が利《き》けたのですか」

「はい。声は出せませんでしたけれども」

女たちは、そういうとよの顔をじっと見守っている。声は出なかったが、唇《くちびる》の動きを読むことが出来たという意味かと、その程度のことは又八郎にもわかった。

「わたくしがたずねたことは、ただひとことです。襲って来たのは誰かとたずねました」

「それで？」

と佐知が言った。

「杉江どのは首を振りました。名前を知らない人だったのです。しかしその男は背が高く痩せていて、目はくぼみ、鼻が高かったそうです。蓬髪《ほうはつ》の上から黒い布で頬かむりをしていました」

女たちは一斉《いっせい》に、隅にいる安斎彦十郎を振りむいた。又八郎も彦十郎を見た。険悪な空気が生まれた。振りむかないのは佐知ととよの二人だけだった。そして彦十郎はと言えば、腕組みをして半眼のねむそうな顔を行燈にむけている。

「それだけですか」

「はい、それだけです。ただ……」

それまで淡々と語って来たとよの声が、ふと湿りを帯びた。

「杉江どのは、わたくしが国元をたつ前日に、絶命しました」

「そうですか」

と言ったが、佐知は感情の乱れは見せなかった。とよに、ごくろうでしたなと犒《ねぎら》いの言葉をかけてから、女たちを見回して言った。

「うしろにおられるのは、安斎彦十郎どの。素姓は明かさぬつもりでしたが、そなたたちが疑いを抱いた様子ゆえ、引き合わせましょう」

佐知はひと息いれて、又八郎にもちらと目をむけた。

「安斎どのは、さきに解散した国元の嗅足の幹部のお一人。このたびは、兼松さまのお言いつけでとよを護衛して来られました。彦十郎どの、お役目ごくろうでございましたな」

佐知が言うと、彦十郎は腕組みを解いて何かつぶやき、頭を下げた。又八郎には意外な成行きだった。しかし、それで得心がいったことは確かである。

――ふーん、陰の組か。

兵頭家をお払い箱になってから、ざっと二十年余をそれで通して来たわけかと思った。意外だったが、それはどこかで彦十郎の生き方にしっくりと似合っているような気もした。明るい場所を、ひと拈《ひね》りすれば暗黒に変る。そのあたりが彦十郎の嗜好《しこう》にかなったのかも知れなかった。そして、そのまま表に出て来なかったということはあり得るだろう。

佐知の声が耳に入って来た。佐知は、彦十郎はとよを護衛するだけでなく、兼松から託された一通の古い手紙を持って来たのだと言っていた。

「その手紙は、内御用人の村越さまから国元のどなたかに宛《あ》てたもので、宛先がどなたであるかは、ここには書いてありません」

と言って、佐知は一通の書状を掲げてみせた。

「また、村越さまがいつごろ書かれた手紙であるかも、この手紙ではわかりません」

「…………」

「ところがこの中には、船光との激論を聞いた女子はご命令のごとく始末したが、はたしておっしゃるごとく嗅足の者かどうかは確かめ得なかったと書いてあります。船光と申すのは、先年国元で何者かに暗殺された御用人の船橋光四郎さまのことでしょう」

女たちは、佐知に注目したまま、静まり返っている。

「この手紙にはまた、長戸屋という名前が出て参ります。お出入りの呉服屋だった長戸屋のことに違いありません。その長戸屋の件で争論しているところをある女子に聞かれたので、始末したということのようです」

「…………」

「さあ、ここまで申したことについて、心あたりのある者は何事なりと意見を申し出て下さい」

「…………」

「疑わしい女子を始末したというのは、おそらく殺害したという意味でしょう。しかしここ十数年を振り返ってみても、お屋敷内で殺害された組の者はおりません。手紙は誰のことを申しているのでしょうね」

佐知が言葉を切ると、それまで静かに耳傾けていた女たちが、急に額をあつめてひそひそと言葉をかわしはじめた。

はじめの間は静かだった女たちの言葉のやりとりは、やがて鋭く相手を問いつめたり、一斉に同意の声を挙げたり、またそれをたしなめる声がまじったりして、ひかえ目なざわめきといったものに変った。あきらかに女たちは興奮していた。佐知はそういう女たちを眺《なが》めながら、辛抱づよく意見が出て来るのを待っているように見えた。

やがてざわめきが静まって、奥勤めふうの隙《すき》のない身なりをした三十過ぎの女が、申し上げますと言った。小娘のようなかわいい声を出す女だった。

「手紙に書かれている女子は、以前お耳に入れました奥勤めの小雪どのではないかと思われます」

「毒を嚥《の》んだとかいう女子ですか」

「はい。ほかには思いあたる者はいません」

「あれはいつのことだったろう。そのあたりをもう少しくわしく話すように」

小雪が病死したのは、ざっと五年ほど前のことだと女は言った。当時すぐに不審死のうわさが立ったが、ひと月ほどして、今度は医師は毒死と見立てていたらしいということが聞こえて来て、上屋敷の奥御殿は騒然となった。

しかし上屋敷奥が騒然となったのはほんの一日、二日で、翌日には藩主夫人の名前で、うわさを否定する触れが回された。小雪の死は病死で毒死にあらず、みだりに妄《もう》説《せつ》を口にする者は罰するというものだった。調子のつよい触れにおどろいてうわさはやんだが、禁令にしては口封じの気配が濃すぎるのに、かえって疑いを抱いた者もいた。

「そのころ……」

と佐知が質問した。

「小雪どのは表役を勤めましたか」

「いま確かめ合いましたところ、病死するざっとひと月ほど前に、表に出ております」

「わかりました」

佐知はうなずいた。

「船橋さまの争論の相手は、見当がつきませんか」

「わかりませんが、内御用人さまのお手紙から推して、相手はそのとき国元からご用でお屋敷に来ていた方ではないでしょうか」

そう言ったのは下働きといった地味な身なりの、顔立ちも丸く平凡な娘だった。さて、どうかのと佐知は言った。

「そのときは江戸詰でいて、のちに国元に帰った人ということもありましょう」

「お言葉ですが、わたくしは藤どののお考えに賛成です」

顔の丸い女よりはやや年嵩《としかさ》の、これも奥勤めふうの髪と身なりの女が言った。

「お頭《かしら》もお聞きおよびかも知れませんが、船橋さまは下には寛容だが上にはきびしく、不正があれば面を犯して諫争《かんそう》することを厭《いと》わないと評判のあるお方でした。お手紙の中身をうかがって、わたくしはその評判を思い出しました」

「………」

「相手は国元から来ていた、かなり身分の高いおひとという気がいたします。そのひとが、二年前に船橋さまを暗殺したのだと思います」

「また、幾乃《いくの》が大胆なことを言う」

佐知はたしなめたが、しかしわるい見当ではないとつぶやいた。

「この手紙は、国元のさる上士屋敷から盗み出されたものと思われています」

「それでは、やはり……」

「しかし江戸屋敷にも、船橋さまより上の方はおられました。ご家老、御小姓頭、御《お》傅役《もりやく》……。まだ、国の人間と断定は出来ませんよ」

佐知はやんわりと言ってから、今夜一番はじめに発言した女の名前を呼んだ。朝尾という名前だった。

死んだ小雪が船橋の争論を見た当日、一緒に表役を勤めた者を突きとめることが出来るかと、佐知は朝尾に言った。そして朝尾が、少し時をいただけば探し出せるかと思うと答えると、佐知はきびきびと言いつけた。

「その者を探し出したら、船橋さまの争論の相手を見なかったか、見ていないとしても小雪から話を聞いておらぬか確かめなさい。もしその筋がだめなときはどうしたらよいか、わかっていますね」

「はい、小雪どのが表役に出た日を奥の御日記でたしかめ、そのころ国元から来てお屋敷に滞在された方々の名前を拾い出します」

「それでよろしいでしょう。では、もうひとつ……」

と佐知は言った。

「長戸屋について、何か心あたりがある者は言いなさい」

「たしかなことではありませんが……」

と朝尾が言った。

「長戸屋の主人は病死して、お屋敷との商いもそれっきり絶えましたが、その病死は小雪どのが亡《な》くなられた年か、その少し前のようにおぼえております」

「ほかには……」

女たちは佐知がそう言っても、長戸屋という呉服商人のことはあまり知るところがないとみえて、当惑したように口をつぐんでいる。ようやく一人が言った。

「店はたしか日本橋のそばの万町《よろずちょう》にございました。お屋敷によく出入りした手代は清五郎とか庄五郎とか申したように思います」

「これは古いうわさ話ですが……」

もう一人が言った。

「長戸屋がお屋敷にお出入りがかなうようになったきっかけは、坂井さまのお手引きと聞いたように思います」

「坂井さまが内御用人を勤められたころですか、それともその後ですか」

と佐知は聞いた。

坂井さまと敬って呼ばれる人物は家中には一人しかおらず、いまの家老坂井主税《ちから》のことである。坂井主税はまだ満之助と名乗っていたころ江戸屋敷で内御用人を勤めたが、次いで殿様附御用人に抜擢《ばってき》されたのを機ににわかに累進《るいしん》の道がひらけ、御小姓頭を経てついに家老にすすむという異例の昇進を遂げた人物である。

昇進のきっかけが、いま本郷の下屋敷に住む側室お卯乃《うの》の方《かた》をおそばに献じるのに一役買ったことにある、というのは藩中誰知らぬ者もない事実だが、坂井自身が異例の昇進に値する器量人で、またお卯乃の方も殿との間に一男一女を生み、手薄な藩主家の血筋を強化するのに貢献しているので、坂井の成り上がりぶりに軽侮の目をむける者が皆無とは言えないものの、大方はその人物を認めていた。

佐知は長戸屋とのかかわり合いが、坂井家老の内御用人時代のことか、それとも昇進の途についたあとかと質《ただ》したのだが、古い話を持ち出した女は疑問に答えられなかった。そして長戸屋については、それ以上のことを知る者はいなかった。

佐知は長戸屋について、屋敷の内外で聞きこむべき事項を、女たちにこまごまと指示したあとで、形を改めた。

「では、夜も更《ふ》けましたゆえ、これで解散します。お屋敷にもどる者は、人々に怪しまれぬように注意なされ。ごくろうさまでした。あ、それから……」

国元の事情が判明するまでは一人も帰国させず、組も解かぬ。このことは安斎彦十郎を通じて国元の頭にも伝えるので心得ておくように。また回状をまわしたように、屋敷内に入りこんでいる二の組の男たちを油断なく監視し、組の女子の身分を覚《さと》られぬように、と佐知はねんごろに付け加えた。

女たちはつつましく会釈《えしやく》すると、佐知ととよを残して、あっという間に姿を消した。

十六

女たちが引き揚げ、今夜はこの家に泊るらしいとよも別室に消えると、安斎彦十郎が、それがしもお暇《いとま》つかまつると言った。

「わしは、ここで夜食をいただいてもどるが……」

と、又八郎が言った。

「屋敷に行くなら、しばらく待ってもらえば一緒に帰るが……」

「いや、お屋敷には参りません。ほかに、二、三の用もござって、しばらくは滞在する宿を決めております」

「さようか、それは残念だ。牧与之助の近況でも聞こうかと思ったのだが……」

「牧どのには、長年会っておりません」

そっけない口調だった。失礼いたすと言って彦十郎は立ち上がったが、廊下の暗がりに出たところで、ひょいと又八郎を振りむいた。

「牧与之助の病いは仮病だ、といううわさがあります」

それだけ、捨てぜりふのように言い残すと、彦十郎は足音も立てず姿を消した。佐知が立って、見送りに出て行った。

佐知は少し手間どってもどって来たが、部屋に現われたときには、手に膳《ぜん》をささげていた。うしろに、顔なじみになったこの家の娘が飯櫃《めしびつ》を抱いて従っている。

「さぞ、おなかがお空《す》きでしょう」

娘が出て行くと、佐知はそう言って手早く椀《わん》に飯を盛りつけ、又八郎の前に膳をすすめてよこした。そして自分は向かい合って坐ると、団扇《うちわ》で又八郎にそっと風を送った。

焼き魚と唐チサの胡麻和《ごまあ》え、餡《あん》かけ豆腐などとならんで、ぐい呑《の》みよりほんの少し大き目の小鉢《こばち》に、見馴《みな》れない一品がまじっていた。いや、あるいは江戸でこそ見たことがないものの、国元ではよく見かけた馳走《ちそう》というべきかも知れなかった。

その黒っぽいものは、小鉢の底にどろりと沈んでいる。

「これは、醬油《しょうゆ》の実ではないかな」

半信半疑で又八郎が言うと、佐知が微笑して、よくおわかりになりました、と言った。

醬油の実は、醬油のしぼり滓《かす》に糀《こうじ》と塩を加え直して発酵させ熟成したもので、素姓は貧しい喰《た》べ物《もの》である。しかしその独特の風味には捨てがたいところがあって、近ごろはじめから醤油の実そのものを作る糀屋も城下に現われ、この貧しくて美味な副食は、上下を問わず城下の家々で愛用されていた。

「これはめずらしい。とよのみやげかな」

「そうです。魚は身欠《みが》き鰊《にしん》、椀の味《み》噌《そ》汁《しる》の実は干し若布《わかめ》。みな国のいさば屋の物でございます」

ほかにもうひと品、とよが持参した品があるのだが、今日は間に合わなかったと佐知は言った。

「青江さまは、カラゲをご存じでしょうか」

「知っておる。あの石のように固い干物であろう。煮ると、なかなかの美味になる」

と又八郎は言った。

カラゲは鱏《えい》の干物である。干し上げた鱏は又八郎が言ったように石のように固くなるが、水でもどして甘辛く煮つけると、なかなかに美味な一品料理になる。

倉卒《そうそつ》の旅支度の間に国元の干物を用意して、はるばると手《て》苞《づと》にしてはこんで来たとよに、又八郎はごく普通の女を感じた。

「いま、水につけてありますから、いずれ甘辛く煮て、お長屋の方にそっととどけるようにいたします」

「それは、かたじけない」

「どうぞ、お喰べになりながらお聞きなさいませ」

佐知は又八郎に団扇の風を送りながら、話を安斎彦十郎が持参した村越儀兵衛の手紙にもどした。

「この前青江さまからおうかがいしたお話の中に、将軍家ご派遣の隠密かと思われる男たちのことがございました」

「……………」

「村越さまのお手紙は、じつはその折に始末した隠密《おんみつ》の懐中から見つかったものだそうです」

又八郎は箸《はし》をとめた。すると、佐知はうなずいてから盆をさし出し、お代わりをどうぞと催促した。

「しかも不思議なことには……」

佐知は、飯を盛った椀をうやうやしく又八郎にささげてからつづけた。

「その直後に、執政をはじめとする上士屋敷から、大目付まで頻々《ひんぴん》と盗難の届けが出されたと申します。ただしこれも異な訴えですが、大方は書斎が荒らされた形跡があるものの、さしたる物は盗まれてはいない。しかし黙視することもいかがかと思い届ける、といったものだったそうです」

「………」

「隠密を始末して、懐中の手紙をお頭の榊原さまに届けたのが、安斎どのでした。するとお頭はその手紙をその場で黙読し、やがて顔いろを曇らせて他言を禁じられたと申します」

「………」

「そのあとの盗難さわぎを洩《も》れ聞いた安斎どのは、あの手紙は上士屋敷のいずれかから奪われたものに相違ないと確信したということでした」

「寺社奉行どのは……」

若布の味噌汁を膳にもどして、又八郎が言った。

「手紙の受取り主に心あたりがあったのではないかな」

「わたくしも、お話をうかがってそのように思いました。なお安斎どののお話によれば、そのあと二度ほど、お頭は、亡くなられた榊原さまのことですが、榊原さまは支配のご家老に呼び出されて会見した形跡があると、これはお頭の補佐役を勤められた谷村市兵衛どのが申されたそうです」

あれはやはり、勘定組の谷村かと、又八郎はかつて榊原の口から洩れた名前を頭に思いうかべた。ふと、疑念がひとつうかんだ。

「組の上に、支配の家老というものがおられるのかな」

「いいえ」

佐知は首を振り、盆にのせた三杯目のお代わりを又八郎にささげ渡した。

「組は殿さまの直属、ほかのどなたの支配も受けません。ただ危急のことがあって、殿さまと組の間に仲介人を必要とすることがございますので、名目上この仲介人をご支配と申しているだけでございます」

「…………」

「もっとも、父が組の頭に坐っていたころは、殿さまとの談合はすべて一対一で済ませておりました。ご支配は父が亡くなりまして、組の力が少しく落ちましてから出来た制度でございます。なお、ご支配はご家老衆の中からお一人と決められております」

そのことは、又八郎も以前に榊原から聞いている。もっとも、組が解散しましたからには、当然ご支配との縁は切れました、と佐知が言った。

「ちょっと待ってくれよ」

又八郎は箸をとめた。

「しかしそなたは前に、大目付どのの下で、組はほそぼそと生き残ることになる。そのことは藩のさる重職が承知しているはずだと言わなかったかな」

「申しましたが、お話のご支配とわたくしが申し上げたご重職の方は、同一人ではございません」

「ははあ」

支配の家老は半ば公然の役目だが、もう一人、藩重職の中に組の後見人のごとき役目を負う人物がいる、ということのようだと又八郎は納得した。

「ところで、これまでのご支配はどなただったのかな」

「近年はずっと坂井主税さまでした。もっともご支配が坂井さまであることを承知しているのは、お殿さまとお頭とわたくしだけで、ほかの者は知ってはならない秘事とされておりました」

「しかし、ほかの家老衆に聞けばわかってしまうだろう」

「ところが伝え聞くところによりますと、ご支配の家老は闇籤《やみくじ》によって決められ、どなたがご支配であるかは本人しか知らぬ決まりだそうです」

したがって、嗅足組にかかわる執政会議というものはあっても、通常は言い放しで解散するものらしい、と佐知は言った。

「しかしそういう事情だと、坂井家老がご支配であることをいかなる手段で知るのかがわからんな」

「ご本人からお殿さま、お頭、わたくしあてに通知がございます。密封された通知の中には証拠の印形《いんぎょう》が使われておりますので、たとえばほかのご家老さまが、ご支配の名を騙《かた》って嗅足組を使おうとしてもうまくいかないようになっております」

「なるほど、厳重なものだの」

又八郎は箸を置いて、馳走であったと言った。佐知も団扇を置いて会釈した。

「ひさしぶりに国の馳走を喰べて、満腹いたした」

「醬油の実はいかがでしたか」

「なかなかの珍味で、うまかった」

「それはようございました」

佐知は膳を手もとに引きよせると、手を叩《たた》いて人を呼んだ。そして、ただいま粗茶をさし上げますと言った。

「ところで……」

と又八郎は言った。

「支配との縁は切れたと申したが、すると兼松甚左衛門どのは、坂井家老がその人であったことを知らぬわけかな」

「さきのお頭、榊原さまからお引き継ぎがあればご存じでしょうけれども、あのような突然の不祥事があったことですから、どちらとも知れませぬ」

又八郎は腕をこまねいた。

もし兼松が坂井家老が支配だったことを知らない場合は、藩内に嗅足組に接触してある程度事情に通じた、しかも肝心の頭が名前を知らぬ権力者がいることになりはしないか、と思った。無気味な話である。

もし坂井家老に悪意があれば、旧嗅足の筋を動かしてわが権力の強化をはかるということも難事ではなくなるだろう。支配の名を知る者を消し、闇の力を存分に発揮するために、坂井家老が榊原を殺し、江戸嗅足の女たちを殺したとは考えられないだろうか。江戸の頭谷口佐知の名は知っていても顔を知らない家老が、女嗅足を国元に呼び返す策を講じて、鏖《みなごろ》しに取りかかったのだ。

又八郎の様子を見ていた佐知が、そっと言った。

「坂井さまのことをお考えですか」

「まさかと思うが、気になる」

「じつはわたくしも、大そう気になります」

「…………」

「彦十郎どのが谷村どのからうかがったところによると、榊原さまは、ご支配との二度目の会見を終えられたころからにわかに憔悴《しょうすい》され、やがて解散を言い出されたということでした」

「なるほど。ところで、ご支配が坂井さまであることは殿と嗅足の頭とそなたの三人が承知だと言う。しかしもう一人の重職、嗅足の後見のごとき立場のお人かと思われるが、その人のことは殿もご存じないとさきに言われたな」

「そうです」

「するとその方の身分と名前を知る者は、頭と佐知どのの二人ということに相成るか」

「いえ、正式に名前を知らされてその方と対面出来るのは、お頭一人だけです。ただわたくしにも、それがどなたであるか、およその見当はついております。青江さまに名前は申し上げられないと言ったのは、そういう意味でございます」

「なるほど。で、兼松どのもその人物の名前は存じておると……」

「はい。嗅足組のつぎの頭は早い時期に決まりますので、顔合わせは済んでいるはずです」

襖《ふすま》がひらいて、盆にお茶をのせてささげたさっきの娘が入って来た。娘は又八郎と佐知にお茶を配ると、膳とお櫃を手ぎわよく抱え持って、部屋を出て行った。

さっきの手紙のことですけれども、と佐知が言った。

「彦十郎どのの進言によって、お頭の死後、兼松さまはただちにお頭の屋敷を改めて、村越さまのお手紙、密書と申してよろしいかと思いますが、その密書を首尾よく入手されました。しかし何とも判じ兼ねているうちに、今度帰国したわが組の者が三人も殺害され、兼松さまはにわかにくだんの密書を重視なされたようです」

「…………」

又八郎は黙って茶をすすった。熱くてにがい茶がうまかった。

「組の者のみならず、船橋光四郎さまの死、ひょっとしたら榊原さまの死にも、この密書がかかわり合ってはいまいかというのが、兼松さまのお考えだそうです。安斎彦十郎どのは、兼松さまに命じられて、とよの護衛を兼ねながら、わたくしどもに探索の命令を伝えに来られたのです」

「小雪の殺害を命じたのは、何者かということだな」

「はい、それと密書に言う争論の中身。人一人を殺害するほど、ほかに知られたくなかったその折の争論とは何だったのかということです」

「表役というのは、中奥に詰める女子たちのことだな」

「そうです」

と佐知は言った。

勤務の藩士が極端に少ない中屋敷、下屋敷にくらべて、藩上屋敷の表御殿は江戸詰の男たちの仕事場で、奥にいる屋敷の女たちが気軽に顔を出す場所ではない。

しかし藩主の休息部屋や重職たちの密談のための部屋がある中奥には、奥御殿から派遣されて来る奥女中が詰める間があった。ここに詰める女中たちを表役と言い役目は大ていが奥御殿の客、たとえば藩主夫人の叔母で増上寺の近くの尼寺に住む海光尼《かいこうに》という尼僧などの送迎にあたるもので、密談している重職にお茶をはこぶなどということは役目ではない。

また表役は、毎日の勤めでもなかった。来客の予定にしたがって二人一組で随時に詰所に出る。

「お茶をはこんだというのは、船橋さまと顔見知りででもあったかな」

「あるいは、相手の方を知っていたとか……」

佐知は小さくため息をついた。

「表役はとても退屈しますし、それに奥から中奥に出るだけで、女子どもはとても浮き浮きした気分になるのです。奥ではよく戒めているようですけれども……」

「いずれにせよ、不運な女子だ。茶などはこばなかったら殺されることもなかったろうに」

又八郎が言い、二人は黙ってお茶をすすった。又八郎が顔を上げて言った。

「女中殺害の罪で、村越のじいさんをしめ上げるという手もあるな。証拠の手紙はこちらにあるし、その方が手っとり早く事が済むかも知れんぞ」

「最後の手段としては考えられます」

佐知は言ったが、声音にはあまり賛成していない気配が出ていた。

「しかし、よほど慎重にかからないと、事前に村越さまが殺害されてしまう懸念《けねん》がございましょう」

「殺害？」

又八郎は、おどろいて言った。

「誰に？」

「二の組の男たちにです」

佐知は冷静に言った。

「彦十郎どのの話によると、兼松さまは、二の組の者についてはまだ一部しか掌握しておらぬ由《よし》です。いま、江戸屋敷に来ている男たちは、兼松さまが派遣した者たちではありません」

――ひとかたならぬ……。

複雑な事情が裏にあるようだ、と又八郎は藩江戸屋敷への帰り道をいそぎながら思った。佐知は外泊の許しを得ていて、医者の家に泊ると言うので、一人で帰って来たのだが、夜はかなり更《ふ》けて、門限の四ツ（午後十時）に間に合うかどうか不安だった。しかし空には月があり、月は時おり厚い雲に隠れるものの足もとは概《おおむ》ね明るく、歩くにははかどった。月夜のせいか、深夜にもかかわらず時折り道で人にすれ違った。うしろから来て、声も立てずに飛ぶように又八郎を追い抜いて行く駕籠《かご》もあった。

――二の組の男たちは……。

大目付が派遣した人間ではないという。しかし男たちが明らかにしている矢島利兵衛、今野武左衛門の組下という身分は、言うまでもなく表向けの顔である。物頭派遣の男たちが、偶然にすべて嗅足二の組の男たちだったということはあり得ない。

誰かが物頭に工作して、男たちを江戸表に送ってよこしたのだろう、と又八郎は推測する。その誰かも、名前はむろんわからないものの、何者であるかの大よその見当はつく、と思った。村越儀兵衛の密書の受取り人である。

しかし、では二の組の者たちが、何の狙《ねら》いで江戸屋敷に送りこまれて来たのかは、皆目見当がつかなかった。それこそ村越にでも訊《たず》ねなければわかるまいと、又八郎は思った。

しかも男たちの一人は、葵坂《あおいざか》などという方角違いの場所で、何者かと斬り合って落命している。彼らはいったい、誰と抗争しているのだろうか。一切がまだ闇の中だった。しかしその一方で、これまでの経過をつぶさに振り返ってみれば、ぼんやりとだが、疑いようのないものがその中からうかび上がって来るのも事実だった。

その不確かな感触のものに、無理に言葉をあたえるとすれば、それは、誰か、怯《おび》えている男がいるというようなものか、と又八郎は思っている。何かに怯えて、その男は奥女中の小雪を殺害した。それが発端である。船橋光四郎を殺し、榊原を殺し、佐知の配下を殺したのも、怯える男の仕業に違いあるまい。坂井家老権力説はどうも分《ぶ》がなくなったようである。

——兼松の眼力は確かだ。

と又八郎は思った。鍵《かぎ》はやはり村越の密書にあるに違いない。その謎《なぞ》が解ければ、男の正体はもちろん、男が抱く怯えの正体もはっきりするだろう。

雲がと切れて、また明るい光が地面を照らした。その上にまだ暑熱が淀《よど》んでいるにもかかわらず、月の光にはかすかに秋の気配がある。ふと、若松町の角まで送って来た佐知の姿が目にうかんだ。あまりに月が明るくて、二人は手を取り合う間もなく別れたのだが、又八郎に不満はなかった。佐知の扱いは終始情こまやかで、町角を曲ろうとして振りむくと、まだ別れた場所に立ってこちらを見送っている佐知が見えた。

いつの間にか芝口御門を通りすぎて、又八郎は藩江戸屋敷がある町に足を踏みいれていた。角をひとつ曲ると、遠くに道にはみ出す江戸屋敷の木立が見えた。四ツの鐘はまだのようである。

——どうにか……。

間に合ったかな、と思った。門番には遅くなるとことわっておいたが、人を取締まる立場の人間が門限をはずれては、しめしがつかないことになる。

そう思ったとき、門前と思われるあたりで、何かがきらきらと光ったように見えた。しかしつぎの瞬間、厚い雲が月を覆《おお》い隠し、地面は暗くなったが、見たものが何かはわかった。

——斬《き》り合いだ。

と思った。又八郎は走り出した。すると途中でまた月が顔を出し、今度は刀だけでなく、降りそそぐ光の下で斬りむすぶ者たちの黒い姿も見えて来た。

「夜更けに門前を騒がすのは、何者か」

走り寄った又八郎が一喝《いっかつ》すると、男たちはぎょっとしたように又八郎を振りむいた。声が深夜の塀《へい》にひびいて大きく反響したせいかも知れない。

しかし男たちが動きをとめたのは一瞬で、黒い布で顔を隠した男が一人、身体を回すと猛然と又八郎に斬りかかって来た。襲って来た刀も速いが、身ごなしが異様に軽い男だった。

しかし刀を抜き放っていた又八郎は、すぐに迎え撃った。降りかかる火の粉を払う意味もないではないが、その前に状況は見きわめていた。黒い布で顔を覆い、厳重な身支度をした男たちは三人で、その三人に包まれるようにして応戦している二人は、佐知が二の組の者だと言った例の足軽である。

走ったので息が切れたが、剣の方が斬り合いの筋道をおぼえていて、正確に敏速に動いた。相手は押され、すぐにこの場の争闘に見切りをつけたようである。短くひとこと言い捨てると、刀をひいて身をひるがえした。残る二人もその後を追い、覆面の三人はあっという間に走り去った。やはり、異常な身軽さが印象に残った。

足軽の一人は地面に横たわっていた。斬り倒されたのではなく、手傷を負い、相手が逃げたところを見て精根尽きはてたといった恰好《かっこう》だった。

もう一人が助け起こすと、倒れていた男は立ち上がった。しかしまだ身体がふらついている。助け起こした男は、ふらついている男に肩を貸してから、又八郎に頭を下げた。

「頭取、ありがとうございました。おかげさまで命を拾いました」

「相手は何者だ」

又八郎は言ったが、べつに答を期待したわけではない。はたして礼を言った男は顔をそむけて沈黙している。平井忠蔵という男である。もう一人、平井に担《かつ》がれてぐったりと目を閉じている男は橋本庄七《しょうしち》である。

「ま、今夜はおそいから、このまま放免してやろう。しかし、明日はわしのところに来て、事情を釈明しろ。わしは非番だから、一日長屋におる。必ず来い」

又八郎は念を押したが、平井はうんでもなくすんでもなく、橋本はまだ目をつぶっている。喰《く》えぬやつらだ、と又八郎は思った。

そのとき潜《くぐ》り戸《ど》が開いて、門番が顔を出した。斬り合いの物音は小屋までひびいて、耳を欹《そばだ》てていたらしい。

「何ごとですか、頭取さま」

「なに、ちょっとした揉《も》めごとだ。気にするほどのことではない」

と又八郎は言った。無意識のうちに、二人の男をかばう口ぶりになっていた。直感だが、二の組の男たちは容易ならぬ相手と抗争している、という印象をうけている。

──しかし、それにしても……。

長屋にもどって行燈《あんどん》に灯《ひ》をいれ、着換えながら、又八郎は相手は何者だろうと思った。

十七

あと二日、青江又八郎は非番だった。むろんその間に、緊急の用が出来れば詰所に出なければならないけれども、藩主不在の江戸屋敷は概してひまで、又八郎を呼びに来る者もいなかった。ふだんと変りなく動いているのは幕府や他藩との折衝にいそがしい留守居役、寺院や藩主家の親戚《しんせき》への使い、出入り商人に会う大納戸《おおなんど》、奥付買物方、賄方《まかないかた》の役人ぐらいだった。

あの二人が来るのではないかと、又八郎は門前で平井と橋本を助けた翌日は心待ちにしたが、佐知が嗅足《かぎあし》だという二人の足軽はいっこうに姿を現わさなかった。屋敷の庭に出て、それとなく玄関先まで行ってみたが、二人とも影も形も見えず、どうやら来る気はないのだと納得した。

——礼儀をわきまえぬやつらだ。

と思わぬでもなかったが、男たちが来たがらない気持もわかった。来れば、ゆうべはどうしたと問い質《ただ》されるのを嫌《きら》っているのであろう。

又八郎にしてみれば聞かないわけにはいかないが、彼らとしては、聞かれてもあからさまに答えるわけにはいくまい。微妙なところである。

——ま、いいか。

と又八郎は、礼儀知らずの二人を赦《ゆる》してやることにした。彼ら、二の組の男たちが人にかくれて何者と抗争しているのかは、佐知がこれから調べ、また足軽目付の黒谷半蔵がすでに調べに手をつけている事項である。

近習頭取が横から口をさしはさむべき事柄《ことがら》ではない。知らぬふりをするにしかず、と思ったのである。しかし、二人が来るかも知れないという気があったので、その日はせっかくの非番を、肌着《はだぎ》のほころびを繕ったりしながら長屋にごろごろして過ごしてしまった。

三日目の朝、又八郎が目覚めて着換えていると、おはようござりまするとと言って、飯炊《めした》きの万蔵が台所に入る物音がした。

「今朝はとりわけ早いではないか、万蔵」

と又八郎は言った。

屋敷内には、江戸詰の藩士のために普請《ふしん》した小さな道場がある。建てられた当時は、出府する若い藩士たちが江戸の華美に染まって質朴《しつぼく》な国の気風を失うことのないよう、武術の稽古《けいこ》を奨励するという意味があったようだが、いまはあまり道場を使う者もおらず、建物自体も古びて来ていた。

近ごろ又八郎は、起き抜けの一時を道場に来て、木刀を振る。ひまがあり過ぎて鈍《なま》りそうな身体に活を入れるのが主たる目的だが、胸の内にはむろん、嗅足組の解消を契機にして、国元、江戸屋敷双方でしきりにキナ臭い匂《にお》いが漂いはじめたのに対応する意味もあった。

そもそもの引っかかりから考えれば、もはやかかわりないでは済まされない立場に嵌《は》められたのは明瞭《めいりょう》で、いざというときに身体が動かないようでは仕方あるまいと思っていた。そして大ていは、又八郎が道場に出かけたあとに、入れ違いに万蔵が来て飯の支度をして行くのだが、今朝の万蔵は早かった。

それを言うと、万蔵が台所から答えた。

「明け方、雨が降りましたもので、それですっかり目がさめ、あとは眠れませんでした」

「ほう、やはり雨か」

と又八郎は言った。夢うつつに、雨の音とも風の音とも知れぬ、しのびやかな物音を聞いたのを思い返している。

「いまは、外はどうだ」

「それがもう、上天気でございまして。頭取さま、夏もいよいよ盛りでございい……」

万蔵の声がと切れた。そして、はて面妖《めんよう》なというひとりごとが聞こえた。

「何だな、万蔵」

「ちょっとお待ちくださいまし。はてな、これはしたり、どうみてもカラゲの甘煮……」

万蔵はぶつぶつとひとりごとを言っている。

「しかし、それにしてもカラゲなどというものは……」

「…………」

佐知がカラゲを煮て、夜の間に持って来たらしいと又八郎は覚《さと》った。少しは剣で名を知られたおれに気取られることもなく、自在に長屋に出入りする佐知の手ぎわは恐るべきものだが、突然に田舎で好まれるいさばものの一品を目にした万蔵も、さぞおどろいたろうと又八郎はおかしかった。

「カラゲの煮物か、万蔵」

「はい、これはやっぱりカラゲで？」

「うむ、昨日《きのう》渋谷の伜《せがれ》がとどけて来たのだ。さよう、この前、ここで大飯を喰って行ったあの若い者だ。国の親から送って来たのだ。寄宿先で煮てもらったらしい」

それで納得したらしい万蔵を残して、又八郎は道場に行った。万蔵の言ったとおり、すばらしい日和《ひより》で、しかも朝の空気は涼しいほどに冷えていた。歩いて行くと、頭上の木々から降るような蟬《せみ》の声が落ちて来る。真夏の到来は間違いがなく、たとえ曇って鬱陶《うっとう》しい日があろうとも、過ぎ去った梅雨の日々がもどることはもうあるまいと思われた。

ひと汗流して道場の井戸水で身体を清め、長屋にもどると膳が出ていた。そしてカラゲの甘煮の皿も載っていた。ひさしぶりの珍味で飯を喰いながら、又八郎は喰い終ったら今日は霊岸島の細谷の長屋をのぞきに行こうかと思っていた。そう思わせたのも、今日の上天気だったろう。

飯を終って、又八郎がいつものように台所で椀《わん》を洗っていると、またしても朝の挨《あい》拶《さつ》の声がして、土間に人が入って来た気配がした。手を濡《ぬ》らしたままのぞいてみると、足軽目付の黒谷半蔵が立っていた。

「よう、何かわかったか」

「いえ、それがその……」

黒谷は口ごもっている。さほどいい知らせを持って来たということではないようである。

「ま、上がれ」

「よろしゅうございますか。おじゃまでしたら出なおしますが」

「今日は非番だ。それに飯も喰い終ったところだ」

と、又八郎は言った。細谷の家に行くにしても、なにも朝早くからいそいで行くほどの用があるわけではない。途中で酒を買って行くだけである。

「上がって、話を聞かせろ」

「では、ご免こうむりまする」

黒谷は上がって来た。そして又八郎が水仕事を切り上げて茶の間にもどると、黒谷は懐《ふところ》からこよりで綴《と》じた手製の覚え帳のようなものを取り出してめくった。

「ご指示がありましたように、門番に先日の一件を確かめましたところ、野呂が杉村屋の手代を追って出たのは間違いないと思われましたので、さっそく弓町に行ってあたってみました」

と黒谷は言った。

指示というのは、探索を言いつけた日の夕方、黒谷を改めて長屋に呼んで、野呂が杉村屋の手代を追って行ったのを目撃した一件を話してやったことを指している。何かの手がかりになろう、と又八郎は言ったのである。

もっとも黒谷は、あたってみたと言ってもまっすぐ杉村屋に乗りこんだわけではなかった。その前に、店の周辺で少し聞きこみをした。

野呂助作は尋常でない死に方をしている。そしてその死が、杉村屋あるいは杉村屋の手代とつながっていはしないかということが、大いに疑われるところだった。店にあたるには、それ相当の用心をしなければなるまい、と黒谷は考えたのである。

そしてその聞きこみは、間もなく小さからぬ成果をもたらすことになった。野呂は、かならず杉村屋の近くに足跡を残しているに違いない、という黒谷の見込みがあたって、野呂が利用していた小さな団子屋が見つかったのだ。

団子屋では、夏の間は団子だけでなく、つめたい井戸水で冷やしたところてんや白玉も売る。野呂は団子は喰わなかったが、ところてんをよく喰った。そして時々喰《た》べる手を休めて立って行くと、表に垂らした簾《すだれ》の隙間《すきま》から杉村屋の店先をじっと見ていた。

いや、のぞいたのは杉村屋だと思いますよ、聞いてみたわけじゃありませんけど、と団子屋の主人は言い、その証拠におたずねの若い方は、杉村屋からお武家が出て来ると、羽織をここに預けて後をつけて行きましたからとつけ加えた。その羽織を引き取りに来るときは、野呂は過分なほどの謝礼を払ったらしい。

主人の話を聞いて、黒谷はぶら下がっている簾の内側から外をのぞいた。斜め向かい側に杉村屋の店先があり、客の出入りなども手に取るように見えた。

「武家というのは何だろうな」

と又八郎は言った。

「杉村屋の客かな」

「しかし、助作が後をつけて行ったとすれば、ただの客とは思えません。いまのところは正体不明です」

と、黒谷は言った。黒谷の応答には、足軽目付という職掌から来る慎重さがのぞいている。

それはともかく、前日はまわりの聞きこみをしただけで帰った黒谷は、翌日つまり昨日の午後はまっすぐに杉村屋をたずねて行った。時刻は八ツ（午後二時）過ぎだったろう。

身分を名乗って主人に会いたいと申し入れたが、応対に出た婢《はしため》と思われる女は、主人は長患《ながわずら》いで寝ていると言った。

嘘《うそ》を言っているとは思えない返事だったので、すると、いまこの家の商いを指図しているのはどなただろうかと質《ただ》すと、番頭だという。黒谷は、ではその番頭と話したいと言った。何か理由を挙げて拒むのではないかという漠然《ばくぜん》とした予想ははずれて、いったん奥にひっこんだ女は、もどるとすぐに、黒谷を奥に通した。

案内されたのは小さな部屋だったが、すぐにお茶がはこばれて来て、一応は客の待遇である。藩の名前を出したので、粗末には扱えないというところだろうと思いながら、黒谷は抱えている用を考え、少し居心地わるい気分でお茶を啜《すす》った。

あまり待たせないで、番頭が現われた。日ごろ品物をお用い頂いて感謝していると、番頭は丁重に礼を言い、清五郎という自分の名前も名乗った。三十半ばかと思われる、いかにも商才に長《た》けていそうな血色よく太った男だった。

「今日は、何かご用でございましょうか」

「じつは屋敷内で、ちょっとした事件が起きてな」

　いま身分不相応の遊興をしている者がいて問題になっているが、その男は遊興費を屋敷出入りの商人に借りたとまでは白状したものの、誰に借りたかという糾問には口をつぐんでいる。しかし男が遊所で費消した金は、見過ごしならない大金と推定されるに至ったので、そのあたりを確かめるべく、いま出入りの商家をあたっているところだと、黒谷はまことしやかな拵《こしら》えごとを述べた上で質問した。

「こちらに、野呂助作という男がたずねて来たことはござらんか。軽い身分の者で、齢は二十五、六の若い者だが……」

「野呂さま、はて……」

　番頭の顔に、好奇のいろがうかんだ。

「大金を使って遊んだのは、そのお方ですか」

「さよう」

「心覚えはございませんなあ。それに、あたくしどもの店では、お話次第でお屋敷にお金を融通することはありましても、お屋敷の一人一人にお金をご用立てするようなことは、いたしておりません」

「こちらの手代さんは、一人だけですかな」

「ええ、ええ、一人ですが……」

番頭は不意を衝かれたように、はげしく目をしばたたいて黒谷を見た。

「名前は？」

「…………」

「手代さんの名前です」

「直蔵と申しますが……」

「いつも屋敷に商談で来ておるのは、そのひとですかな。それともほかのひと、番頭さんとかも……」

「いえ、直蔵一人がおじゃましております。しかし黒谷さま」

清五郎はつやのいい顔に微笑をうかべた。

「直蔵が、そのお若い方、野呂さまとおっしゃいましたか、その方にお金を貸したのではないかとお疑いなら、少々見当違いでございましょう。直蔵は金銭にはことに固い男で、やすやすと人に金を貸したりは、まずいたしますまい」

「後で、ちょっと会わせて頂くわけにはいかんか」

「はい、はい」

と言ったが、番頭の顔には突然に、困惑のいろとみられるかすかな曇りがうかんだ。

「さて、いま店におりますかどうか。ひょっとしたら商談で外に出たかも知れません」

「いや、留守だったら、また後日にうかがうことといたそう」

「さようですか」

と言った番頭の顔には、なぜか露骨にほっとした表情がうかび、番頭は苦労してその表情を隠そうとしている。抜かりなくその表情を読みながら、黒谷は言った。

「野呂が来なかったことは納得いたしましたが、しかしこの店には、時々武家が出入りしているのではござらんかな」

「お武家さまがですか」

番頭はまた、はげしく目をしばたたいて黒谷を見た。

「ええ、それは、ま、あちこちのお屋敷に品物を納めさせてもらっておりますもので……」

「…………」

「それに、今日の黒谷さまのように、時には思いがけないご用でいらっしゃるお武家さまもございますし……」

番頭はすばやく立ち直っていた。しかし最後に、時おり店に武家の客が来ることはある、と認めた。

番頭は故意にか、あるいは実際に不在だったのか、手代には会わせなかったが、黒谷はそのことにはあまりこだわっていなかった。むしろ後日、もう一度杉村屋をたずねる口実が出来たのを喜んだぐらいである。

しかし質問に答える番頭の態度には、かすかに疑念を喚《よ》び起こすものがあった。伝わって来たのは、何かを隠そうとする気配である。

——やつは、何を隠したのだ？

と黒谷は思った。

杉村屋を出ると、黒谷は昨日の団子屋にもどった。そこで網を張って誰かをつかまえ、杉村屋の番頭のことを少し聞きこんでから帰る気になっていた。ただし、そううまく行くかどうかはわからなかったが、黒谷は無駄《むだ》も探索のうちと心得ていた。日暮れにはまだ間がある時刻だったが、黒谷は待つことを苦にしない男である。団子を五串ほど買いお茶をもらって、狭い店の奥にたったひとつ置いてある床几《しょうぎ》に腰を据《す》えた。黒谷はどちらかというと甘党である。

しかしそうして団子を喰っていると、不可解な死を遂げた野呂助作のことがふと思い出された。

——野呂は……。

いったい何を追っていたのだ、と思いながら黒谷は団子を喰い、茶を啜った。野呂が追っていたものを、自分もいま追っているわけだと黒谷は思った。味のいい団子だった。

日が落ちたあとも、しばらくは空と町に仄《ほの》明かりがとどまっていたが、ひとしきり混雑したひとの行き来がとだえると、町は急に暗くなって灯がともった。それを待っていたように、黒谷は店の外に出て軒下に立った。そして鋭い目を杉村屋の店先にそそいだ。

「しかし、見ているうちに間もなく店の戸が締まりまして、あとは誰も出て来る様子はありません」

と、黒谷は又八郎に言った。

「今夜はこれでおしまいだろうと思いました。しかしもうちょっと待ってみるかと考え直したときに、潜り戸が開いて杉村屋の提灯《ちょうちん》を持った女子《おなご》が出て参ったのです」

その小太りの中年女は、杉村屋の台所で働く通い勤めの女子だった。女ははじめは行手をふさいだ黒谷にあからさまな恐怖の表情を示し、頼みを聞いたあとも警戒半分、迷惑半分という顔で黒谷を見つめていたが、田舎者にしてはソツのない黒谷の弁口が功を奏したとみえ、やがてしぶしぶといった様子ながら後について団子屋に入って来た。

手間は取らせないと黒谷は繰り返し、女を床几に坐《すわ》らせると手早く二、三の確認したいことを聞き出した。杉村屋の主人佐治兵衛の長患いは事実だった。よそに奉公に出している一人息子がいるだけで、ほかには店を手伝う家の者がいない店なので、商いは番頭の清五郎が一手に引き受けている。これも事実。そして手代は番頭が言ったとおり、直蔵一人で直蔵の齢は二十三である。

しかし誰が外回りをしているか、などということは通い勤めの自分にはわからない、と女は言った。また杉村屋に出入りする武家のことでは、女は確かに二、三度家の中で武家を見かけたことはあるが、ウチは大名、旗本の屋敷に納める商いが大きいと聞いているから、多分とくい先の人ではなかろうかと推測を述べ、旦那《だんな》このぐらいで勘弁してくださいな、家で亭主、子供が待っていますからと、無理やり坐らせられた床几から腰をうかしはじめた。

黒谷は引きとめたことを詫《わ》び、そろそろ店を締めたがっている団子屋に、大いそぎで団子を十串ほど包んでもらうと、帰る女に持たせた。口止めはしなかった。今夜のことは、番頭に洩《も》れれば洩れたでかまわないと思ったのである。

「そんなわけで、今日明日にもう一度杉村屋をたずねて、今度は手代の直蔵に会ってみようかと思っているところです」

「そうしてくれ。しかし、話を聞いているとその番頭、少々うさんくさい感じがする男だな」

「それがしもそう思います。何かこちらに隠しておる様子で、そのへんを、これからつついてみようと思っております」

黒谷はそう言って、これで今日の報告は終りという顔いろになったが、ふと思い出したように言った。

「あ、そうそう、もうひとつ。まだ若いにもかかわらず商い一切をまかされていると いうから、清五郎は杉村屋の子飼いの番頭かと思いましたら、女の話では違うそうでして」

「ほう」

「五年ほど前に、引き抜かれて杉村屋の番頭に坐ったやり手で、清五郎はその以前は長戸屋の手代をしておったそうです」

「なに、長戸屋だと」

又八郎は思わず大きな声を出した。

十八

屋敷出入りの杉村屋の番頭が、もと長戸屋の手代清五郎と判明したので、探索の参考にされてはいかがか。ただしこの話は、さきに不審死を遂げた二の組の足軽の事件を調べている黒谷半蔵から入手したもので、杉村屋の番頭をあたるについては、黒谷の調べを妨げぬ配慮が必要であろうか。

そうしたためた封書を若松町の医者の家に預け、佐知への連絡を頼むと、青江又八郎は浜町堀《はまちようぼり》をわたって霊岸島にむかった。頭上には一点の曇りもない夕刻前の青空がひろがり、町は目も眩《くら》むような乾いた日射《ひざ》しに包まれていた。笠《かさ》をかぶっていても歩くうちにたちまち汗ばんで来たが、青空を映している浜町堀の水際《みずぎわ》の芒《すすき》は、白く光る穂を孕《はら》んでいるのが見える。

――あるいは無駄《むだ》になるかも知れぬが……。

と又八郎は、歩きながらいま置いて来た手紙のことを考えていた。佐知は先夜の組の会合のあと、すぐに長戸屋の調べに手をつけたはずで、長戸屋がいまも万町にあるなら、そこからむかし屋敷に出入りしていた長戸屋の手代、組の女子の一人が、古い記憶をたよりに口にした手代の庄五郎と同一人物の公算が大きい、杉村屋の番頭清五郎に行きつくことはわけもないことである。

主人が病死したあと、長戸屋と江戸屋敷のつながりにもっともくわしい人間ということになれば、当然出入りの手代が浮かび上がって来るわけで、佐知はもう一度ぐらいは清五郎に会っているかも知れなかった。その場合は、せっかく書いた手紙だが、無駄になる。

——しかし……。

万町に、いまも呉服商の長戸屋があるとは限らんぞ、と又八郎はひょいと思う。長戸屋のことでは、又八郎の心の中に、はじめて聞いたときからずっとひっかかっていることがひとつあった。たしか奥勤めの朝尾という女子が言った、主人の死後、長戸屋の屋敷納めは絶えたという言葉である。

長戸屋の商いがいまも変りなくつづいているのなら、通常はそういうことは起こらないのではないかと、又八郎は探索の仕事の嗅足にかぶれたわけではなく、常識として思う。主人が死んだからと、それだけが理由で長戸屋が屋敷納めをやめることも、江戸屋敷の方が商いを切ることもまずあり得ないことである。やめたについては、ほかに理由があるはずだった。

そしてその理由も、屋敷の方よりは長戸屋の方に、主人の死を契機に何かの変化が起きたと考えるのが順当のようだった。たとえば、大黒柱の主人に死なれて店がつぶれたということはあり得ないか。大いにあり得ることだ、それなら辻褄《つじつま》が合うと又八郎は思っていた。

店がつぶれたのではないかというのは、かなり大まかな推測だが、そのぐらいのことがなければ商いを切るなどという事態は起こらないのではないか、というのも実感だった。もしその推測があたって、家族、奉公人が離散したというようなことであれば、さっき置いて来た手紙は、佐知の探索の助けになるはずである。

考えながら、又八郎は永久島の方から霊岸島にわたり、南新川の河岸通りの店で酒を一升買った。そして一升徳利をぶらさげて銀《しろがね》町を通り抜け、左手に見える越前松平家下屋敷の開《あ》かずの門、右手の薬師仏で知られる円覚寺門前を通りすぎたところで、右手に口をあけている路地に入った。

その路地から、さらに木戸をくぐって裏店《うらだな》の路地に踏みこむと、前に来たときと同様に、たちまちに物の饐《す》えたような匂《にお》いと雪隠《せっちん》の匂いが入り混じった、何とも言えない異臭が顔を包んで来た。寿松院裏の裏店にくらべると、路地もせまく、この前も感じ入ったように建物の古びようがすさまじい。歩いて来る間に日が回って、路地ははやくもたそがれいろに包まれはじめていた。

だが上を見上げると、裏店の上にはまだ赤い光がひろがっているのが見えた。光は半ばは透明で、半ばは力強くきらきらと輝いている。赤く光る部分は地面から立ちのぼる微塵《みじん》に日があたるのか、見ていると光はゆらめいたり、川のように横ざまに流れるようにも見える。

赤く力強い光は、今日の日が地平に落ちる間ぎわにあることを示していたが、日はまだ暮れたわけではなかった。にもかかわらず、空を見上げていると深く暗い谷間に立っているような気分がして来る。

――まだ、寝ているかな。

初村賛之丞の言葉を思い出しながら、又八郎は土間に入り、細谷の名前を呼んだ。だが返事はなくて、手もとに返って来た沈黙のひややかさから、又八郎は細谷が留守なのを覚《さと》った。

しようがない、無駄足だったかと思いながら、上がり框《かまち》に膝《ひざ》をついて障子をあけた。とたんに外のものとはまた違う異臭が押し寄せて来た。即座に酒の残り香とわかる、甘酸《あまず》っぱい匂いで、それがなかなかに強烈だった。

又八郎は鼻をつまみたいのを我慢して、ほの暗い部屋の中を見回した。じきに、形容しがたい暗い気分が胸を満たしはじめるのを感じた。

──何だ、このざまは。

と又八郎は思った。

この前初村と一緒におとずれたときも、部屋の中は汚なかったが、これほどではなかったと、又八郎は目が馴《な》れてようやくはっきり見えて来た眼前の光景を、呆然《ぼうぜん》と眺めている。

万年床は当然として、夜具の上に空のお櫃《ひつ》と茶碗《ちゃわん》、箸《はし》がころがっている。点々と飯粒まで落ちているのは、夜具の上で飯を喰《く》ったに違いない。壁ぎわの長火鉢《ながひばち》の横に、やはり貸徳利が五本もあり、あるいは倒れ、あるいは遠くまで転がっている。

──よく、返しもしないのにまた貸すものだ。

と思って、仔細《しさい》に眺めると、徳利の名前は丸子屋だけでなく、満寿屋という名前も読み取れる。酒だけは、まめにあちこちから買っている様子だった。

夜具の回りには、見るからに汚れた下着やら着換えた着物やらが足の踏み場もなく散らばり、その上に蓋《ふた》がひらいたままの古びた葛籠《つづら》がどっかりと載っている。そうかと思うと、垢《あか》で真黒になった肌着の下から、早生《わせ》出来の梨《なし》でも喰ったとおぼしい果物の皮と芯《しん》がひと山、それとまるで判じ物のように干し鰯《いわし》の頭が顔をのぞかせている。

首をのばしてのぞくと、長火鉢にかかっている小鍋《こなべ》には何かの煮物が残っているようでもあった。どうやらそこで煮炊《にた》きをしている様子でもある。異様な匂いは、その全体から腐臭のように立ちのぼって、又八郎の方に押し寄せて来るのだった。

――下世話に……。

男やもめにウジが湧《わ》くと言い、一人暮らしの又八郎の住居も、うっかりするとすぐに物が散らばる。だが、これはそういうものとは違う。又八郎はそう思い、この前来たときにちらと胸をかすめた、ある疑いとも、恐れともつかぬ考えが、またなまなましくうかび上がって来るのを感じた。疑い恐れるのは、細谷は貧に窶《やつ》れてもう武士の誇りを失っているのではなかろうかということだった。

細谷が酒毒に冒された、いわば半病人であることはあきらかだった。しかし細谷は、それでもこの間会ったときは又八郎の目から徳利を隠し、部屋の乱雑さを隠し、酒毒に冒されている自分を隠そうとしたのである。

又八郎はそれを、長く不遇な浪人暮らしにもかかわらず、なお残る細谷の矜持《きょうじ》の証《あかし》と見たのだが、目の前の有様を眺めていると、あれはいっときの間に合わせの欺瞞《ぎまん》ではなかったかとも思えて来る。押し寄せて来るのはすさまじい荒廃の気配だけで、武士の矜持などはかけらも見あたらなかった。

又八郎が、胸を浸す暗い気分に縛られたように立っていると、ふとうしろに人の気配が動いた。振りむくと、外に女が立っていた。質素だが、武家風の身なり髪型をした若い女である。

若い女は、身を護《まも》るように胸にしっかりと風呂敷《ふろしき》包みを抱えながら、声をかけて来た。

「あの、どなたさまでしょうか」

その声を聞く前に、又八郎は女の正体に思いあたっていた。酒徳利を部屋に押し込み、障子を閉めてから外に出た。

みさと申したかな、いや、ふさだったかなと又八郎は思っている。いずれにしろ、目の前にいるのは細谷源太夫の娘だろう。日没の、なお残る光にうかぶ顔が、死んだ母親に生き写しである。

「これは久しい。ふさどのであったかな」

「美佐でございますけれども……」

若い女は怪訝《けげん》そうに言い、つぎに急に目をみはるような顔になった。美佐の方でも、目の前にいるやや腹の出た中年男に、どうやら一家と親しかった往年の浪人者の面影《おもかげ》を発見したらしい。

「あの、もしや……」

間違いを恐れるように、美佐は小声になった。

「青江のおじさまでは……」

「いかにも、青江又八郎でござる」

「まあ」

「いや、これはおどろいた。あの折の、ほんの子供だったそなたが、かようにうつくしい娘御になるとはな」

美佐は又八郎に微笑を返そうとしたようである。しかしその顔は急に歪《ゆが》んで、美佐はあわてて袂《たもと》を掬《すく》い上げると顔を隠した。そしていそいで戸口に寄ると、又八郎に背を向けて板戸に顔を押しつけるようにした。あふれる涙を隠したようである。

――ふむ。むかしを思い出させたかな。

と又八郎は思った。若い女子らしいやや過剰な反応に戸惑ったが、美佐の気持はわからぬでもないとも思った。又八郎のひとことが、美佐にとっての古き良き日、貧しいながら親子がへだてなく暮らしていた日々を思い出させたことは有り得る。

「ごめんなさいませ。はしたないところをお見せしまして」

振りむくと、美佐はじつに女らしいしぐさで、懐紙を出すとすばやく涙を拭《ぬぐ》い取り、又八郎を見てにっこりと笑った。母親似の明るい笑顔で、これが本来の美佐なのだろうと思われた。

笑いを消して、美佐が言った。

「家の中を、ごらんになったのですか」

「見た」

「はずかしい」

と美佐は小声で言った。少し顔いろを曇らせたが、美佐はすぐに立ち直った。

「父は当分もどらないと思います。表までお見送りいたしましょう」

言外に帰ってくれと催促しているのだった。感傷に溺《おぼ》れるだけでなく、気丈さも持ち合わせている娘のようである。

むろん又八郎は、細谷がもどるもどらぬにかかわらず、今日はこのまま帰るしかないと思っていたので、美佐の言葉ですぐに木戸の方に足をむけたが、ひさしぶりに会った細谷の娘に、まだ聞きたいことが残っているような気もした。

「青江のおじさまは……」

木戸を出るとすぐに、美佐が話しかけて来た。

「江戸詰でいらしたのですか」

「いや、急な事情で、半年ほどという約束で来ておるのだ。宮仕えの身分ゆえ、藩命とあればどこへなりと移らねばならぬ」

「でも、おじさまはごりっぱになられました。さぞ、おえらい役におつきになっているんでしょうね」

「いや、そんなこともないが……」

「いえ、拝見すればわかります」

美佐は言ったが、少し声を落としてつづけた。

「青江のおじさま、父はもう駄目になりました」

「何を申すか。そんなことがあるものか」

「父にお会いになったのですか」

「会った」

「どう思われました？」

「細谷は、少々酒が過ぎるようだな」

「…………」

美佐は答えずに溜息《ためいき》をついた。それだけではない、と言いたいらしかった。むろん、又八郎も、それだけではないと思っている。荒廃の気につつまれた部屋の光景が、まだ目に残っていた。

又八郎も小声になった。

「いつから、あんなふうになったのだ？」

「母が亡《な》くなってからです」

「心《しん》ノ臓《ぞう》の病いだったそうだな。気の毒だった」

「父がそう申したのですか？」

「さよう。違うのか」

「亡くなったのはたしかに心ノ臓の病いですけれども、母はその前から常人ではありませんでした。気が狂ったのです」

痛ましいことを聞いた、と又八郎は思った。貧にもめげず、いつも明朗だった細谷の妻女の、在りし日の姿がうかんで来る。

強い疑問が動いた。原因は何か、と思ったのである。

「亡くなられたのは、五年前と聞いたが……」

「いいえ」

美佐は遮《さえぎ》るように強く首を振った。

「それも、父が申したのですね」

「そう言っておったな」

「違います。亡くなったのは二年前です。五年前というのは、母が発狂した年なのです」

「ははあ」

「きっと取り違えているんです。父はこのごろ、よくとんちんかんなことを言いますから。もっとも……」

父はそれまで万事母にまかせ切りだったから、発狂がはっきりしたときは、母は死んだも同然と思い做《な》したかも知れないと美佐は言った。

しかし、と又八郎は言った。

「あれほど気丈で、苦労を意に介さず明るかったひとが気が触れるからには、何かわけがあったと思うが……」

「…………」

「思いあたることはござったか」

「父がお屋敷を出て、また裏店住まいの浪人暮らしにもどったせいだと思います」

「ほう」

「そのとき母には先が読めたのだと思います。もう生涯《しょうがい》二度と、暮らしに日が射すことはあるまいと思ったのではないでしょうか」

「…………」

「いまの裏店に越して来て半年ほど経《た》ったころに、ずっと病身だった弟が亡くなりました。そのころから、母は様子がおかしくなったのです」

「しかしだな」

と又八郎は言った。

「奉公先の近藤さまが潰《つぶ》れたとか、家禄《かろく》を削られたとかいうことであれば、細谷としてもいたしかたない話。浪人暮らしにもどったのを責められては、父御《てご》としても辛《つら》かったろう」

「その言いわけをお信じになったのですね」

と、美佐は言った。

二人は路地を抜けて表に出、道の角に立っていた。道は人の行き来も絶えてたそがれいろに覆《おお》われはじめていたが、道とその先の水路の向う側につらなる越前藩下屋敷の塀《へい》は、上の方にまだ薄く日没の赤味を残していた。

昼の暑熱の名残りで、夜気は生あたたかくふくらんでいる。そして突然に頭上にキヨキヨ、キヨキヨキヨと夜鷹《よたか》の声がした。日が暮れて目ざめた夜鷹が、虫を喰いに出て来たらしい。

だが又八郎は、美佐の顔にうかぶ奇妙に捩《ねじ》れたような笑いに気持を奪われていた。うかんでいる笑いは、薄暮の光の中でも冷笑とわかるものだった。又八郎はおどろいて言った。

「それは誤解だ。わしにそう話したのは口入れの相模屋で、父御ではない」

「でも、父が話したから、相模屋さんはそうおっしゃるのでしょ？」

美佐は動じなかった。まだ、口辺の冷笑を消していなかった。

「すると、真相はべつにあると申されるのかな」

「はい。父はお屋敷の上役を打擲《ちょうちゃく》して怪我《けが》をさせ、それで勤めを解かれてお屋敷を出たのです」

「………」

「わが親の非を言い立てるようで、さぞお聞きぐるしいことと存じますが、ぜひおじさまに聞いていただきたいことがございます。父は……」

美佐はうつむいた。だが、すぐに顔を上げると、平静な声でつづけた。

「物ごころついて気がつくと、父は大そう我意の強いひとでした。ご自分の言い分を通すために、家の中だけでなくお屋敷でもたびたびひとと争いました。そういう父を母はかばいにかばい、争いごとが起きれば相手に詫《わ》びて、どうにか辻褄《つじつま》を合わせて来たのです。長い長い年月をそうして参ったのです」

ただ一度だけ、母が色を作《な》して父を詰《なじ》ったのを見たことがある、と美佐は言った。それはある日細谷が、もとを正せば津山森藩の家中、旗本の奉公人で生涯を終るかと思えば気が滅入《めい》る、と愚痴を言ったときだったという。

「母は畳を叩《たた》かんばかりに父に詰めよって、親子八人が裏店《うらだな》で餓えたころをお忘れかと申しました。愚痴ひとつ言いませんでしたけれども、母は真実裏店の貧しい暮らしを恐れていたのだと思います」

「………」

「父のわがままから、老いを目の前にして母はまた裏店住まいにもどらなければなりませんでした。これが、狂わずにいられましょうか」

美佐が口を閉ざすと、立ち籠《こ》めるうす闇の中に、重苦しい沈黙がひろがって行った。頭上を、また鳴きながら夜鷹が飛びすぎた。

又八郎は重い口をひらいた。

「しかし、細谷を憎んではならん。かれも老境にある。また、かつてはそなたらを養うために必死に働いたのだ」

「憎んではおりません。ただ、情けないだけです」

美佐は小声で言った。

その声にいくらか救われた気持になりながら、又八郎はつとめて明るい口調で言った。

「そなたは、もう嫁《とつ》がれておるそうだの」

「はい。四年前に嫁ぎまして、子が一人おります」

美佐は近藤家の奥用人の世話で、近藤家と同じく御書院御番頭を勤める旗本神保家に奉公に出た。そして三年後に、縁があって神保家の勘定方に勤める藤井《ふじい》酉之助《とりのすけ》に嫁いだのである。十八の時でした、と美佐は言った。

「しあわせかの」

「はい、姑《しゅうとめ》も夫もよくしてくれますので、しあわせに暮らしております。それに、江戸にいれば時折りは父を見回ることも出来ますから……」

そう言ってから、美佐は顔を上げて又八郎を見た。濃くなるたそがれ色の中に、色白の顔が花のようにうかんでいる。

「おじさまがお国に帰られたのは……」

唐突に美佐が言った。

「あれはずいぶんむかしのように思われますけれども、いつごろのことだったのでしょうね」

「十六年前のことに相成る」

「十六年前……」

美佐はつぶやいた。

「それならわたくしは六つでした。そうですか……」

六つの少女だった自分を思い描くように、美佐は沈黙したが、すぐに感傷を振り切るようなきっぱりした口調で言った。

「お引きとめしました。では父の家を少し片づけて帰りますので、これで失礼いたします」

「さようか」

又八郎はうなずいた。

「わしもまた様子を見に来よう」

達者でな、と言って又八郎は踵《きびす》を返した。しばらく歩いたとき、うしろから青江のおじさまと呼びかける美佐の声がした。

「お目にかかれて、うれしゅうございました」

振りむいた又八郎に、美佐は声を張ってそう言った。若々しく、澄んだ声だった。

又八郎は黙って手を上げた。

銀町の角まで行って振りむくと、路地の出口にまだ立って見送っている美佐の姿が見えた。深まる闇の中に、ぼんやりと見えるその姿は、なぜか又八郎の胸を鋭く刺して来るように思われた。

——細谷は……。

子に心配をかけてはいかんではないか、と又八郎は歩き出しながら思った。だがそれだけではなかった。胸に突き刺さって来たのは自分や細谷、そして美佐の上を通り過ぎた、十六年の歳月というものだと気づいていた。

十九

佐知からはすぐに連絡があるものと思ったのに、何事もなく日が過ぎ、ある朝目ざめると着換えの衣類の下に紙片があった。杉村屋の番頭のことを連絡してから、およそ半月後のことである。

紙片には流れるような筆で、杉村屋の番頭に会って話を聞く手はずがついた、明後日からまた非番に入ると思うので立ち会っていただけたら有難い云々《うんぬん》といった意味の文言《もんごん》が記され、そのあとに清五郎に会う日時と場所が書き加えられていた。場所は尾張町一丁目裏河岸《うらがし》にある、絹川という小料理屋だった。

指定された日の夕刻、又八郎は屋敷を出て芝口御門に向かった。この御門は十一年前の宝永七年に、翌年の朝鮮使節来日にそなえて新井白石の進言で建てられたものである。御門を通る前に石町の鐘が暮れ六ツを告げ、汐留川《しおどめがわ》に沿って河岸を行くと、足もとはみるみる暗くなって来た。そして角を曲って三十間堀に沿う、俗に出雲町裏河岸と呼ぶ河岸道に出たとき、うしろに軽い足音がして、人が追いついて来た。

「ご足労をおかけします」

横にならんでしのびやかに言ったのは佐知だった。佐知は頭巾《ずきん》で顔を隠していた。

「いや、わしの方は構わんが、番頭がわしの顔を見てびっくりするということはないだろうな」

「いえ、それは大丈夫です」

と佐知は言った。

「掛け合いのときに、お屋敷の内密の調べと申し聞かせまして、今夜も上役を同道するとことわってあります。女一人では怪しんで話さないかも知れませんので」

「なるほど。しかし同席してもわしは何を聞いたらよいか、さっぱりわからんが……」

「聞き役はわたくしが勤めます」

佐知はいくらか笑いを含んだ声で言った。

「青江さまは悠然《ゆうぜん》と構えられて、御酒を召し上がっておられればよろしいわけですけれども」

「それはわるくない役目だ」

と又八郎は言った。

「しかし、今度は少々手間どったようだな」

「はい。手荒なことをせずに、むこうから話す気になってくれるのを待ちましたので手間どりました。あ、申し遅れましたが、お手紙を有難うございました」

「役に立ったかな」

「もちろんです。その前に店があるという万町に参りましたところ、長戸屋は影も形もありません。長戸屋だった家は建て替えられて、そこにはほかの商人が商いをしていたのです。そこで、手わけして店の縁故の者の行方を探しはじめたところでした」

「すると、長戸屋は潰れたのか」

「近所の話では、そのようでした。くわしいことは清五郎が話してくれるでしょう」

佐知がそう言ったとき、二人は尾張町一丁目の裏河岸に着き、間もなく路地の奥に絹川という文字がうかぶ軒行燈《のきあんどん》を見つけた。

杉村屋の番頭清五郎は、先に来て待っていた。料理と酒を言いつけてから、佐知が又八郎と清五郎を引き合わせたが、佐知は又八郎の名前を出さなかった。又八郎の裁量にまかせたのだと思われた。

「内密の話なので、役名を明かすのは勘弁してもらおう」

と、又八郎は補足した。

「青江と申す者だ。今夜はご足労いただいたが、よしなにおつき合いを頂きたい」

「丁寧なご挨拶《あいさつ》で、恐れ入りまする」

と清五郎が言った。

杉村屋の番頭として、出入りの大名、旗本屋敷の人間と飲むことも珍しくないとみえ、清五郎には武家を前にしてもさほど臆《おく》した様子は見られなかった。黒谷が言ったとおり、太り気味で齢《とし》は三十半ば、働き盛りの印象をあたえる男である。

酒肴《しゅこう》がはこばれて来たので、三人は杉村屋の近ごろの商いとか、世間の景気などを話題に、酌取《しゃくと》りの酌でひととおり飲み喰いしたが、やがて佐知が人払いをした。

「さっそくですが……」

酌取り女のかわりに、清五郎に酒をすすめながら、佐知が質問した。

「長戸屋さんは、破産したのですね」

「そうです」

「いつごろでしょうか」

「五年前の夏、いまごろでした」

「潰れたわけは、何だったのですか」

「借金です」

「え？　ご主人が亡くなられたためではないのですね」

「それもありますが、主人が死んだあとで山のような借金が出て来たのです」

「…………」

「もっとも、借金があることも、たちのわるい高利貸に返済を迫られて困っていたことも、ある程度は知っていましたがね」

清五郎はため息をひとつついた。

「でも、あんな莫大《ばくだい》な借金を抱えていたとは、夢にも思いませんでしたよ」

「それでご主人が亡くなると、借金取りが押しかけて来て、財産を毟《むし》り取ったというわけですか」

「そうです」

「でも、お店《たな》には跡取りがいたのではないですか。ご主人がいなくなったとしても……」

「跡取りはいませんでした」

清五郎は佐知の酌をことわって、失礼して手酌でいただきますと言った。又八郎に酌をし、自分の盃《さかずき》も満たすと早い手つきでくいと飲み干した。

そして長戸屋には娘が一人、おることはおりました、と言った。

「おみちというんです。もう年ごろでしたが身体が弱うございましてね、まだ婿《むこ》も決まっておりませんでした。そこへもってきて主人惣兵衛《そうべえ》が死に、そのあとは連日、大勢の借金取りが押しかけて戦《いくさ》のようなさわぎです」

「…………」

「お嬢さまは寝こまれました。店を人手に渡したあと、間もなく亡くなられましたがね」

「それはお気の毒さま」

「もちろんあたくしも番頭さんも、必死に借金取りと掛け合う一方、何とか長戸屋を潰さずに済む方法はないかと、同業の旦那方《だんながた》に助けをもとめたりして、血眼《ちまなこ》で走り回ったものです。しかし所詮《しょせん》は奉公人、あたくしどもに出来ることは限りがございまして」

「そうですか。事情はよくわかりました」

と佐知は言い、では本題に入りましょうかと言った。

「清五郎どのは、ご主人の亡くなられ方に不審があった、そのことを聞いてもらいたいと申されましたね」

「そうです」

「では、そのあたりのことをお話いただきましょうか」

佐知がそう言ったが、清五郎はすぐには口を開かなかった。うつむいて、空になった盃のあたりをじっと見つめている。

佐知は銚子《ちょうし》を取って、清五郎に酒をついでやった。

「どうしました？」

「………」

「この前わたくしは、清五郎どのに手の内を明かしました。わたくしどもの屋敷の者の争いの中に、なぜ長戸屋さんの名前が出て来たかを調べていると申しましたら、清五郎どのもあのように申されたのでしたね」

「ええ、そのとおりですが、あたくしはじつは、あのときそう申し上げたことを後悔しております」

「話すのがこわいのですか」

「そうです」

「でも、よく考えてみてください」

佐知は顔に微笑をうかべた。

「この件では、わたくしどもと清五郎どのは、多分利害が一致するはずですよ。お互いに知っていることを話し合えば、この前も申しましたように事の真相はおのずと現われて来ましょう。しかしお話いただけないとなると、わたくしどもの調べも一歩もすすまず、ここで一頓挫《いちとんざ》という形になりますね」

「固く秘密は守る」

又八郎も口をはさんだ。

「また、番頭どのにはいかなる迷惑もかけぬと約束いたそう」

「…………」

「もしわれわれに話したことが元で、危難に襲われるおそれが出て来たときは知らせて頂こう。それがし、およばずながら警護してさし上げよう」

根はあらそわれず、これは用心棒のせりふになったなと又八郎が思ったとき、清五郎が顔を上げてわかりましたと言った。

「お武家さまにそこまでおっしゃられては、尻込《しりご》みするわけには参りません。お話いたします」

「そうですか。よく思い直してくれました」

と言って、佐知が清五郎に酒をついだ。

「主人が亡くなったのは五年前の春ですが、そのころ主人は大口の借金先である高利貸から、きびしい督促を受けて困り切っておりました」

と清五郎は言った。

その四、五年前に、長戸屋の主人惣兵衛は店に手をいれて造作を一変し、呉服物を店頭で売り買いが出来るようにした。品物の仕入れもふやした。じりじりと膨らむ古い借金を返すために、屋敷商いや掛け売りだけでなく、店売りをはじめるために、新しい借金までして商いをひろげにかかったのである。

だがその切り替えは裏目に出た。数年経《た》ったが商いは伸びず、わるいことにその様子をみて、長戸屋の商売に見切りをつけた大口の金貸しが、足しげく返済の督促に来るようになったのである。それを見たほかの貸主も動揺したためにその年は、年明けから長戸屋で借金取りのどなり声が聞こえない日がないほどになった。

店頭の奉公人も奥の奉公人も、戦々兢々《きょうきょう》として顔見合わせるような暗い日がつづいていたある日の夕方、清五郎は奥に呼ばれた。

主人の惣兵衛は、外に行く身支度をしていて、娘のみちが着換えを手伝っていた。惣兵衛は清五郎を見ると、にこにこ笑って言った。

「清五郎、もう心配はいらないよ。金策の目途《めど》がついた」

「そうですか。それはようございました」

と言ったが、清五郎は半信半疑だった。あんなに借金取りとの応対に苦しんで来たのに、急に借金を返せるような道がひらけるとは思えなかった。たちのわるい高利の金など、取りあえず急ぎの借金を整理するだけでも、ざっと千両を越す金が要るはずである。

「信用していないな」

惣兵衛は相変らず機嫌《きげん》のいい顔で言い、ふと半分はひとりごとといった口調でつけ加えた。

「うまく行けば三千両は出るだろうて」

そう言ったときの惣兵衛の顔を、清五郎は後々まで忘れることが出来なかった。惣兵衛の顔は、何か大きなことを決断した興奮を窺《うかが》わせててらてらとかがやき、目は鋭く光って、清五郎の一瞬の勘に間違いがなければ、惣兵衛は胸に何か知らぬ邪悪なたくらみを隠しているように見えたのである。

「主人はその夕方、どこに行くとも言わずに一人で出て行きましたが……」

清五郎は顔を上げて、又八郎と佐知を見た。

「あたくしには間もなく主人の行先がわかりました。主人はそちらさまのお屋敷にうかがったのです」

二十

死ぬ前の長戸屋惣兵衛が、三千両の金策のために、それも自信ありげな顔で出かけた先は、藩江戸屋敷だと思うという杉村屋の番頭清五郎の話は、又八郎と佐知を唖然《あぜん》とさせるものだった。

二人は顔を見合わせたが、すぐに佐知が言った。

「どうしてそう思ったのですか」

「お武家さまがたは、お屋敷のお卯乃《うの》の方《かた》さまと長戸屋のつながりを、どのぐらいまでご存じでしょうか」

「つながり？」

佐知は小首をかしげた。佐知の配下は破産した長戸屋の縁故者を探しているが、これまでに佐知にもたらされた知らせは皆無である。

「お卯乃さまは、久保と申されるお旗本のご養女とうけたまわっております。もしや亡くなられた長戸屋さんが、久保さまとわが藩とのご縁を執りもたれたとおっしゃるのでしょうか」

「いえ、いえ」

清五郎は首を振った。しばらく、うつむいて沈黙し、やがて失礼しますとことわって手酌で酒をついだが、清五郎はすぐにはその酒を飲まなかった。手をひいて言葉をつづけた。

「お卯乃の方さまは、子供のころのお名前をもよさまと申しまして、長戸屋で育ちました。あたくしが長戸屋に奉公に入りましたのは十二の齢ですが、もよさまはそのとき、たしか六つだったと思います。それはかわいらしい子供さんでした」

「………」

「しかしもよさまは長戸屋の実子ではなくて、遠い親戚《しんせき》の孤児だったものを、主人の惣兵衛が引き取って育てたのだそうです。もっともあたくしがその話を聞いたのはずっと後で、奉公に上がった当時は、てっきりもよさまは長戸屋の子供で、死んだおみちさんとは姉妹だと思っていたものです」

「これはおどろきました」

と佐知は言った。

「すると、お卯乃さまはわが殿にお仕えすることが決まって、それで長戸屋さんからお旗本のご養女になられたのでしょうか」

「その通りです。もよさまがそちらのお屋敷に上がりましたのはあたくしが年季が明けて手代になりました年で、よくおぼえております」

「その工作と申しますか、長戸屋さんと掛け合い、お旗本の久保さまに養子のことをおねがいしたりして働いたのは、ただいまのわが藩の家老、当時はお屋敷の内御用人を勤めた坂井だろうと思いますけれども、そのへんのことはおぼえておいでですか」

「おっしゃるとおり、坂井満之助さまでした」

清五郎は、坂井家老の当時の名前まで記憶していた。

「坂井さまは見るからに切れ者という感じのお方で、めんどうなそのお話を、あっという間にまとめられました。ご養子名義をおねがいした久保さまにはかなりのお金を使われたそうですが、そのお金も、三が二は主人惣兵衛に出させるという如才なさでした」

坂井はおそらく、この縁組は後のち決して店の損にはならんぞと、長戸屋を丸めこんだに違いないと又八郎は思った。

佐知も同じようなことを考えたのか、軽く苦笑をうかべた顔を又八郎にむけたが、すぐに目を清五郎にもどした。

「すると当時のもよさまのおうつくしさに目をつけたのも坂井なのでしょうね」

「いや、それが……」

そうだという返事が返って来るものだとばかり思っていたのに、清五郎は案外にとまどったような表情を見せて、又八郎と佐知をおどろかせた。いそいで佐知が言った。

「違うのですか」

「いえ、あたくしもずっとそうだとばかり思っていたのですが、番頭さん、甚七《じんしち》と申しましたが、そのひとの話によると、どうもそれが違いますようで」

「ほほう」

たまりかねて又八郎も口をはさんだ。長戸屋と藩の思いがけなく深いかかわり合いがうかび上がって来るにつれて、ここ半年来、というよりも二年前の船橋光四郎暗殺以来の数々の事件に、そのつながりが絡《から》んでいるのは疑いないという予感に襲われている。

この事件にはやはり底深い裏があると思いながら、又八郎はたずねた。

「当藩の坂井でないとしたら、お卯乃さまを見出《みいだ》した目利《めき》きは誰だったのかな」

「それがです」

と言って、清五郎は盃をつかむとひと息に酒を飲み干した。そしてこんなうまい酒があったのに忘れていたといった感じで、さらにつづけて二杯の酒を飲んだ。話が長くなって来て、喉《のど》も渇《かわ》いたのだろう。

それでやっと落ちついたように、清五郎はもう一度、それがですよと繰り返した。

「番頭さんに一度、その方ではないかというお名前を聞いたのですが、すっぽりと忘れてしまいまして。それというのも、番頭さんが口にしたお名前の方は長戸屋に見えられたことがあるのかどうか、あたくしはお見かけしたことがないようなお方だったもので」

「でも、やはり当藩の者ではあると？」

「それはもちろん」

清五郎はその質問にはきっぱりとうなずいた。ふむ、と又八郎はうなった。

「すると、その人物がお卯乃さま、当時のもよさまを見初《みそ》めて、坂井に交渉役を命じたという順序だな」

「多分そうではないかということでしたが、番頭さんのそのへんの話というものは、もう少しこみ入っておりまして」

「………？」

「じつはもよさまは、お屋敷に上がられる二年前ですから十四のときですが、その年にお旗本の久保さまにご奉公に上がったのです。あとで考えますと、つまり行儀見習いでございますな。で、そうするようにすすめられたのが、坂井さまではないさきほどのお方であると、そういう話でした」

「なるほど」

「番頭さんは、そのお方が直接に主人惣兵衛にもよさまをお屋敷に差し出すように言うのを聞いたのではありません。しかし、久保さまに行儀見習いに出すようにすすめられたそのときに、もはや主人惣兵衛との間に、お側女《そばめ》という暗黙の約束が出来ていたのではないかというのが、番頭さんの話でした」

「………」

「あり得ることでございますよ。十四、五のころのもよさまは、それはもう、ただならぬおうつくしさでしたから」

「では……」

　と佐知が言った。

「一度ぜひ、その番頭さんにお会いしないといけませんね」

「いえ、番頭の甚七は亡くなりました」

「いつですか」

「長戸屋が潰《つぶ》れた翌年です」

「病気で？」

「はい。齢も六十でしたから、お店《たな》の破産をめぐるごたごたが、身体にひびいたようです」

「それでは、お卯乃さまを行儀見習いに出す段取りをつけた者の名前は、清五郎さんに思い出していただくほかはありませんね」

「はて、困りました」

「田代とは言わなんだか」

　又八郎が当時の江戸家老の名前を言ったが、清五郎は首を振った。又八郎はつづけて、側用人の馬飼十蔵、用人の彦坂新六郎、さらには小姓頭、近習頭取など、お卯乃の方が江戸屋敷に入った宝永初期のころに、江戸詰の役持ちだった男たちの名前を記憶にある限り挙げてみたが、清五郎はいずれも否定した。

又八郎と佐知はまた顔を見合わせ、うなずいた佐知が言った。

「破産した長戸屋と当藩の間に、深いつながりがあることはよくわかりました。それではじめにお訊《たず》ねしたところにもどりましょうか」

「………………」

「番頭さんは、長戸屋の主人が三千両の金策に出かけた先が、わが藩の江戸屋敷だとわかったと言われましたな」

「そうです」

「でも、それはお眼鏡ちがいではないでしょうか。わが藩は聞こえた貧乏藩、たとえお卯乃さまの縁を頼って金策に来られても、三千両はおろか、五百両の融通も無理だったと思いますよ」

「でも、主人はやっぱりお屋敷にうかがったのです」

「さあ、すっかり元にもどりましたね」

佐知が微笑して言った。

「なぜ、そう思ったのですか」

二十一

佐知の質問に、清五郎はすぐには答えなかった。考えこむ顔いろで、黙って手酌《てじゃく》で酒を飲んだ。しかしそれを見て佐知が注いでやった酒には手を出さずに、顔を上げた。酒が表に出ないたちなのか、青白い顔をしている。

「主人が殺されたからです」

「誰に？」

「お屋敷の村越さまにです」

「まさか」

と佐知は言った。しかし又八郎がうなずいてみせるとすぐに言った。

「どうぞつづけてください。わたくしたちに気兼ねはいりませんよ」

「殺されたと言っても、あたくしも番頭さんもその場を見たわけではありませんよ。でも、殺されたのだと思います」

清五郎はかたくなな口調で言った。

三千両の金の工面に出かけた主人の惣兵衛が、その日の夜何刻《なんどき》ごろに家にもどったのか、手代の清五郎は知らなかった。とくい先に届け物があって、夜になってから神田の鍋町《なべちょう》まで行ったからである。

しかし翌朝になって惣兵衛と顔を合わせた清五郎は、その途方もない額の金策が成功したのを悟った。惣兵衛は前日にまさる上機嫌な顔をしていたからである。主人のそういう顔を見るのはひさしぶりのことだった。しかしそのときはまだ、清五郎は交渉先がどこであるか、見当がついていたわけではない。

金策に出かけてから五日後に、惣兵衛はまた夕方から外に出た。行先ははっきりしていて、芝の神明町にある海老屋《えびや》という料理茶屋である。そこで又八郎たちの江戸屋敷の納戸役《なんどやく》村越儀兵衛に会って来ると言い置いて出かけた。そしてその夜の四ツ（午後十時）ごろに、駕籠《かご》で家にもどったときは何ともなさそうだったのに、深夜になって激烈な腹痛を訴え、そのまま明け方には絶命した。

むろん長戸屋では、おどろきあわてて同じ町内に住むかかりつけの医者を呼んだ。森山というその医者は駆けつけてすぐに手当てしたものの、最後にはなすすべもなく急な悶死《もんし》を見守った。それほどに手の施しようもない激しい腹痛だった。

森山は店の者には食あたりという見立てを述べたが、そのあとで物陰に番頭の甚七を呼ぶと、惣兵衛の死には毒を盛られた疑いがあることを耳打ちした。しかし森山は、かりにそうだとしても、何の毒かは見当がつきかねるとも言った。

顔を伏せて聞いていた佐知が、ふと目を上げて又八郎を見た。その意味は又八郎にもすぐにわかった。

正保《しょうほう》のころ、国元になにがしという毒にくわしい藩医がいて、時たま巧みに微量の毒を使って病気を癒《なお》した。藩ではあるときからその医者が治療に毒を使うことを一切禁じると同時に、毒の知識を残らず書き出させて藩庫の奥深く納め、これを極秘とした。

そして数年が過ぎてくだんの医者が病死したあとに、取り扱いの微妙な藩の罪人が、幽閉の場所で毒殺されるということがひんぴんと起きて、毒殺は藩のお家芸という陰口が聞かれるようになった。佐知の目くばせはそのことを伝えたのだろうし、清五郎の話で、又八郎が思い出したのも毒殺はお家の芸という言葉にほかならなかった。

「その医者どのは……」

と佐知が言った。

「いまも町内におりますか」

「年寄りましたが、丈夫でいるようです」

「お名前は？」

「森山玄里と言ったと思います」

「どうぞ、先をつづけてください」

佐知がそう言うと、清五郎は、惣兵衛が死んだ朝、番頭の言いつけで葬式の支度をよそに海老屋と又八郎たちの藩屋敷の両方に、事情をたしかめるために走ったと言った。医者が毒死の疑いを匂わせた、と番頭から聞いたのはそのときの出がけである。

料理茶屋の海老屋では、惣兵衛が死んだと聞くとびっくり仰天したが、食あたりにも、ましてや毒物などは何の心あたりもない、昨夜は大勢の客が来たが、腹をこわしたと言って来たのは長戸屋さん一人だと断言した。

「それで、今度はとって返して、あなたさま方のお屋敷に参りました。村越さまは、品物の注文を頂くときにも会いますし、またお卯乃の方さまのお話を決める前後にも、坂井さまのご用でよく長戸屋にもみえられた方で、顔馴染《かおなじ》みです。お会いしたいと申し上げました」

「………」

「ところがその日はお会い出来なかったのです。村越さまは食あたりで昨夜から寝ているというおことわりでした」

「それで？」

佐知が低い声で言った。

「どうされました」

「仕方ありませんので、そのまま帰りました。しかしそのときからあたくしは、主人が村越さま、というよりもお屋敷のご意向で殺されたのではないかという深い疑いを持つようになったのです」

「村越が仮病を使ったからですか」

いいえと清五郎は首を振った。いくらか酒が入ったはずなのに、清五郎の顔はやはり青ざめて見えた。

「さきほど、主人の惣兵衛が三千両の金策に出かけた日のことをお話しました。もう一度申しますと、その日の主人は、あたくしがお店に奉公に上がってから一度も見たことがない、ただならない顔つきをしておりました。何と申しましょう、するどい目つきをして、悪相としか言いようのない顔になっていたのです」

「…………」

「主人は三千両の金を借りに行ったのではなく、お屋敷に金をゆすりに行ったのだと思います。だから殺されたんだ、これで万事辻褄《つじつま》が合うとあたくしは思いました。すると心ノ臓がさわいで苦しくなり、あたくしは休み休み歩いてようやく店にもどりました」

店に帰った清五郎は、葬式の支度を指図しててんてこ舞いをしている番頭をつかまえ、海老屋と村越にあたった首尾を報告した。そしてそのあとに、惣兵衛は金をゆすって殺されたに違いないという自分の推測を、勢いこんで話した。

「証拠もなしにバカなことを言っちゃいけないよ。第一何をタネにお屋敷をゆするんだね」

甚七は清五郎の話を耳傾けて聞いたものの、すぐににが笑いしてそう言い、話はそれっきりになった。

それというのも、番頭にたしなめられてみると、清五郎の高ぶった気分はいっぺんにしぼんで、長戸屋のとくい先は何もお卯乃の方がいるお屋敷に限られるわけではなく、ほかに裕福な大名、旗本屋敷も沢山あることに気づいたのだった。商人がかりにもとくい先に金をゆすりに行ったと考えるよりは、思いあたった裕福な家に金の融通を頼みに出かけたと考える方が真当《まっとう》である。必死の場合だから、目の色だってするどくもなろうではないか。とんだ疑いをかけてしまったが、村越儀兵衛は本物の腹病みで寝ていたのかも知れない、とまで清五郎は思った。

さらによく考えてみれば、毒のことを口にした森山玄里も、べつに名医というわけではないただの町医者である。疑いがあると言っても何の毒かも見極めがつかなかったではないかと思うと、清五郎の自信はみるみる崩れて、ゆすりというのはどうもあらぬ妄想《もうそう》だったのではないかと思わないわけにいかなかった。

追い討ちをかけるように、葬式も済まないうちから店には借金取りが押しかけ、その言いわけの合間に、番頭ともども金策に駆け回って日夜身も心も磨《す》りへらすという日がつづくと、清五郎は主人の死因をさぐるどころではなくなった。医者の森山の、毒を盛られた疑いがあるという言葉は、そういう戦《いくさ》のような日を送るうちに、次第に気持の片隅《かたすみ》に押しやられてやがては思い出すことも稀《まれ》になったのである。

しかしそれほどの苦労をして、金策に駆け回ったにもかかわらず、長戸屋を残すことは出来ず、夏には破産が決まった。店を明けわたす日にちが決まり、店の者も奉公人もそれぞれに身の振り方が決まると、やがて人々はちりぢりに散ってしまった。

清五郎は、さいわいに以前からつきあいがあった同業の杉村屋に拾われて、そこでも好遇されて手代を勤めることになった。そして新しい勤め先で、気が張るいそがしい日を送っているうちに、前の主人惣兵衛の毒死の疑いなどというものはすっかり忘れてしまった。

「ところがです」

と清五郎は言った。

「年が改まって、さようですなあ、主人が死んで一年ほど経ったころでしょうか、番頭の甚七がひょっこりあたくしをたずねて来ました。その用件というものは、お奉行所に主人の死には不審があると訴えて出ようかと思うけれども、どう思うかというのでした。あたくしの考えを聞きに来たのです」

「ということは、番頭さんは……」

佐知が口をはさんだ。

「ご主人が毒を盛られた証拠か、またはわが江戸屋敷にゆすりをかけた証拠でも見つけたのでしょうか」

「そうかも知れません」

清五郎はうなずいた。

「長戸屋の破産が本ぎまりになったころに、番頭さんが、どこに行くとも言わずに一日中姿を消したことがありました。店にもどって来たのはその日の夕方遅くで、おやと気づくほどに暗い顔いろをしておりました」

「………」

「しかしなにせきびしい金の工面で走り回っていたころの話で、あたくしもさほど気にもかけず、どこに行ったかとも聞かずに過ぎたのですが、いまになって考えると、番頭さんはそのとき、おっしゃるような証拠さがしに出かけたのかも知れません」

「思いあたることがあったのでしょうか」

「さあ」

清五郎は首をかしげて即答を避けたが、慎重な口ぶりでまた言葉をつづけた。

「そのへんのことは何も聞いていませんし、よくわかりませんが、ただひとつ言えることがあります。番頭さんもあたくしも、長戸屋を残すために半年にわたって必死に金策をいたしましたけれども、すべては徒労だったということです。金を貸してくれるところなどは、一軒もありませんでした。心あたりのところは、主人が残らず借りつくしていたのです」

「……………」

「番頭さんも、口には出さなくともこれはと思ったのではないでしょうか。あたくしが言ったゆすりということも、笑い話で済ますわけにはいかないようだと。むろん、あくまでもあたくしが番頭さんの気持を推しはかりながら言うわけですけれども」

「……………」

「どうしても金がいるのに、貸してくれるところが一軒もないとなれば、人は悪事を働いてでも金を手に入れたいと思うものではないでしょうか。ゆすりということは危ない橋です。うしろ暗いゆすりのタネをつけば、金になるかも知れませんが、逆に毒を盛られる危険もないとは言えません。ひとわたり甲斐《かい》ない金策を終えてみて、ひょっとしたら番頭さんも、主人がその危ない橋をわたらなかったとは言えないことに気づいたかも知れないのです」

「それで、相談にみえたあとで、番頭さんは訴えて出たのですか」

「はい、訴えました」

と清五郎は言った。

ただし秘密を要する訴えごとなので、町役人を通して表から訴え出るわけにはいかない。同業に南町《みなみまち》奉行所のさる与力《よりき》と懇意なひとがいるから、そのひとに頼んで訴えを上げてみようと思うと甚七は言った。清五郎は一も二もなく賛成した。もっとも清五郎はそういう話を番頭としただけで、訴えの場に立ち合ったわけでも、また番頭から訴えたという知らせを聞いたわけでもない。そのときの南町奉行はその年の二月に御普請《ごふしん》奉行から転じた大岡越前守《えちぜんのかみ》だった。

「でも、それだと……」

佐知が慎重な顔いろで聞いた。

「番頭さんがはたして訴えて出たかどうかは、わかりませんね」

「いえ、たしかに訴えたのです。番頭さんが来て大分経ってからですが、奉行所の同心だという顔色の青白い人が来て、あれこれと話を聞いて行きましたから。そうですなあ、そのひとは二度ほど来たように思いますよ」

「杉村屋に来たのですね」

「そうです」

「どんなことを聞かれましたか」

「まあ、主人が死んだ前後のことでした。番頭の言いつけで、神明町の料理茶屋やあなたさま方のお屋敷にうかがったときのことなどです」

「ほかには？」

「店に来た金貸しのことなどです。あ、そうそう、平野屋というひとを知っているかと聞かれて、わからなかったことをおぼえています」

「金貸しの一人ではありませんか」

「さあ、そうとは思えなかったのですが……。金貸しなら大概名前を知っておりますす」

「いずれにしても、訴え出た甚七さんが奉行所にその名前を言ったのでしょうけれどもね」

佐知は思案顔でそう言い、清五郎に酒をついだ。

「それで訴えの方は、その後どうなったのでしょう」

「山崎とか、山根とかいったその顔色のわるい同心が二度ほど来ただけ、あとはうんでもなくすんでもなく日が経ちました。そしてそのうちに番頭さんが亡くなりました。あたくしはむろん、葬式に出ましたけれども、ああこれで、訴えの方はだめになったなと思いました」

「…………」

「もともとむずかしい訴えだとは思っていたのです。何ですか、よしんばお屋敷の、ごめんなさいよ、お屋敷の村越さまが怪しいと思っても、お奉行所は手が出せない決まりだそうじゃありませんか」

「容疑がわかっていれば、屋敷の外で何とかするという手段もあるでしょうけれども、疑いがあるぐらいで屋敷に踏みこむことは出来ませんね」

「そうですってね。案の定、番頭さんが死んだあとは、ばったりと音沙汰《おとさた》がなくなりました。お奉行所の影も見えなくなったのです」

「それっきりですか」

「ええ、あたくしはそれで終ったのだと思いました。じつを申しますと、長戸屋に何事もなければ、いずれあたくしが娘のおみちさんの婿《むこ》になるはずだったのです。そこにもってきて主人の急死、店の破産です。あたくしは口惜《くや》しかった。お奉行所に訴えようかという番頭さんの話に賛成したのは当然のことです」

清五郎はうなだれた。

「しかし、前に申し上げたようにおみちさんは破産の痛手から亡くなり、番頭さんも死にました。これでおしまいだと思いましたね。あたくしはもう、主人の急死のことも訴えのことも忘れようと思いました」

婚約者という形になっていたおみちが病身だったために、清五郎もいつの間にか齢《とし》を喰《く》い、三十を過ぎていた。そういう清五郎に女房を世話しようという者も出て来て、清五郎は杉村屋の手代という役柄《やくがら》に馴染みつつあった。そういう事情も、長戸屋をめぐる事件を忘れたいという気持に拍車をかけたようでもあった。

そして三年ほどが過ぎた。

「ところが去年の暮れのことです。一人のお武家さまがあたくしをたずねて参りました」

清五郎は顔を上げて佐知を見、又八郎を見た。

「そのお武家さまは、やはり奉行所から来たと申されました。以前の訴えの調べをすすめるために、何としてもあなたさま方のお屋敷に入らねばならぬ、手を貸せということでした」

「……………」

「じつはこちらさまの……」

と言って、清五郎はまた佐知を見た。

「お誘いに乗って、今夜こうしてこちらに参りましたのも、そのことをお話したかったからです。あたくしらが上げた訴えのためと言われればことわることも出来ずに、言われるままに手を貸しましたが、じつはあたくしはこわくてこわくてじっとしていられないのです」

「なぜですか」

冷静に、佐知が聞いた。

「あたくしが承知すると、そのお武家さまはさらにもう二人、お友だちらしい方を連れて来られまして、あたくしの店でかわるがわる商人ふうに着換えては、杉村屋の奉公人を装ってお屋敷に出かけられましたが……」

「どうされました？」

「それがどうでしょうか、身のこなしから口の利《き》きようまで店の者と寸分違わない奉公人ふうになりまして、あたくしはなぜか寒気がいたしました。お奉行所から来たと言われましたが、あの方たちは奉行所のお役人ではありませんでした」

「その人たちのお名前は？」

「はじめに来た方は関口と名乗られました。あとから参られたお二人は藤井と松尾という方です」

「偽名かも知れませんね」

佐知が言うと清五郎はうなずき、その場にいっときの沈黙が流れた。しかしすぐに清五郎が言葉をつづけた。

「あたくしも去年の秋から杉村屋の番頭を勤めて、いまは女房、子供もおります。変なものにかかわり合いたくはありません。それになんといってもそちらのお屋敷は杉村屋にとっては大切なおとくいさま。番頭ふぜいが、はっきりしたことでもない私の恨みから裏切るのは、もってのほかのことです」

「…………」

「そうかといってその三人に、面とむかってことわりを言うのも何やらおそろしくて、さてどうしたものだろうと思いあまっていたところに、こちらさまからお声がかかりましたようなわけで、はい。じつを申せば、わたりに舟でございました」

話し終ると清五郎は、肩の荷をおろしたように盃に手をのばし、立てつづけに手酌で酒をあおった。

二十二

熱い酒を取りよせて改めてもてなしたあと、固く他言無用を誓わせてから清五郎を帰すと、又八郎と佐知は軽い夜食をしたためた。支払いは佐知がして、絹川を出たのは五つ半（午後九時）過ぎだったろう。

絹川では提灯《ちょうちん》を貸すと言ったが、二人はことわった。しかし外に出ると、店のあかるい燈火に馴れた目には、町の闇《やみ》は底なしに暗く見えた。

「番頭は大丈夫でしょうか」

「これまでどおりにしておる分には、心配はあるまい」

と又八郎は言った。そうするようにと、清五郎にすすめてある。したがって、杉村屋の奉公人を装った男たちは、これからも藩屋敷に来るかも知れないが、事情が知れたいまは対応の仕方はある、と又八郎は考えていた。

「やはり、幕府の手の者でしょうね」

「間違いない。国元を探りに来た者と同じ仲間だろう」

「なにを探りに来ていると思われますか」

「さて」

又八郎は首をかしげた。いつか藩屋敷の庭で見かけた、商人ふうの男と足軽の野呂助作の姿がちらと頭を横切ったのを感じた。

そのすぐあとに野呂助作は殺害されたのだが、野呂や仲間の二の組の嗅足《かぎあし》は、暗闘の相手が何を目的に屋敷に入りこんで来ているかを承知していたのだろうか、と思った。

「二の組の者たちは村越どのにつながっておる。ごく普通に考えれば、村越どのを守っている形だが、以前そなたが言ったように、二の組はいざというときは村越を殺害する命令を受けているかも知れぬ。ということは、村越儀兵衛自身が大事なのではなく、村越がにぎっている何かの秘事、そうしたものがただならぬものだからだろうと思われる」

「………」

「一方、さきほどの杉村屋の番頭の話によると、死んだ長戸屋の番頭の訴えが、村越儀兵衛を名指ししていたことは十分に考えられる。いずれにしろ、わが屋敷の内御用人どの、あの人のよさそうなじいさまが眼目だ。幕府隠密《おんみつ》は村越本人からか、または本人を手がかりにしてか、何かの秘密をさぐり出そうとし、二の組の者は必死にそれを防いでいる形とみて、まず間違いあるまい」

「わたくしも同感です。でも、その秘密とは何なのでしょう」

「さあーて」

「青江さまは、さきほど番頭が申した長戸屋惣兵衛のゆすり、往年の御納戸役《おなんどやく》村越儀兵衛による毒飼いの疑いを、どう思われましたか」

「断定は出来ぬが、事実ではないかという気がいたした。それで船橋どのと何者かの争論に長戸屋の名前が出て来た謎《なぞ》も解けるし、毒飼いはわが藩お家の芸でもある」

「まことに」

「しかし解《げ》せぬのは一人の商人がわが藩にゆすりをかけ、またその口を封じるために毒を用いねばならぬほどの、どのような秘密がわが藩にあったかということだ」

「でも、その秘密が下屋敷のお部屋さまにかかわりあることだとしたら、どうでしょうか」

「お卯乃さまか、やはりそういうことになるか」

「下屋敷のお部屋さまは、長戸屋とわが藩のつながりの要《かなめ》です。まずここを疑ってみるべきではないでしょうか」

「遠縁の孤児か。御素姓必ずしも定かならず、ということかな」

又八郎は低い声で言った。二人は汐留川の河岸まで来て、そこで立ちどまっていた。足もとの闇の低いところに、かすかな水音がしている。佐知もささやき返した。

「何ごともなければ重畳《ちょうじょう》、しかしひととおりはたしかめてみる必要があるように思われます」

「平野屋の調べが大事かも知れぬ。甚七は主人がわが藩を脅して殺されたという清五郎の推測を聞いて、はじめてお卯乃さまの素姓に目をむけたのだろう。そしてどういうわけあってか奉行所で平野屋という名前を出したと考えられる」

「はい、甚七の連れ合いからうまく聞き出せるといいのですけれども」

と佐知が言った。

長戸屋の番頭甚七が病死したのは、又八郎と佐知の探索の大きな障害となっているが、清五郎は甚七の連れ合いがまだ元気でいるはずだと言い、浅草御門外の瓦町《かわらちょう》で古着屋を営んでいる、甚七の娘婿の店を教えた。甚七の女房は、連れ合いの死後はそこに引き取られているのである。

平野屋が何を意味するのかはまったくわからなかった。しかし奉行所の同心がその名前を出したのは、又八郎が推測したように番頭の甚七が訴えを上げたときに口にしたからだろう。当然真先にあたってみるべき名前だった。佐知がそちらを調べることになっている。

「いよいよとなれば、村越のじいさまを人知れぬ場所に拉致《らち》して、責め問いにするという手はある」

「はい、でもそれは最後の手段。出来ればそうはせずに調べをつけたいものです」

と佐知は言った。

村越を拉致するということになれば、当然彼を守る二の組の嗅足と争うことになり、刃《やいば》に訴えるという場面も出て来るだろう。佐知の返事は、そのことを苦慮しているのを窺《うかが》わせた。同胞相喰《あいは》む愚を避けたいのだ。

秘密の話はあらかた終り、二人はまた歩き出すべきだった。だがささやきを交した姿勢から又八郎は動かず、佐知もまた、胸が触れ合うほどの場所にじっと立っていた。ようやく闇に馴れた目に、佐知の白い顔がおぼろに見え、嗅足の女のきまりで、外に出るときは一切化粧を用いないはずなのに、佐知の身体から押しよせるかぐわしい匂《にお》いが、又八郎を包んでいる。

「もう、六月になりました」

動かない言いわけをするように、佐知がぽつりと言った。

「お別れの日が近づいて来ると思うと、さびしくてなりませぬ」

身体を包むやわらかい闇と、足もとに聞こえる水音に感傷をそそられたように、佐知はあけすけな告白の言葉を口にしていた。

むかしはこんなふうではなく、佐知は堪えに堪えて感情を表に出さない女だった。そのことを熟知しているために、又八郎は佐知の現在の変化に気持をゆさぶられる。このひとも、もう若くはない、と思った。佐知と自分の上を通りすぎた年月が見えた。

「まだ三月《みつき》と何ほどかは残っておる」

「三月など、あっという間に過ぎましょう」

「いま少し余分に、滞在をのばすように願いを上げてみようか。第一この調べが片づかぬうちは、帰るに帰れぬ」

「でも、それはあくまでも裏の事情。江戸の嗅足は降りかかる火の粉を払わねばなりませんが、青江さまの任務ではありませぬ。それに、小塚さまが帰府なされば、帰らぬわけにはいきますまい」

佐知はしっかりした口調で言ったが、又八郎が手をのばすと、いまの口調とはうらはらに、急に放心したように胸の中に倒れこんで来た。あたたかな身体を又八郎は抱きしめた。

——このひとの言うとおり……。

三月などという月日は足早に過ぎて、すぐに別れる日が来るだろう。そして今度別れてしまえば、はたしてふたたび会うことなどあるのかどうか、と又八郎は思った。中年の相愛の切なさというようなものに、又八郎はとらえられている。道ならぬ心の通いであるために、その思いには悲哀の感情がつきまとった。

「引き返すか」

「え？」

又八郎の胸から、佐知は顔を上げた。

「松村町まで引き返そうか」

「でも、もう時刻が……」

と言ってから、佐知は急に夢からさめたように、又八郎から身体をはなした。

「いいえ、今夜は帰りましょう。さきほど店を出るときに、少し胸さわぎがいたしましたゆえ……」

「ほう」

「何事もないとは思いますけれども、気になります」

それなのに、闇をさいわいに男と抱き合ったりして刻《とき》をつぶしたのを後悔している、というふうに、佐知は少し固い声を出した。


佐知の胸さわぎなるものを、又八郎はまったく信用していなかったのだが、その夜の何刻とも知れぬ夜ふけに、眠っているところを佐知に起こされた。目をひらいた又八郎の唇《くちびる》に指を一本押しあてて、佐知はしっと言った。

「そのまま、声を立てずにお聞きくださいまし」

「…………」

「村越儀兵衛さまは、今日の昼過ぎに奥方さまのお実家《さと》にお使いに参られました。そのまま、供の者ともども屋敷にもどっておりません」

「…………」

「お帰りがあまりに遅いので、屋敷では夜になってお実家に使いを出しましたが、夕刻七ツ（午後四時）にはむこうのお屋敷を出られたというご返事だったそうです」

「…………」

「今日村越さまのお供についたのは、二の組の安原丹吉。その二の組は、村越さまと安原が行方不明と知れると、一斉《いっせい》に屋敷をとび出しましたが、さきほどもどってお長屋に入ったようです。収穫はなかったとみました」

「…………」

「それでこのあとのことですが、わたくしどもはこの件には手出しが出来ません。朝になれば青江さまに何かの連絡があると思いますので、あとのことはお頼みいたします」

ひと息おいて、佐知は言った。

「どうやら先手を打たれたようです。村越さまは、幕府隠密の手に落ちたに違いありません」

二十三

朝になると、はたして家老の上坂から使いが来て、又八郎は家老の執務部屋に行った。

「いまもみんなに話したことだが、困ったことが起きた」

又八郎の顔を見るとすぐに、上坂は言った。動顛《どうてん》している顔色である。

部屋には又八郎の同役永井勘左衛門、御留守居添役の植田《うえだ》新之丞《しんのじょう》、若殿付御用人の蒲原《かんばらい》伊織《おり》といった江戸屋敷の役付きが集まっていた。

「誰かに聞いたか。村越が行方知れずになったぞ」

「今朝、賄《まかない》のじいに聞きました」

「賄のじい？」

上坂はにがい顔をし、もう屋敷中に知れわたっているかと言ったが、すぐに言い直した。

「ま、いいか。秘密にしても仕方ないことだ。それよりはこのあとをいかがすべきか、対策を相談せねばならぬ」

「少しほっておかれてはいかがですか」

と言ったのは、御留守居添役の植田だった。

「村越は子供というわけじゃない。また年寄りではあるが、どうして、まだ惚《ぼ》けるという齢《とし》ではありません。それに供の者もついていることであるし、まさか人にかどわかされたわけでもないでしょう」

「では、どうしてもどらんのだ」

と永井が言った。永井勘左衛門にはいらちの勘左のあだ名があって、短気な男である。もう青筋を立てている。

「惚けてもいない村越が、一人前の供の人間ともどもいまだにもどらんのはどういうわけだ。おかしいではないか」

「何か、本人のつごうがあって、昨夜はもどりかねた。そういうことではないでしょうか」

若い植田の方が、ずっと落ちついていた。

「他家への外聞もあります。あまりさわぎ立てずに、いま少し様子をみられたらいかがですかな。なに、いまにひょっこりともどって来ますよ」

植田はいかにも留守居畑の人間らしい言い方をし、こんなつまらない集まりに呼ばれるのはうんざりだという態度を、露骨に示した。そう言えば、五人いる留守居役は、今朝は一人も顔を見せていなかった。

永井勘左衛門が、すぐに植田の言葉に噛《か》みついた。

「本人のつごうとは何だ。他家に使いに参って、ひと晩明けてももどれぬようなつごうなどというものがあるのか」

「それはいろいろあるのではないでしょうか」

植田がめりはりの利いたつめたい声で言った。しかし植田は急に、顔に品のない笑いをうかべた。

「たとえば使いに参った先で誰かに会い、そのまま遊所に誘われたとか。しかし村越の齢では、これはちと無理ですかな」

永井をのぞく四人は笑い声を立てた。しかし永井一人はそっぽをむいて、ばかを申している場合かと言った。

「植田どののお言葉だが、そう楽観してもおられますまい」

と又八郎が口をはさんだ。

「たとえばお言葉のごとく、つごうが出来てほかにまわったとすれば、何はともあれ、供の者を帰してその旨《むね》を屋敷までとどけたはず。二人ともにもどらぬということは容易ならざる事態と思われる」

「…………」

「それがしの考えを申せば、村越どのはもどらぬのではなく、もどれぬ状態に陥ったのではないかと思う」

「大人二人がかどわかされたとでも？」

植田が嘲《あざ》けるような目を、又八郎にむけて来た。又八郎はその目をきびしく見返した。

「あるいは」

「賊に襲われて、手傷を負ったとも考えられる」

それまで無言だった蒲原がそう言ったとき、廊下にあわただしい足音がして、家老部屋の外に人が蹲《うずくま》った気配がした。申し上げます、とその人間が言った。

「よし、何ごとだ」

上坂家老が言うと、襖《ふすま》をあけた若い藩士がいま外から知らせが入りましたと言った。

「狸穴《まみあな》の町裏に、斬《き》り合いで死んだとみられる死骸《しがい》があって、調べたところ、当屋敷の門札を所持していたということです」

「村越か」

「いえ、安原丹吉のようです」

「わしの勘があたったかな」

と蒲原が言った。上坂家老はうなずいてから、又八郎と永井を見た。

「さて、どうする」

「どうするもこうするもござらん」

と、いらちの勘左が言った。永井勘左衛門は、日ごろから事なかれで優柔不断の家老を毛嫌《けぎら》いしていた。

「とりあえずは、死人を引き取るのが先決」

永井は廊下にいる若い藩士の名前を呼んだ。藩士は近習組の者で、又八郎と永井の配下に入る荻原《おぎわら》という男である。

「知らせて来たのは誰だ」

「狸穴の町役人です」

「よし」

永井は又八郎を見た。

「中間頭《ちゅうげんがしら》を呼んで、取りあえず死人を引き取る段取りをつけようか。わしが指図していいかの」

「むろんだ。よろしくたのむ」

「ではご家老、失礼してそっちの仕事をすすめさせてもらいます。ここに坐《すわ》って、ご家老の顔を拝見していても埒《らち》あきませんのでな」

永井はひとりでぷんぷん怒りながら出て行った。

「相変らず怒りっぽい男だ」

と上坂が言った。

「あれと一緒におると、どうも気がつまる。いなくなってせいせいした」

家老は家老で永井の悪口を言ったところをみると、二人はよほど気質が合わないのだと思われた。さて、と家老が言った。

「死人の始末は永井にまかせるとして、あとをどうしたらよいかな」

「狸穴は、たしか奥方さまのご実家の中屋敷があるあたりかと思われます」

と又八郎が言った。

「徒《かち》目付か足軽目付に、小者数名をつけて、あのあたりの探索を命じられてはいかがでしょうか。事件を目にした者がいないとは限りません」

「なるほど、そうしよう」

「それから村越どのに附属している足軽がおりますな」

「おる」

「あの者たちには、べつに村越どのにかかわりのありそうな場所、出入りの商い店などをあたらせてみてはどうかと思います。金銭のつながりなどがうかんで来ないものでもありません」

「村越は賄賂《わいろ》を取っているのか」

留守居添役の植田が、興味ありげに聞いたが、又八郎はさあと言葉をにごした。金銭のつながり云々《うんぬん》というのは口から出まかせで、狙《ねら》いは二の組の男たちを自由に動けるようにすることにある。安原が死体で見つかったとなると、村越の行方の探索は一刻を争う必要があった。

村越儀兵衛は老人である。隠密の手で責め問いにかけられたら、いかに藩の秘事とはいえ、長くは口を閉ざしてはいられないだろう。村越がにぎっている秘密なるものが、まだどういう中身のものか見当がついていないだけに、又八郎は焦《あせ》りに襲われている。

「村越はまだ生きていると思われます。老人を探し出すことは、一刻を争います。ただいま申し上げたことは、ご家老からただちにご下命あってしかるべしと思います」

「わかった。表の間に徒目付、村越付きの足軽を呼びあつめてくれんか。すぐに行く」

と家老が言った。

その日一日、又八郎は御殿に詰めて町に散って行った男たちの報告を待ったが、永井が手配した安原の死体がもどって来ただけで、小者を連れて出かけた徒目付も、橋本、平井といった二の組の男たちも夕方までには帰らなかった。

日が暮れて腹が空《す》いて来たので、又八郎はあとを永井に頼んで長屋にもどった。すると、玄関先から長屋の方に曲る場所で、屋敷の門を入って来る若い男が目に入った。白っぽい日暮れの光の中でも、その身体《からだ》つきから渋谷雄之助だとわかった。

植込みの角で待っていると、雄之助の方も又八郎に気づいたらしく、ぺこりと頭を下げると手にしていた風呂敷包みを捧《ささ》げるような恰好《かっこう》をした。

「国のおふくろが……」

雄之助は江戸者にかぶれた物の言い方をした。また、風呂敷包みを振ってみせた。

「青江さまにさし上げてくれと、こんなものを送って来ましたので」

「何だろうな」

「干しぜんまいだそうです。それに漬《つ》け物《もの》と梅干しを少々。まったくつまらん物を送って来る」

「いやいや、ぜんまいは大好物だ」

と、又八郎は言った。

「それに田舎の漬け物と梅干しはひさしく喰《く》っておらん。なつかしい」

「それはようござりました」

と雄之助は言った。

「それでわざわざ来たのか」

「はい。今夜はひまが出来ましたので」

「ちょうどよかった。飯を喰っていかんか。これから夜食を喰うところだ」

「いいですか」

大飯喰いの雄之助は、たちまちうれしそうな声を出した。その声音からすると、どうやら時刻をはかって夜食をあてにして来たようでもあった。

「おじゃまじゃなかったですか」

「なに、飯は一人で喰うよりも、相手がいる方がうまい」

と又八郎は言った。

長屋にもどると、まだ夜食の支度をしているだろうと思った万蔵が家から出てくるところだった。又八郎はあわてて万蔵をつかまえて、ほかの長屋から飯とおかずを一人前つごうして来るように頼んだ。

そんな事情で、飯を喰いはじめるまで多少手間どり、またおかずも、万蔵がつくったもの、よそからもらいうけて来たもの、それに雄之助が持参した田舎の漬け物まで膳《ぜん》に上るという、取りとめもない夜食となったが、雄之助はいっこうに意に介さなかった。黙々と飯を喰うことに専念している。

——若い者はよく喰う。

後片づけに台所に立った雄之助を見ながら、又八郎は、さすがに齢の差を感じた。又八郎自身はふだんは二椀《わん》たべるところを一椀にとどめて回してやったのに、雄之助はまたしても三椀の飯をきれいに平らげてけろりとしている。

さて、もう一度御殿にもどるべきかどうかと考えていると、表に人が来た気配がして、台所の雄之助が出て行った。そしてすぐに茶の間に顔を出し、お客さまですがと言った。

又八郎が出てみると、土間に男が三人立っていた。家の中の光にうかび上がった顔は二の組の男たちである。

「どうした？　何かわかったか」

又八郎が言うと、平井忠蔵という男が切迫した声で頭取と言った。

「これから村越さまを取りもどしに参りますが、われわれだけでは勝ち目がありません。お手をお借り出来ませんか」

平井が言うと、ほかの二人も頭を下げた。

二十四

村越儀兵衛を奪い返しに行くから手を貸してくれとたのみに来た男たちを、又八郎は無言で見返した。

「厚かましいやつらだ」

やがて又八郎は言った。誰の才覚か知らないが、男たちが多少とも村越にかかわる秘事に通じている又八郎を頼って来たのは、当を得たやり方だと思われた。これが拉致《らち》した相手の見当もつかない永井勘左衛門や、徒目付の応援を仰いだりすると、事態は場合によっては収拾のつかない混乱に陥るおそれがある。

又八郎はそう思ったが、目の前にいる男たちに対してはひと文句言いたい気持があった。

「過日そのほうら、いや、そのほうともう一人、えぇーと、誰だ？」

「橋本です」

と平井忠蔵が言った。又八郎に助けられたことを、忘れてはいなかったらしい。

「そう、そう、橋本」

又八郎はぐっと平井をにらんだ。

「門前で二人を助けたのに、その後何の挨拶《あいさつ》もなかった。しかるに危難を迎えると、またしても助けろなどと申す。虫のよい言い分とは思わんか」

「……………」

「助けぬとは言わぬ。だが、以後は礼儀をわきまえろ。相わかったか」

又八郎は叱《しか》ったが、その叱責《しっせき》を浴びても平井は無表情に又八郎を見返している。済みませんでもなかった。平井のうしろにいる二人も同様である。

又八郎が雷を落とそうとしたとき、三人のうしろからつと土間に入って来た者がいた。背の高いその男は、もう国元に帰ったかと思っていた安斎彦十郎である。

「頭取の助けを呼ばせたのはそれがしでござる。お話をうかがうとまったくしょうがない連中で、さぞお腹立ちでしょうが……」

彦十郎は頭を下げた。

「今夜のところはぜひ、それがしからもお力添えをねがいとうござる」

「人数はこれだけか」

と又八郎が聞いた。これだけだ、と彦十郎が言った。

「むこうは何人いるかの」

「およそ七人」

と答えたのも彦十郎だった。

「夜になると一人、二人減るようではあるが、それでも七人」

「くわしいの」

又八郎は、じろりと彦十郎を見た。大目付兼松甚左衛門の命令で江戸に来た、この元嗅足《かぎあし》一の組の男の本当の使命は何だという疑問が胸を横切ったのである。

少なくとも、江戸に来る元女嗅足とよの護衛や、佐知に密書をわたす使い走りのようなことが真の役目ではあるまい。しかしその疑問を口に出さずに又八郎は言った。

「少し人数が足りんな」

「あるいは……」

彦十郎もうなずいた。

「しかし、ほかに加勢を頼むわけにも参りますまい」

「橋本庄七はどうしておる？」

と、又八郎は平井に言った。

「それとももう一人、死んだ野呂と一緒に江戸に参った男がいたな、末次《すえつぐ》か。末次庸助《ようすけ》はいかがいたした」

「橋本はあの折の金瘡《きんそう》が未だ十分に癒《い》えず、斬り合いに加わるのは無理です。末次は一昨日帰国いたしました」

平井忠蔵は、相変らず抑揚の乏しい口調で答えた。やむを得んと又八郎は言った。

「では、この人数で出かけるか。案内をたのむ」

「それがしも手伝いましょうか」

横の方からのんびりした声が聞こえて来たので、又八郎はぎょっとして台所の暗がりを振りむき、ほかの者も一斉《いっせい》に声の主を見た。それまで無視されていた渋谷雄之助が、立ち聞きを咎《とが》められた少年のような、中途半端《はんぱ》な笑いをうかべながら前に出て来た。

「その、聞くまいと思っても聞こえましたもので、つい……。悪かったですかなあ」

「いや、それはかまわんが……」

「他言無用ということですか。いや、それぐらいのことは心得ております」

又八郎と彦十郎たちは顔を見合わせた。

「いかにも他言無用」

と、又八郎は言った。

「それがわかっておればよろしい。こちらがついうっかりしたのだ。べつに咎めるわけではない」

「そうですか」

「しかし、聞いたとおりでわしはこれから出かけねばならん。そなたも帰って、今夜ここで見聞きしたことは一切忘れることだ。よろしいな」

「帰ってしょんべんして寝ろ、というわけですか」

雄之助は江戸風にかぶれた生意気な口を利《き》いた。

「参りました。まるで子供扱いですなあ」

「子供扱いはせぬ。ただ、よけいなことに口をはさむな、と申しておる」

又八郎はぴしゃりと言った。

「書生は学問に専念しておればよろしい。相わかったな」

「はあ」

「では帰りの支度をしろ。一緒に出よう」

「でも……」

と雄之助が言った。

「話の様子では手が足りないんじゃありませんか」

「そんなことは心配せんでよい。そなたの手は借りぬ」

「しかし、それがし……」

雄之助は胸を張ってみせた。

「麹町《こうじまち》四丁目の諏訪《すわ》道場の免許取りですが」

「聞いておられませんか。直心流《じきしん》で、少しは世間に知られている道場ですが……」

又八郎と彦十郎は顔を見合わせた。二の組の男たちも、にわかに熱心な目を雄之助にむけている。

振りむいて、又八郎が言った。

「免許をもらったのか」

「はあ、去年もらいました。今年からは道場の次席を勤めています。それに近くの三丁目谷に今枝《いまえだ》流の道場がありまして、ことはしょっちゅう喧嘩《けんか》をやります」

「…………」

「けっこうそちらの場数も踏んでおります。お連れいただけば、少しはお役に立つと思いますが……」

しきりに売りこむ雄之助を見ながら、彦十郎が小声で訊《たず》ねた。

「こちらは、どなたの？」

「郡奉行《こおりぶぎょう》の渋谷の跡取りだ。おやじに似て剣の筋はいいらしいが、だからと言って斬り合いに同道するわけにもいかぬ」

又八郎は雄之助に身体をむけた。

「……………」

「おやじどのは、そなたがおとなしく学問専一にはげんでいるとばかり思っている様子だったぞ」

「もちろん学問にも精出しております。こちらは藩命ですから、怠けるわけには参りません」

「しかし道場のことは話しておらんのだな」

「はあ、言えばおやじはともかく、おふくろさまがうるさいでしょうから。おふくろは文武は両立せぬと思っておるのです」

「なるほど、それもひと理屈だ」

又八郎は彦十郎をふりむいて苦笑した。そして改めて雄之助と向き合った。

「気持は有難いがそなたは渋谷家の総領だ。大事な跡取り息子にもしや怪我《けが》でもさせたら、親たちに怨《うら》まれよう。連れて行くわけにはいかぬ。今夜は帰れ」

「しかし、こちらには一宿一飯の恩義があります。なにしろ三杯飯を喰いましたからなあ」

と雄之助は言った。大飯を喰ったことはしかと記憶しているようだ。

「飯は喰った、危難は見ぬふりをして逃げたとわかったら、あとでおやじに怒られます」

「連れて行かれてはいかがでござろう」

と彦十郎が言った。

「ただし家の中には踏みこまず、後詰《ごづめ》で働いてもらう。なにしろ当方は少人数なわけでして、それだけでも心丈夫かと思いますが……」

「直心流か……」

又八郎はつぶやいた。むかし国元から来た刺客《しかく》、土橋甚助が使ったすさまじい直心流の剣を思い出していた。

「では雄之助、一緒に行くか。しかしくれぐれも指図にしたがって、勝手をするなよ。これは道場同士の遊び半分の喧嘩とはわけが違うぞ。無茶はゆるさん」

二十五

外に出てみると、意外にも西空に細い月がかかっていて、いくらかは歩く助けになった。雄之助を加えた六人の男たちは、藩屋敷を出たあと、ひとことも言葉をかわさずに夜道をいそいだ。

通行人にもほとんど出合わなかった。一度だけ、佐久間小路を歩いているときに路地から出て来た男が、暗闇《くらやみ》の中を灯《ひ》もともさずに通り過ぎる六人を見て、怪しい者とみてか、声も立てずに塀《へい》を背に立ちどまって見送っただけである。

そこからまたかなり歩いて、一行はいつの間にか又八郎には地理も知れぬ町を歩いていた。途中町家が散らばっている町も通りすぎたが、いまはまた左右に武家屋敷だけがならぶ道に入っている。長く暗い塀がつづき、灯が洩《も》れる場所は稀《まれ》だった。

ただどちらにむかって歩いているかは、又八郎にもわかった。一行は長い間南にむかって歩いていたが、途中で右に曲って坂道を登り、そのあとはそのまま月を正面に見る方角、つまりずっと西にむかっている。先に立って歩いているのは二の組の男たちで、三人はこのあたりの地理を熟知しているのか、足どりには迷いがなかった。一定した軽快な足はこびで、あとの三人を導いて行く。

先頭の三人のうしろに渋谷雄之助がつづき、少しはなれて又八郎と安斎彦十郎がついて行く恰好になっている。やがて、道の片側だけに人家がある町屋を通り過ぎた。灯のいろは見えず、家々はあるか無きかの月の光の下に、ひっそりと軒をならべている。

「飯倉片町です」

町を通りすぎてから、彦十郎が言った。

「さっき登って来た坂が榎坂《えのきざか》。そのもう少しこちら、通り過ぎて来たあたりが、夜道でお気付きでなかったかも知れませんが、安原の死体が見つかった狸穴《まみあな》です」

「…………」

「もうしばらく行って、南に曲ります。坂をくだったところが日《ひ》ヶ窪《くぼ》、目ざす場所です」

「なかなか地理にくわしいではないか」

と又八郎は言った。いま歩いているあたりは、用心棒稼業《かぎょう》で江戸中を歩き回った又八郎も、来たことがない土地だった。

彦十郎に対するさっきの疑問が、また胸にうかんで来た。

「村越どのがいる場所はわかっているのだな」

「わかっております。日ヶ窪の、元は材木屋だったとかいう大きな古家です」

「では、連中を先に行かせよう。見失わぬ程度に」

「お疲れですか」

「そうではない。いまのうちに貴公に少し話したいことがある。どうせ今夜のことが終れば、貴公はまた姿を消すつもりだろう」

又八郎がそう言うと、彦十郎は押し黙ってしまった。

「貴公のまことの役目は何だ、彦十郎」

　ずばりと又八郎は言った。

「とよの護衛や、江戸の組に手紙を渡したり古い事件の探索を命じたりする使い走りが、貴公の仕事でないことはわかっておる。現にこうして、帰国もせずにまだ江戸におる。貴公の真の使命は何だ」

「………」

「わしには言えぬことか。危ない仕事は手伝わせる、あとは秘密というのでは、言いたくはないが少々やり方が阿漕《あこぎ》ではないのか。あん？」

「他言、一切ご無用にねがえますか」

　彦十郎は前方を行く四人を透かし見てから、声を落としてそう言った。又八郎が誓うと、彦十郎は重い口調で話しはじめた。

「それがしの役目は二の組の者たちの監視、いまはとりわけ幕府隠密との争闘の仔細《しさい》を監視し、逐一国元に報告することです」

「ふむ」

「それと、いつか国元から派遣されて来るかも知れぬ刺客にそなえること。もしそれらしき人物が江戸に潜入して来た場合は、死力をつくしてこれを殪《たお》すよう、指示されれております」

「指示したのは、兼松どのだな」

「さようです」

「平井らの監視の件もそうか」

「そうです。すでにご承知のように、かの者たちは兼松さまが派遣したものではありません。表向きは物頭《ものがしら》の命による江戸詰ということになっていますが、これには裏があると兼松さまは推量されているわけでありまして」

「その推量は妥当だな」

「江戸屋敷には、よほどの秘密があると大目付は考えておられます。お屋敷に幕府の手の者が入りこみ、二の組の者たちがその者らを相手に死闘を演じはじめたことで、大目付のそのお考えは裏付けられました」

「秘密の鍵《かぎ》をにぎる者が、村越儀兵衛か」

「さように思われます」

「刺客とは何のことだ」

と又八郎は言った。

「その者は、江戸に来て誰を殺害するつもりかな」

「秘密に近づいた者は残らず……」

と彦十郎は言った。

「その人物が江戸に登って来たとき、頭取がまだおられれば頭取も狙《ねら》われましょう。お気をつけください」

「なるほど」

又八郎はうなずいた。

「鏖《みなごろ》しというわけか、小癪《こしやく》な」

言ったとき又八郎は、ひさしぶりに身体に闘争心が漲《みなぎ》るのを感じた。

それでは、朝の稽古《けいこ》を怠けるわけにはいかんな、と思ったとき彦十郎が言った。

「それを阻《はば》むのが、それがしの役目でござる」

「何者が来るのか、わからんのか」

まったくわかりませんと彦十郎が答え、先に立って町の角を曲った。

「ここは六本木です。道がくだりになりますゆえ、足もとにお気をつけてください」

なるほどそこから道は下りになっていた。そして少しずつ谷間のような窪地に降りて行くようだった。その暗い道の先の方に、先行する四人の姿が黒々と動いているのが見えた。その四人が、やがて足をゆるめたようである。目指す場所に近づいたのだ。

又八郎が声をひそめた。

「村越のじいさまは、まだ白状しておらん様子か」

「多分」

と彦十郎は言った。

「八ツ半（午後三時）過ぎかと思われますが、日比谷御門外の御用屋敷から男が一人出て、こちらまで急行して来ました。およそ半刻《はんとき》後にはもどりましたが、様子から見て得るところはなかったようです」

「一日、二日は持ちこたえるだろうて。しかし後の保証はむつかしいな」

と又八郎は言った。

「日比谷の御用屋敷というのは何だ」

「幕府の隠密屋敷です」

と彦十郎は小声で言い、手短かに次のようなことをつけ加えた。

将軍吉宗は享保《きようほう》元年八月十三日に宣下《せんげ》を受けて正式に将軍となったが、その直後の八月二十三日には新たに御庭番《おにわばん》を新設した。御庭番は紀州から呼びよせた隠密役で、従来の、目付支配の御小人《おこびと》目付に伊賀者が附属する幕府の探索組織を一新するものだった。

日比谷御門外の御用屋敷は、この御庭番が住む屋敷である、と彦十郎は言った。

「今日、馬でここに来た男はなかなか威のある人物で、あるいは御庭ノ者支配かも知れません」

彦十郎がそう言ったとき、二人は前の四人に追いついた。そこは谷間のような窪地に人家がつらなる町の入口だった。土地が低いせいか、町の上にはうすい霧のようなものが覆《おお》いかぶさり、その先端は家と家の間に入りこもうとしているのが見える。

家々は眠りについたのか、灯も見えずにひっそりとしている。ただうすい霧とどこからか射《さ》して来る月の光のおかげで、家々の輪郭のおよそは見える。

「では、指図してもらおうか」

又八郎はそう言ったが、そのとき彦十郎の二、三軒うしろの家の陰に、何かがちらと動いたのを見た。

一瞬のためらいもなく、又八郎は彦十郎の横を走り抜けた。走りながら刀の鯉口《こいぐち》を切り、家の角に達したときには半ば刀を抜きかけていた。

「待った、待った」

押し殺した声を挙げながら道に出て来た男が言った。

「黒谷です、頭取」

「何だ、半蔵か。危ないところだったぞ」

又八郎は言いながら、刀を鞘《さや》にもどした。暗がりから出て来たのは、又八郎が探索に使っている足軽目付の黒谷半蔵である。

「何をしておる」

「いえ、人の気配がしたもので覗《のぞ》きましたら、どうも頭取らしい身体つきのひとが見えたものでたしかめようと……」

「いや、そなたがなぜここにいるのかと聞いておる。狸穴あたりの探索に加わっていたのか」

「そうではありません」

黒谷は今日の探索からははずされたので、日暮れ近くなってから、例の直蔵という手代に会うために杉村屋に行った。ところが店の近くまで行くと、ちょうど杉村屋から出て来る武家を見かけて気が変った。

何となく勘が働くままに後をつけると、延々と市中を引っぱり回された末にこんなところまで来てしまったのだ、と黒谷は言い、低い声ながら語気を強めて頭取と言った。

「村越どのを見つけましたぞ。いまご案内します。村越どのはこの町の……」

黒谷は指で町の奥を指さした。

「あのあたりの家に閉じこめられています。商いを閉じた古家のようで、間口がやけに広い大きな家でした」

「よくやった。しかしわれわれにもそれがわかったので救出に来たのだ」

「そうですか」

黒谷はいくらかがっかりしたようだった。その黒谷を連れて、又八郎はみんながいる場所にもどった。

「足軽目付の黒谷半蔵だ。村越どのを探してここまで来たそうだ」

彦十郎はうなずいたが、二の組の男たちは無言で黒谷を見守っているだけだった。

「さあ、指図してくれ」

又八郎が言うと、彦十郎は黒谷に剣術は出来るかと聞いた。

「いや、それがしはいたって無調法だ」

「それでは、貴公はこのひとと一緒に、外で待機してもらおう」

彦十郎は黒谷を雄之助のそばに押しやり、念を押す口調で言った。

「家の中から飛び出すやつがいるかも知れぬが、斬り合うにはおよばぬ。そのまま逃がしてよい」

黒谷は心得たと言ったが、雄之助は黙っている。斬りこみに加えられないのが不服なのかも知れなかった。

彦十郎は又八郎を振りむいた。

「中に入るのは五人です。頭取と中台多次郎、柿崎仁平は表口、それがしと平井は裏口に回ります。その段取りで行きます」

「あの裏戸は開きませんぞ」

黒谷が突然に口をはさんだ。

「調べたところ、どうも釘《くぎ》づけしてあるらしい。しかし南の空地側に大きな窓があって、これはただの障子窓です。窓の下に古材木が積んでありますから、ここから入れるかも知れませんな」

「これは助かった」

と彦十郎が言った。自分の不用意を知らされて苦笑したらしく、声に笑いがふくまれている。だが、彦十郎はすぐに声音をひきしめた。

「では頭取。さきにそれがしと平井が窓を破って中に入ります。その物音をたしかめてのち、正面から斬りこんでください」

その家は、町の南の端近くにあった。なるほど彦十郎や黒谷が言ったとおり、夜目にも大きく見える家である。暗い町の中で、その家だけが外に灯影《ほかげ》が洩れていた。

彦十郎と平井忠蔵が、足音もなく家の横手に回って行った。そして突然に窓を破る物音がひびき、つづいて剣を打ち合う音が聞こえて来た。大きな家がみしみしと鳴った。

「行くぞ」

又八郎は声をかけ、うしろの二人がはやくも刀を抜いているのをたしかめてから板戸に手をかけたが、厚い板戸はびくとも動かなかった。又八郎は足を上げて潜り戸《くぐりど》を蹴《け》った。それはうまく行って、潜り戸は勢いよくはずれて、内側に倒れ飛んだ。

一瞬の間もおかず、又八郎は家の中に滑りこんだ。そこは広い土間で、家の中にある二基の燈火と、土間から店の板の間に上がったところにある太い柱に、縄《なわ》で縛りつけられている村越の姿が目をかすめたが、たしかめるひまはなかった。たちまち二人の敵が斬りかかって来た。

はげしく斬りむすびながら、又八郎は二の組の橋本庄七が手傷を負った夜の斬り合いを思い出していた。目の前にいる敵は、その夜斬り合った男たちの同類だった。異様なほどに身ごなしが軽く、斬りこんで来る太刀も速かった。彼らは又八郎の太刀先を寸前にかわして、右に左に目まぐるしく走る。そしてさらに新手の敵が加わった。

しかし又八郎の後から入りこんだ中台と柿崎という二の組の男二人が、左右にわかれて果敢に斬り合いに加わると、又八郎を包囲しにかかっていた敵の動きに乱れが出た。一瞬棒立ちになった男がいた。又八郎はすばやく踏みこんだ。深々と脾腹《ひばら》を切られたその男が、土間に横転した。

一語の気合いも発せず、太刀打ちの音だけがひびく斬り合いがつづいた。斬られて、板の間やその奥の畳の部屋、さらには土間に這《は》っている男たちもいたが、誰も呻《うめ》き声を立てなかった。ただ斬り合う男たちの息遣いは、さすがに次第に荒くなった。

そして畳の部屋にある灯が倒れて消えた。つづいて黒い影が一度に板の間に溢《あふ》れたように見え、もう一基の灯が消えた。家の中は真っ暗になった。太刀打ちの音はそれで止《や》み、そのあとのほんのいっとき、家の中を渦《うず》を巻いて風が走るような気配が動いたが、その気配も間もなく消えた。

刀を構えたまま又八郎がじっと立っていると、上の畳の部屋の方で、誰かが燧石《ひうちいし》を鳴らし、やがてぽつりと赤い火口《ほくち》が光った。紐《ひも》のような物に火を移して高く掲げたのは安斎彦十郎だった。

「村越どのは無事か」

と安斎が言ったが、それより早く板の間の村越に駆け寄った平井忠蔵が、又八郎たちを振りむいて首を振った。

「残念です。胸を刺されて絶命しています」

「行きがけの駄賃《だちん》に刺して行ったか」

と彦十郎が言ったが、その目は意味ありげに又八郎に向けられていた。村越の命を絶ったのは二の組の誰かだ、ということだろう。

幕府御庭番につながる男たちの姿は掻《か》き消えていた。土間の隅《すみ》に一人だけ、息絶えた男がころがっていたが、ほかにも死者や深手を負った者がいたはずなのに、彼らは一人残らずはこび去ったようである。

「こっちは無事か」

又八郎が言うと、村越を縛ってある縄を解いていた平井が顔を上げて、柿崎がやられましたと言った。

振りむくと、板の間の端のところに丸顔の中年男柿崎仁平が、半身を折るように土間に身を乗り出して倒れていた。手はまだ刀をにぎっているが、身体はぴくりとも動かなかった。

細おもてで顔色の青白い中台が、無表情に柿崎に近づき、刀を捥《も》ぎ取ると死体を抱き起こしにかかった。その中台多次郎も左の袖《そで》を大きく破られ、おそらく二の腕が深手を受けているものとみえて、左腕が血にまみれてだらりと下がったままである。又八郎も身体のあちこちに小さな手傷を受けていた。はげしい斬り合いだったのである。

彦十郎と平井忠蔵が、それぞれ一人ずつ死者を背負い、中台と又八郎が後につづいて外に出た。すると家の前の道に抜身の刀をにぎった雄之助が立っていて、足もとに隠密組の男と思われる死体がころがっていた。

「言いつけを守らずに手を出したな」

又八郎が不機嫌《ふきげん》な声を出すと、雄之助は首をすくめた。

「やったことはいたしかたないが、こんなことで世の中を甘く見てはいかんぞ」

雄之助はすなおにはいと言い、刀を鞘におさめた。すると黒谷半蔵が割りこんで来て、頭取それは少し違いますと言った。

「斬られた男が、出会いがしらにそれがしとぶつかりそうになったのです。それで、この若い方が咄嗟《とっさ》に刀を抜かれたわけでして、いや、このひとがいなかったらそれがしの方が斬られていたでしょう。どうか、叱《しか》らんでください」

「まことの話か」

「はあ」

と雄之助が言った。

「よし、事情はわかった。しかし、斬らずに逃がせばもっとよかったのだ。罰として屋敷まで死人を一人担《かつ》いで行け」

二十六

日ヶ窪で幕府隠密と死闘を演じてから十日ほど経《た》ったその日、青江又八郎は佐知と一緒に湯島通りを本郷の方に歩いていた。

佐知は武家屋敷の婢《はしため》という体裁をつくって、胸に小さな風呂敷包みを抱え持ち、又八郎より半歩遅れて歩いている。わけあって、今日は屋敷の主人に婢が供について来た、と見えなくもなかった。ただし風呂敷包みの中身は本物の菓子折で、これからたずねる家に持参する品である。

佐知と配下の女嗅足は、ついに平野屋をさがしあてた。佐知はまず、浅草御門外の瓦町《かわらちよう》で古着を売っている甚七の娘婿《むすめむこ》の店に行った。清五郎が言ったとおり、長戸屋のもとの番頭甚七の女房はその家に引き取られてまだ元気でいた。

そこまでは佐知は幸運にめぐまれたが、そのあとが問題だった。佐知が持ち出した平野屋という名前に、甚七の女房はまったく心あたりがなかったのである。聞いたことがありませんねえ、済みませんねえと繰り返すだけだった。

「ばあちゃんは近ごろ、少しボケ気味ですからねえ。かりにじいちゃんから何か聞いているとしても、むかしの話を思い出すのは無理かも知れませんよ」

そばに付き添っていた娘、といっても甚七の娘は佐知と同年配ほどの女房で、その女房もそう言ったが、佐知はそう簡単にあきらめるわけにはいかなかった。拉致《らち》された村越儀兵衛が殺害されてしまうと、目の前にいる甚七の女房は、江戸屋敷をめぐる秘密にたどりつけるかも知れない、まことにかぼそいながら、残されたただ一本の道となった観があったのである。

平野屋がわかれば、清五郎などとは比較にならないほどにむかしの長戸屋の内情に通じていたはずの甚七が、晩年どういう考えをめぐらしていたのか、その手がかりがつかめそうに佐知は思うのだった。甚七はどういう確信があって村越を奉行所に訴えて出たのか、その謎《なぞ》も、平野屋が見つかれば難なく解けそうな気さえして来る。

「平野屋は、ひょっとしたら長戸屋の遠い親戚《しんせき》かも知れません。もしそうであれば、長戸屋ではむかしその家からかわいい女の子を養子にもらったのです」

佐知は、平野屋という名前を聞いたときから自分の心の中にある推測を打ち明けてみた。

「それは、あなたがこちらのご主人と一緒になる前のことだったろうと思われます。おとうさんから、そういう話を聞いたことはありませんか」

母親とも話し合って、ぜひ平野屋という名前を思い出してもらいたい。様子を聞きにこのあとも来るけれども、もしもその間に思い出したことがあるときは、一刻も早く屋敷に来てわたしを呼び出してもらいたいと、佐知は嚙《か》んでふくめるように甚七の娘に頼んで、その日は帰ったのだった。

そしてその後、佐知は三度ばかり無駄足を踏んだのだが、昨日の昼過ぎに、甚七の娘婿である古着屋の主人が江戸屋敷をたずねて来て、門前まで佐知を呼び出したのである。ばあさんが、平野屋は親戚ではなくて、長戸屋の旦那《だんな》がむかしとても仲よくつき合っていた本郷の同業ではないかと言っている、と娘婿は言った。

そのとき佐知の胸は高い動悸《どうき》を打った。長戸屋が赤子のお卯乃《うの》の方《かた》を預かったのは、遠い親戚ではなく平野屋というその同業からである可能性が濃くなったのを感じたのである。佐知は配下をただちに本郷の町にやって、しらみつぶしに平野屋をさがさせた。そして配下の者たちはついに三丁目で、呉服商の平野屋をさがしあてたのだった。

「ここからが本郷です。もう、間もなくです」

うしろから佐知がそう言った。

聖堂わきの坂道をのぼるときは、聖堂の宏大《こうだい》な木立の影が道を覆い、そこには涼しい風も通っていたが、坂をのぼり切って湯島の町に出ると、暑い日が容赦なく頭上から照りつけて来た。時刻は八ツ半（午後三時）を少し回ったころだろう。

又八郎は菅笠《すげがさ》をかぶっていたが、それでも地面からわっと立ちのぼって来る照り返しに顔を包まれて、のぼせ上がるようだった。

「堪えがたい暑さだ」

又八郎は佐知を振りむいて言った。

「遠慮はいらぬ。なるべく軒の影を拾いながら歩かれたらよかろう」

「はい、ありがとうございます」

佐知はそう言ったが、つと身を寄せるとお言葉にお気をつけあそばせ、とささやいた。道には沢山の人が歩いている。主従の体裁をつくっているのだから、言葉に気をつけろという意味だろう。

又八郎がもう一度振りむくと、佐知は無言のまま微笑を見せた。笠もかぶっていないのに、佐知の顔はふだんとあまり変りがなかった。その顔がわずかに上気して、それが表情を若々しくみせている程度で、佐知は汗も掻いていないのではないかと思われるほどだった。

身体を寄せたついでと言うように、佐知はまたささやいた。

「むこうはもう平野屋に行きついていると思います。そこで何を聞き出したかが案じられます」

「そのとおりだ」

「たずねて行っても、危険はないでしょうか」

「あっても、平野屋は事の急所だ。避けては通れぬ」

「はい」

「正面からぶつかってみよう。なに、そうしてわるいという道理はない」

と又八郎は言った。

本郷二丁目から三丁目にかかる通りには、白熱した光が溢れていた。男も女も、大方は菅笠をかぶっていそぎ足にすれ違って行く。三丁目の半ばまで来たとき、前方から数人の供がついた女駕籠《かご》が来て、暑さなど気にもとめないように静々と通り過ぎて行った。

平野屋は三丁目の通りを半ば過ぎたところにあった。かなり大きな構えの呉服屋で、店は通りの西側にあった。店の中は、客がいるにもかかわらず涼しくて、中に入るとほっとするようだった。

又八郎が藩名と身分を名乗って主人に会いたい旨《むね》を告げると、店の者はいったん、左手奥の帳場の中にいる男のところに行き、すぐに引き返して来て今度は二人を男のそばまで案内した。又八郎と佐知が店に入ったときからずっと、帳場越しに二人を見つめていた細おもての男が平野屋の主人だった。齢は五十前だろう。

主人は、二人が近づくと帳場から出て来て畳に坐《すわ》り直し、丁重な辞儀をした。

「手前が主《あるじ》の吉右衛門《きちえもん》でございます」

主人は名乗り、用件は何かとたずねた。態度は丁重だったが、男の表情や声にはどこか人をひやりとさせる冷たいものがふくまれていた。

「さっき、そちらで名乗ったとおりの者だが……」

又八郎はつとめてやわらかい口調で言った。

「いまは破産して無いが、以前わが藩に出入りしていた長戸屋をご存じだろうか」

「おぼえております」

「おぼえておる？」

又八郎は主人をじっと見た。

「しかし長戸屋はこちらとはかなり昵懇《じっこん》だったように聞いておったが……」

「それはむかしのことでございましょう。おやじがまだ在世のころの話かと思いますよ」

平野屋はそう言ったが、店の者が聞き耳を立てている様子に気づいたらしく、早口に言った。

「何のお話にせよ、ここではご無礼。奥の方にどうぞ」

ご案内しますと言いながら、平野屋は逆に土間に降りて来た。そして先に立って店を出て行く。佐知はそこに残り、又八郎だけがあとにつづいた。

平野屋が入って行ったのは、店脇《わき》の狭い路地だった。しかし路地を奥に歩いて行くと玄関があって、そこが住居の入口だった。平野屋は奥から出て来た女に茶を命じてから、又八郎を一室に案内した。そこで又八郎が佐知から渡された菓子折を出すと平野屋は丁重に礼を言ったが、その物腰にはやはりひややかな感じがつきまとっている。

「じつは長戸屋さんのことでは……」

お茶がはこばれて来るとすぐに、平野屋の主人は話し出した。

「先年から再三にわたって人がたずねて来まして、いろいろとおたずねになるもので少々迷惑しているのです」

「人が？」

又八郎は慎重に聞いた。

「どこから参られたと言いましたかな」

「お上の者だと申されました」

主人はその顔に、露骨に長戸屋の話ならもううんざりだという表情をうかべた。

「長戸屋とは懇意だったろうと来る方がどなたも言われますが、昵懇のつき合いをしたのは父がまだ丈夫だったころの話です。父の死後は、ま、同業ですからいきなりつき合いが切れたということではありませんが、どんどん疎遠になりまして、そうですなあ、二、三年経つと交際はほとんど絶えてしまいました。いえ、ウチの方から疎遠にしたおぼえはありません。これはいま考えると不思議ですが、父の晩年にはなぜか長戸屋さんの方から急に足が遠のいたように思いますよ」

平野屋吉右衛門は一気にしゃべった。それなのに、いまだに長戸屋だの、むかしがどうだったのと聞かれるのは迷惑だという、内心の苛立《いらだ》ちが伝わって来るような口調だった。

「そんなわけですから、あのひとが亡《な》くなる前にはご商売の方がかなり傾いていた、借金がひどかったというような話も、あとで人から聞いたような始末でして……」

「………」

「もっとも、うすうすは気づいていましたね。ウチにも一度金を貸してくれと頼みに来ましたから。いくらだと思います？　二百両ですよ、大枚二百両……」

平野屋は又八郎の前に二本の指を立て、自分でおどろいた顔をしてみせた。すると、それまで品よく構えていた表情の下から、計算高く、その信念のために冷酷にも見える商人の素顔が剝《む》き出しに現われた。

又八郎が言った。

「それで、どうされましたかな」

「もちろん、おことわりしました」

平野屋の顔に、ひややかな微笑がもどって来た。

「お武家さまの前ですが、いくらむかしの誼《よしみ》といっても、十年以上も疎遠にしていていきなりそんな大枚の借金を申しこむのは非常識というものです。それにさっきも申しましたが、そのやり方ひとつで、あたくしは長戸屋さんがどんなに金に困っているかがわかりましたね」

「………」

「ええ、ひと目でわかりましたとも。商人ならそういう人に金を貸す者はまずいませんね。あたくしも商人、二百両が二十両でも貸すつもりはありませんでした。きっぱりとことわりました」

「つめたいと思われるかも知れませんが、それも商いのうちです。汗水たらして稼《かせ》いだ金を、どぶに捨てちゃいけません。それに情容赦なくことわるのが、先方のためにもいいのです。蛇《へび》の生殺しはいけませんです」

「なるほど」

又八郎は、藩に脅しをかけて来て殺された長戸屋に同情した。しかしさりげなく言葉をつづけた。

「商人としては、さもあるべきでしょうな」

「それに、長戸屋さんはおやじの友だちで、あたくしの友だちじゃありませんのでね。無理な金を貸す義理もないのです」

「こちらの先代が亡くなられて、どのぐらい経ちますか」

「かれこれ二十年……」

平野屋は天井の一角をにらんだ。

「そう、再来年《さらいねん》が二十三回忌ですから、今年でちょうど二十年になります」

「ずいぶんむかしになりますな。すると、亡くなったときはまだお若かったとか……」

「……………」

「いえ、とんでもございません」

と平野屋は手を振った。

「亡くなるころには、おやじはもうよほどの年寄りでした。と申しますのもあたくしは四人姉弟の末子で、おやじが四十を過ぎてから生まれた子です。それで見当がおつきでしょうか」

「そうですか。ところで平野屋さん」

又八郎は顔色を改めて平野屋を見た。

「いまから二十数年前というと、あなたのお若いころの話になるが、こちらのご先代が長戸屋の主人に小さな子供を預けたというようなことがなかったかご存じないですかな」

「やはりそのお話ですか」

平野屋は、またうんざりした顔をした。今度は苛立ちを隠していなかった。しかし、今日はその話が眼目である。又八郎は委細かまわずに言った。

「またと申されると、先に来た幕府のお役人も、同じことを聞いて行ったということですかな」

「さようでございます。赤子のことを知らぬかと申されました」

又八郎はひそかに予期はしていたものの、やはり背筋につめたいものが走るのを感じた。

はたして長戸屋の番頭甚七は、奉行所に訴え出たときに長戸屋が平野屋から赤子を預かったむかしの出来事を打ち明け、その赤子の一件が、惣兵衛の毒死の遠因になったのではないかと述べたのだ。それに違いあるまい。そして当然、甚七は平野屋から引き取って育てた赤子が、藩下屋敷のお部屋さま現在のお卯乃の方であり、その一点が長戸屋と藩のつながりの要《かなめ》であることも話しているだろう。

そこまで考えたとき、又八郎ははじめて、幕府隠密の目にいま何が映っているのか、その全貌《ぜんぼう》が明らかになったのを感じた。彼らは、というよりも彼らに命令を下している人間は、甚七の訴えを聞いて、藩が出入りの一商人をひそかに毒殺しなければならないほどの秘密とは何かということに注目しただろう。それで隠密裡《おんみつり》に藩内に探りをいれたところ、予想外の強い抵抗に出会った。

それでかえって、藩下屋敷に住むお卯乃の方にかかわる秘密が、容易ならざるものであるという感触をつかむに至ったのではあるまいか。もっとも所管が探索方になることを進言して、調べを幕閣に渡した町奉行大岡忠相《ただすけ》は、いちはやく甚七の訴えの重要性に気づいていたとも考えられる。

いずれにしろ、と又八郎は思った。藩の秘事を追う幕府隠密の足音は背中にせまっている。それとも追っているのはこっちの方だろうか。

ご主人と又八郎は言った。

「それで、その方々に話されたか」

「何をでございましょう」

「もちろん、赤子のこと」

「とんでもございません」

と平野屋は言った。よほど不愉快な質問だったとみえて、細おもてに憤然としたいろをうかべた。

「せっかくのおたずねですが、あたくしはそんな赤子など見たことも聞いたこともないのです」

「ほほう」

「もちろん平野屋にそんな子供はいませんでしたし、よそから赤子を預かったおぼえもありません。お上から来た方は、家の者の知らない妾《めかけ》の子ではないかとも申されましたが、お笑いぐさです」

「なぜ？　あり得ることではないのか」

「とんでもありません。おやじは堅物で外に女を作るような男ではありませんでしたし、第一そのころは六十の年寄りですよ。身体も弱くて、とても子供をつくる元気があったとは思えませんね。だから、長戸屋さんにおやじが赤ん坊を預けたなどという話を聞いても、まるでお伽話《とぎばなし》、あたくしには何のことやらさっぱりわかりませんのです」

「………」

「ところがそう申しますとですよ。その方々は疑わしそうにあたくしを見て首をかしげ、あたくしが嘘《うそ》を申しているとでも思うのでしょうか、ひと月も経つとまたぞろ店においでになります。そして同じことをたずねられるのです」

ほとほと疲れましたと平野屋は言い、ほんとに疲れたような顔をして又八郎を見た。

家人や店の奉公人はどうか、と又八郎は聞いた。

「その話に心あたりがあるひとはおらんですかな」

「ええ、ええ、あたくしはお役人さんにそれも申しました。どうぞ家の者たちにも遠慮なく聞いてくださいましと。するとおどろいたことに、その方々はほんとうに家の者、奉公人を一人ずつ部屋に呼んで、とどのつまりは一人残らず調べ上げたのです。しかし若い者はもちろん、年寄りも、誰ひとりそんな赤ん坊を見たり聞いたりしたという者はいませんでしたな」

「誰ひとり？」

「さようでございます。その方々はつい四、五日前にもみえられましたので、そのときも申し上げたのですが、失礼ながらあたくしにはお上の方々もあなたさまも、何やら幻を追ってここにみえられるとしか思えませんです、はい」

——四、五日前だと？

突然に、喜びが又八郎の胸を満たした。いまの平野屋の言葉が事実なら、拉致《らち》された村越儀兵衛は、死体に責め問いを受けた跡があったにもかかわらず、平野屋の赤子のことを白状しなかったことになる。藩の秘密はまだ外には洩《も》れていないのだ。首の皮一枚でつながっている、と又八郎は思った。

これまで又八郎は、お卯乃の方をめぐる秘密に触れて来た者を、片はしから抹殺《まっさつ》しつづけているとみえる陰の人間を、自己保身のためにやたらに人を殺しまくっている男とばかり見ていた嫌《きら》いがある。しかしいま平野屋という証人を通じて、幕府の執拗《しつよう》な追及ぶりに触れたあとでは、考えが少し変って来たのも否《いな》めなかった。

その秘密は、あばかれれば陰の男を没落させるばかりでなく、藩をも没落させるようなものである可能性があった。幕府側の生々しい、無気味な追及ぶりがそう思わせる。

そしていま、その陰の男は幕府を敵に回して、自己保身のためか、藩のためか、おそらくはその両方を賭《か》けて、秘密が外に洩れるのを必死に防いでいるという形になっているのではあるまいか。村越に長戸屋を殺させたのはその男だろう。二の組の嗅足に、いざというときは村越の命を絶つように命じておいたのもその男だろう。

あたりかまわぬ殺戮《さつりく》からは、到底承服出来ない酸鼻《さんび》が匂《にお》って来るが、又八郎も藩の禄《ろく》を喰《は》む人間である。とりあえずは藩の秘密が保たれていることを喜ばずにはいられなかった。

二十七

又八郎の話を聞いた佐知が言った。

「甚七が平野屋の名前を出したのは、主人が借金のことでつめたい仕打ちを受けたことを知っていたせいかも知れませんね」

「多分な」

と又八郎も言った。

「おそらく秘密が明らかになればわが藩は罰される、長戸屋も平野屋も罰される。しかし長戸屋はもう潰《つぶ》れたから、甚七にはこわいものは何もなかったのだ」

「それにしても村越さまを刺したのが二の組の者というのは、信じがたいことです」

「なに、彦十郎はその場で気づいてわしに目くばせしよった」

と又八郎は言った。

「彦十郎は、村越は秘密を白状していないとみていたのだ。もしそうなら隠密どもが村越どのを刺すわけがない、という理屈だろう。その理屈が、さっきの平野屋の言葉で裏書きされた。村越のじいさまはがんばったようだな」

二人が平野屋にいる間に、日はかなり西に移って、帰りの道に落ちる軒の影が長くなっていた。しかし暑さは衰えていなかった。

その道を、佐知がまた振りむいた。そして言った。

「いま少し、ゆっくりとお歩きあそばせ」

「何を待っているのだ」

又八郎も振りむいたが、暑さに閉口したらしく、店々の影がとどく方に片寄って歩いている人々の姿が目に入るだけだった。格別目立つようなものは見当らなかった。

しかし佐知は答えずに、また話題を転じた。

「下屋敷のお部屋さまにかかわる秘密とは、何だと思われますか」

「先に、そなたの考えを申せ」

少し沈黙してから、佐知が言った。

「ご出生の秘密」

又八郎は立ちどまって、佐知を振りむいた。二人はそのまま無言で顔を見合わせた。佐知がいま言ったことは、長戸屋の元手代清五郎の話を聞いたときからずっと、二人の胸の内にひそんでいた考えだが、又八郎が平野屋に会った今日は、それが疑いのないものになったのを二人ともに感じたのである。そのことが又八郎にはわかった。

又八郎は、踵《きびす》を返して歩き出した。

「それよりほかには考えられぬ。お卯乃さまは、そもいずれから参られたお子なりやということになる」

「人に知られてはならぬ、とりわけ幕府に洩れてはならぬ、よほどの秘密と思われます」

「今日は、その秘密の大きさがようやく見えた気がいたした。しかし中身は依然わからぬ。平野屋も知らぬとなると、お手上げだ」

「…………」

「むろん村越儀兵衛は承知しておったろうが、はて、その村越が死んだとなると……」

応答がないので首を回すと、佐知はまたしても、身体をねじってうしろを振りむいている。そして又八郎の視線に気づくと、佐知は少し早口になってささやきかけて来た。

「この先の角を、右に入ってください」

二人が歩いている道は湯島五丁目から四丁目にかかるあたりで、言われた通りにその先で通りから右に折れる道に曲ると、やがてお茶の水裏の定火消屋敷の横に出た。

「ここで待ちましょう」

と佐知が言った。

誰を待つのかはわからないが、その言葉で又八郎は、さっきからの佐知の不審なそぶりが腑《ふ》に落ちるのを感じた。誰かが、後から来るのである。

——しかし……。

いつまでもこうしているのは困るぞ、とふと又八郎は思った。

傾きはしたが、夏の日はそれでもまだ高い。表通りにくらべると通行人の数は少ないが、それでも二人の横を通りすぎる男女が、好奇の目で二人を見て行く。

もしこうしているところを、屋敷の者に見られたら、と又八郎は思っている。歩いている分には見つかっても紛れるということがあるだろうが、ならんで立っていては言いわけに窮する。しかも屋敷とは縁もゆかりもないこんな場所に二人でいるというのが、いかにも意味ありげで閉口する。

そう思って横を見たが、佐知は堂々としていた。又八郎が心配しているようなことは、歯牙《しが》にもかけていないように見える。それとも、ただこの種の警戒心が鈍いだけか、こえてして女子《おなご》にはそうしたところがあるからの、と又八郎が思ったとき、佐知がやっと参りましたと言った。

角を曲って二人がいる道に入って来た年寄りが一人、次第にこちらに近づいて来るのが見えた。かなりの年寄りだが、その男はお店者《たなもの》だった。着ている物にも、歩き方にもそれがあらわれていた。

男は一度立ちどまり、それからおずおずと二人に近づいて来た。それが佐知の待ち人だったようである。待ち人は顔に、やや卑屈なとも思える笑いをうかべた。

迎えるように一歩前に出た佐知が言った。

「さきほどは、お茶をごちそうさまでした」

「いいえ」

　年寄りは、また卑屈に笑った。

「長戸屋に預けた赤ん坊のことを知っているのは、あなただけなのですね」

　佐知はいきなり意外なことを言った。しかしそれに答えた年寄りの返事は、さらに又八郎を仰天させるものだった。

「はい、手前が先代のお供をしまして、この手に赤ん坊を抱いて長戸屋さんに参りましたのです。三十年ほども前の、ある晩のことでした」

二十八

「その赤ん坊は、どなたの子供ですか」

　と佐知が言った。

「平野屋のご主人は、家にはそんな子供はいなかったとおっしゃったそうです。そうするとご先代とあなたが長戸屋にはこんだのは、どこのお家の赤ん坊だったのでしょう」

「それはよくわかりません」

「よくわからない」

佐知は年老いたお店者をじっと見た。

「お家を知らないのですね」

「はい」

「人も？」

「ええ、わかりません」

「すると、場所ですか。あなたにわかっているのは、その子を受け取った場所ですか」

「そうです」

佐知は又八郎をちらと振りむいた。佐知の顔には軽い失望のいろが窺《うかが》えた。気を取り直したように佐知は言った。

「それは、どこかはっきりした場所ですか。まさか、暗い道の上で赤ん坊を受け取ったなどというんではないでしょうね」

「いいえ、ご新造《しんぞ》さま」

と老人は言った。佐知を又八郎の妻とでも見当をつけたものかも知れなかった。

「赤ん坊を受け取ったのは裏店の木戸の外です。それはほんの乳《ち》呑《の》み子《ご》のようでした。先の旦那《だんな》さまが、ここで待っていろと言われまして、あたくしは木戸の外に立っておりました。すると、すぐに先の旦那さまがまだ乳の匂いがする子供を抱いて引き返して来られまして……」

「それから？」

「それから二人で長戸屋さんに参りましたのです。長い道中でしたが、旦那さまはひとことも物をおっしゃいませんでした」

「長戸屋さんでは、びっくりした様子でしたか」

「いいえ、長戸屋さんでは店の前の暗やみに、男の奉公人を一人連れたご主人が灯《ひ》も持たずに立っておられました。旦那さまと長戸屋さんが言葉をかわされたのは、ほんのひとことふたことで、前もって打ち合わせが出来ていたような塩梅《あんばい》に見えましたのです、はい」

その奉公人が甚七だな、と又八郎が思ったとき、佐知も同じことを考えたのだろう、ちらと又八郎を振りむいた。

「旦那さまは長戸屋さんには上がらず、そのまますぐに引き返しました。そしてその帰り道で、あたくしにむかって今夜のことは一切人に言うなと、口を封じられました」

「そのとき長戸屋さんと一緒だった店のひとの名前がわかりますか」

「いいえ、あたくしはあの店には行ったことがないので、何というひとかはわかりませんでした」

「齢《とし》はいくつぐらいだったでしょう」

「それが……、あたくしは遠慮してみなさんから少しはなれたところに立っていましたし、何分夜のことでもありはっきりとはわかりませんでしたが、三十半ばごろではなかったでしょうか」

「よくわかりました」

と佐知は言った。年恰好《としかっこう》から言って、男はやはり甚七だったようである。

「では今度はさっきの裏店がどこにあるかを、聞かせてもらわないといけませんね」

「………」

「あなたは先代に封じられた口を、もう開いてしまったのです。いまさら尻込《しりご》みすることもないと思いますよ」

老人の顔が赤くなった。同時に、それまでになかった不安のいろが顔にうかんだ。

「あたくしが言ったとは、誰にも言わないでもらいたいのですが」

「もちろんですとも。誰にも言いませんよ」

「その裏店は、神田川河岸《がし》の佐久間町一丁目にございました。長次郎店《ちょうじろうだな》と言っておりました」

「長次郎店？」

佐知は鋭く老人を見た。

「先代とあなたがそこから赤ん坊を連れ出したのは、夜だったのではありませんか。よく裏店の名前がわかりましたね」

「それは、その裏店はあの町に地所を持っていた平野屋の持ち物でしたから、暗くともああここかと見当がついたのです」

「ああ、そうですか」

佐知はうなずいた。

「じゃ、よく知っていたのですね」

「いえ、そうでもありません。以前に一、二度大家まで使いに来たことがあるだけですが、しかし見当は間違っていなかったと思います」

「佐久間町一丁目……」

佐知はつぶやいて目を足もとに落とした。

「そのころの佐久間町一丁目は、いまは火除《ひよけ》地になっていますね」

「はい、二年前の火事のあとに、町はそっくりそれまでの北側に移されました」

「長次郎店は、いまも新しい一丁目にあると思いますか」

「わかりません。裏店は、あのあたりの地所もろともにあのあとすぐによそに売渡されて、あたくしどもとは縁が切れましたもので」

「え？　もう平野屋さんの家作ではないのですか」

「はい」

「大家さんの名前を知りませんか。むかしの長次郎店の大家さん」

「さあ」

老人は自信がなさそうに首をかしげた。

「徳助とか、徳兵衛とか言ったように思いますが、なにせ古いことではっきりしません」

「裏店に、あなたが名前を知っている人はいませんか」

「いいえ、一人も」

「ほかに、そのときの赤ん坊のことで何か知っていることはありませんか」

「ありません。知っていることは残らずお話しました。これですっきりしました」

老人は微笑した。言葉どおりに満足しているように見えた。その手に、佐知はいつ用意したのかすばやくおひねりをにぎらせた。そして老人の名前を聞いてから、手間をとらせた駄賃《だちん》ですと言った。老人の名前は亀七《かめしち》だった。

亀七老人の笑いが大きくなったところをみると、多少はその駄賃をあてにして追って来たのかも知れなかった。うれしそうに礼を言って引っこめようとする老人の手を、佐知は親しげににぎった。

そして、そのままの恰好で言った。

「でも、いまここで話したことは今後一切忘れてもらいます。もちろん、ほかの人に話してはいけません。いいですか、誰かにうっかり話したりすると、あなた、命を取られますよ」

佐知の物しずかな威嚇《いかく》に、老人は表情をこわばらせた。顔からみるみる血の気がひき、老人は恐ろしいものから逃げるように、佐知の手をふりほどいた。

もつれるような足どりで、老人がさっき来た道を引き返し、町の角を曲るのをたしかめてから、又八郎と佐知はお茶の水馬場裏をはなれて湯島通りにもどった。

二十九

「やはり甚七は最初から知っていたのだな。しかし赤子の素姓までは知らされていなかったようだ」

「清五郎が申した長戸屋の破産が決まったころに、番頭が一日どこかに姿を消したというのは、平野屋をたずねたのではないでしょうか」

「それに相違ない。清五郎が言ったように、暗い顔でもどったというのは、話を聞きに行った平野屋では先代が亡《な》くなり、いまの主人は赤子に関しては何も知らなかったからだろう」

「それでも訴えの順序として、奉行所では平野屋の名前を出し、むかしにあった深夜の出来事を話したのでしょうね」

　そのとおりだろう、と又八郎は言った。そして、ところでさっきの老人だがと話を変えた。

「駄賃欲しさに追って来たものかな」

　と又八郎は言った。二人は湯島聖堂と神田明神《みょうじん》にはさまれた道を通りすぎて、ゆるやかな坂道を明神下の方にむかってくだっていた。

「それもありましょうけれども、あのひとはお店に何か不満があるようにも見えましたね」

　と佐知は言った。

「ごらんになったでしょうか。もう六十を過ぎていると思われますのに、あのおじいさんは見たところ店の中でほんの使い走りのようなことをしていたのです。わたくしにお茶をはこんで来たのもあのひとでした」

お茶をはこんで来たとき、老人は佐知にむかって何事か話しかけたそうにした。長戸屋のことで何か知っているのではないかとぴんと来た佐知は、すぐに謎《なぞ》をかけた。

ここの先代が長戸屋に赤ん坊を預けたときの話を聞きたくて来たのだが、古い話だから無理かも知れませんねと言ってみたのである。すると老人の顔が赤くなった。話したいことが喉《のど》までせり上がって、そのために上気したように見えた。脈がある、と思ったが店の中で話すような事柄《ことがら》ではない。もし気づいたことがあったら、あとで教えてくれとささやき、店を出るときも、佐知は老人にだけわかるような合図を残して出たのである。

「若いむかしのころはきっと、先代にかわいがられた人なのでしょうね。でも、先代が亡くなるとあのひとを見るまわりの目も変って、結局は番頭にも手代にもなれず、飼い殺しの恰好で年取ったとは見えませんでしたか」

「ふむ、鋭い観察だ」

「当っているかどうかはわかりません。でも追っかけて話す気になったのは、店の者やいまの主人の鼻を明かすつもりがあったような気もするのです」

つまりこんなことではないでしょうか、と佐知は慎重に言葉をえらぶ口調で言った。

「しじゅうお上から役人が来てたずねていることを、平野屋の者は主人をはじめとして誰一人知らない、答えようがない。でも、自分なら知っているとあのひとは思ったかも知れません。長い間そういう目で成行きを眺《なが》めているうちに、あのひとは、旦那に口を封じられたことをお上にしゃべることは出来ないにしても、いつか誰かに自分の知っていることを打ち明けて、いまの主人たちの鼻を明かしてやりたいと思うようになったのではないでしょうか」

「潮時だったというわけか」

「はい、手前味噌《みそ》のようですけれども、運よくそういう時期にたずねたような気もいたしますね」

「年寄りをあのままにしておいていいのかな」

ふと思いついて、又八郎は言った。

さっきの佐知の口封じを、さすがは女嗅足《かぎあし》の頭《かしら》、きつい脅しをかけるものだと、いくらか老人に同情しながら見ていたのだが、佐知のいまの話を聞いたあとでは、又八郎の気持に少し変化が起きていた。はじめて幕府隠密に一歩先んじた形だが、むろんそれで安泰なわけではない。

老人が話したことは、それだけではさほどの値打ちがあるというものではないだろう。しかし藩の秘密をさぐる者の立場からみれば、老人の証言は疑いもなく、秘密の核心に至る鎖の中のひとつの環《わ》をなしていた。現に話を聞いた二人は、さっそくにつぎの環にむかって歩いているところである。幕府の隠密が聞けば、当然彼らもこの道を佐久間町にむかって走るに違いない。

ところが佐知の観察にしたがえば、老人は日ごろ何かしら満たされない気分をかかえて暮らしていて、いつ誰に、かつて自分がかかわり合った秘密めいた出来事をぺらぺらしゃべりたくなるかわからぬ、危険な人物のようにも受けとれる。佐知の脅しとあたえたおひねりは、はたしてうまく老人の口を封じることが出来たのかどうかと、又八郎は不安だった。

「おひねりの中身はいかほどだ」

「一分ですけれども」

「それで足りるのか。口封じとしては少なくなかったかの」

「いえ、逆でございましょう。沢山あたえると、味をしめてまた誰に話すか、知れたものではありません」

「なるほど、そういう見方もあろう。しかし、それではたして安心出来るかな」

「保証は出来ませんけれども」

佐知はちらと又八郎を見て微笑した。

「一時の押さえにはなりましょう。いえ、若い時分でしたら当然、今夜のうちに引き返して口をふさぐところでしょうけれども、わたくしも齢取りました。仏心が芽ばえたとでも言うのでしょうか。近ごろは無益な殺生《せっしょう》が億劫《おっくう》になりました」

「ほう」

「わたくしがこんなことを申し上げるとおかしいでしょうか」

「いやいや、けっこうなことだが、いまはそういう悠長《ゆうちょう》なことを申している場合でもあるまい」

言ってから又八郎は、自分が佐知をけしかけているような言い方をしているのに気づいてにが笑いした。餅《もち》は餅屋、こういうことは佐知にまかせておけばいいのだと思った。気配を感じたらしく佐知はまた微笑して又八郎を見たが、すぐにきっぱりと言った。

「ご安心なさいませ。どうしても口をふさがねばならぬ時が来れば、どこかで鎖を断ち切らねばなりませんけれども、いまのところはあらましの見当がつくまで、もう少し先をたぐってみることにいたしましょう」

佐知がそう言ったとき、二人は明神下の通りに降りて道を横切り、神田旅籠町《はたごちょう》の道に入りこもうとしていた。たずねる神田佐久間町はその町の奥にある。

日はいま二人が降りて来た台地の裏に沈んで、遠くに見える荘内《しょうない》藩下屋敷の高い木立にまだ日射しのきらめきが残っているのが見えるものの、旅籠町の界隈《かいわい》ははやくも青白く宵闇《よいやみ》のいろを帯びはじめていた。

「このあたりは……」

と佐知が言った。

「しじゅう火事で焼けておりまして、さっきの年寄りが申しましたように、一昨年には火事のあとで町ぐるみ場所を移されるということがありました。去年の三月にも町のほとんどが焼けて、佐久間町は一丁目だけが辛うじて残ったといううわさでした。それにたしか今年の三月のはじめ、青江さまがこちらにおいでになる少し前にも、このあたりは焼けたはずですよ」

「すると……」

「はい、行ってみないことにはわかりません」

と佐知が言い、二人は顔を見合わせた。前途の多難を感じ取ったのである。

それまでは気づかなかったが、佐知の話を聞いたあとでは歩いているとどこからか焼土の匂いが鼻を刺して来るように思われた。そしてよく見ると、町には材木の新しい家や、焼け残りの残材でつくろった家などが目立ち、その間には煙で壁が真黒になっている土蔵なども見えた。

——長次郎店か……。

ちと心ぼそい話になったかも知れんぞと又八郎は思っていた。町はどうにかあるらしいが、目指す裏店がはたして残っているのかどうかと、いささか心もとなくなって来たのである。

しかし佐久間町一丁目をさがしあててみると、案じることはなく長次郎店はちゃんと残っていた。又八郎の心配はあたらなかったわけだが、ただし中に踏みこんで話を聞いてみると、当の裏店は地主が代っただけでなく、大家から店子に至るまで、平野屋が赤ん坊を連れ出した当時とは顔触れがすっかり変ってしまい、そのころの住人も、その縁者もいまはその裏店に一人も残っていないことがわかった。

当時の店子の行方を知る者もいなかった。二人が道みち予感した前途多難の方はあたったわけである。

しかし三十年近い歳月の経過やたび重なる火災を考え合わせるなら、裏店がむかしの名前で残っていたのが不思議なぐらいで、住人が四散したのも言わば当然、おどろくに値しないことかも知れなかった。ともあれたぐって来た鎖はそこで切れていた。

　又八郎と佐知は、おし黙ったまま木戸のすぐ内側にある大家の住まいまでもどった。裏店をさわがせた詫《わ》びだけを言って帰りかけた二人を、さっき富蔵と名乗った新しい大家が引きとめた。

「こういうものが残っておりました」

　小太りで人のよさそうな大家はそう言って、二人の前に一冊の古びた帳面を持ち出して来た。

「これはあたしのおやじが書き残した『人別《にんべつ》送り』の控えです。何冊かそろっていたのですが、火事で焼けたりして残っているのはこれだけです」

「『人別送り』と申しますと？」

　佐知が、狭い土間から部屋に膝《ひざ》でにじり上がるようにして聞いた。

「あ、お武家さまはご存じないかも知れませんが、『人別送り』と申しますのは、たとえばこの裏店の者がよそに引越しますときに、こちらの名主さまから先方の名主さまあてに書いていただく書付けでございます」

　書類には引越し人の住まいと名前、年齢、それにこの者を当方の人別帳から削除するという文言《もんごん》が記されている。つまりそれは、この書類を持参する者は引越し人本人であることを証明する書付けでもあると大家は言った。

「まあ小さな裏店ですと、『人別送り』もずいぶんいい加減にしていると聞きますけれども……」

長次郎店は、向かい合って建つ二棟の長屋が、棟割りは棟割りでも両方ともに、一軒一軒は間口二間、奥行き三間、狭いながらも四畳半と二畳の二部屋を持つ建物で、ざっと回ってみたところでも居職の職人が多く住みついているところだった。

富蔵と名乗った三十半ばの大家は、よそよりはひと回り大きく、ゆとりがある長次郎店の格をそれとなく匂わせて鼻をうごめかせてから言った。

「ところがあたしの親は、そういうことは大そうきちょうめんなひとで、もちろん店子の面倒見もよかったということでしょうが、引越しのときなどもいちいち世話を焼いておりました。それで名主さまに届け出たときの控えなどもこうして残っているわけでして……」

長い前置きの末に、大家の富蔵は指をなめてめくった帳面の一点を指さした。

「ここに、先ほどおたずねになられた当時に、ここに住まっていた者の控えが一人分だけございます。引越したのは……」

　大家は帳面をひっくり返して表紙を改めた。

「ちょうど十年前ですな。その男の齢は四十八とありますから、まだ丈夫でいるのではないでしょうか」

「そのひとのお名前は？」

「紋作。根付け彫りの職人で、腕はいいが少し変った男でした。引越し先は佐内町ですな。ご存じでしょうか。江戸橋のじき南の町ですが……」

　佐知は紋作のくわしい住所を聞いた。

　礼を言って外に出る二人に、大家の富蔵は、ここでわかるのは紋作だけだが、名主をたずねて行けばそこには正式の書類があり、当時の連中の引越し先は大概知れるのではないかと言った。又八郎と佐知はその助言にも礼を述べたが、むろん幕府の役所を兼ねる名主の家に顔を出すつもりはまったくなかった。

三十

　根付け師の家は、狭いながらも表通りにあって、入口の土間の横が仕事場になっていた。紋作は髪こそ半ば白いが、浅黒い顔には艶《つや》があり、ごく丈夫そうに見えた。

眼尻《めじり》が上がった鋭い顔つきの男だったが、佐知の話を聞くと、ここでよかったらどうぞお上がりくださいと言って、仕事場に二人の坐る場所をあけてくれた。物言いは穏やかで、大家が言うようにさほど変った人柄とも見えなかった。

紋作は仕事中だったらしく、仕事台の上には作りかけの根付けや大小の鑿《のみ》が乱雑に散らばり、壁ぎわの棚《たな》には獣の角や出来上がった根付けが載っている。そして壁には長い象牙《ぞうげ》が無造作に横長に吊《つる》されていて、それはどうやら本物らしく見えた。仕事場の中には、それが角細工の匂いなのか、独特の匂いが籠《こも》っている。

「お武家さま方もご存じのように、むかし生きものを憐《あわ》れめという悪法がありやして、あっしらなども大きに迷惑いたしました」

と、紋作は切り出した。齢取ってはいるが、話しぶりはきびきびしている。

「なかにはずいぶん無法なお咎《とが》めもありやしたがね、みんな恐ろしいからお上に楯《たて》つく者なんぞ、いやしませんやね。ところがあの長次郎店に栂野《とがの》さんとおっしゃるご浪人さんがいましてね。ふだんはおとなしい方でしたが、わけあってご政道に逆らいなすったんでさ」

「…………」

「専十郎さんとおっしゃいましたなあ、お名前は。背が高くて、男ぶりのいいおひとでしたよ。お似合いのきれいなご新造さまと二人暮らしでした」

「………」

「栂野さんはあっしよりもずっと若いひとでしたが、やはりさすがはお武家さまで胆《きも》がすわっておられましたよ。事が起きたあとは、とことんお上に逆らいなすった。そしてお咎めを受けて打ち首になんなすったのです。ご新造さまが赤ん坊を生みなさって間もないころでしたなあ」

「すると……」

「あなたさまがおっしゃる乳呑《ちの》み子《ご》というのは、栂野さんの御子《おこ》のことですよ」

又八郎と佐知は思わず顔を見合わせた。そのとき、さっき茶の間から顔を出した紋作の女房と思われる女が、盆に麦湯を載せてはこんで来た。

なまぬるい麦湯だったが、疲れているせいかことのほかうまかった。佐知を見ると、やはりうまそうに麦湯を飲み干し、さてと言った。

「お上に逆らったということでしたが、栂野さんという方はじっさいにはどういうことをなさったのでしょうか」

「はじめは人助けでお働きになったのです。同じ長屋の若い者が憐れみの御法に触れることを仕出かしやしてね。大番屋のご吟味では済まずにお奉行所まで引き立てられったのです。それで栂野さんは、隣の誼《よしみ》でお奉行所にお上の慈悲をお願いしに行きなすったので、へい。それがそもそもの発端でした」

奉行所につかまったのは、長次郎店の浅吉という若者である。かなり齢の行った祖母と二人暮らしで、当人は古手物の行商をしていた。神田富沢町の古手屋で品物を仕入れ、市内から本所、深川まで売り歩くのが仕事である。

その日浅吉は、商いを仕舞った帰りに青物町の塩干物《しおぼしもの》屋に寄って鱈《たら》の頬肉《ほおにく》を買った。鱈のほっぺたの肉は火も塩も用いない、いわゆる素干しと呼ばれる品で、寒の内に水揚げした鱈の頬肉を切り取って、天然に干し上げるという気長な製法なので、首尾よく干し上がるまで半年以上もかかると言われる。

知る人ぞ知る美味を秘めているその鱈のほっぺたが、浅吉の祖母の好物だった。といっても格別値段が張るものでもないので、浅吉は商いがうまく行ったときとか、顔《かお》馴染《なじみ》になった青物町のその店の近くに行ったときなどは、よく祖母のみやげにほっぺたの肉の干物《ひもの》を買う。

頬肉だけではわるい気がして、ほかにも塩干の魚を少し買い加えて藁《わら》づとにしたものを下げて、浅吉は浅草御門を通り抜けた。そして河岸通りの平右衛門町の方に曲ったところで、いきなり犬に襲われたのである。

犬は干物が入った藁づとにかぶりついて逃げようとした。浅吉はもう少しで藁づとを奪われるところだったが、踏みこたえて犬と干物の取り合いになった。そのときはもう、逆上して目がくらんだようになっていた。浅吉は何度も犬を蹴《け》りとばした。ばあちゃんの好物を犬畜生に喰《く》われてたまるかと思っていたのである。

そのうちに、犬が藁づとをはなして急に物すごい鳴き声を立てた。犬は足をひきずり、鳴きながら逃げて行った。そのときになって、浅吉はようやく目がさめたような気持であたりを見回した。いつの間にかおどろくほど沢山の人がまわりを取りかこんでいた。そしてすぐに人垣《ひとがき》をわけて前に出て来た男が、竦《すく》み上がっている浅吉のそばに立つと、強い力で腕をつかんだ。

「そのまま、浅吉は帰って来ませんでした」

と紋作が言った。

「大家さんが心配して、あちこちと様子をさぐってくれたようでしたが、なにしろ犬に怪我《けが》を負わせたのがまずかったとかで、お仕置はまぬがれても遠島ぐらいにはなるんじゃないかという話でしたな。ばあさんは毎日泣いてましたよ。喰い物も喉を通らない、夜も眠れないというのですっかり窶《やつ》れましてね」

「…………」

「当然でさ。われわれだって悪い夢を見ているような気がしやしたからね。で、隣の家に住んでいる栂野さんが、見るに見かねて、といっても大家さんは無駄だからとしきりにとめていましたがね、振り切ってお奉行所をたずねて行ったというわけです。ところがです、夜おそくなって、栂野さんは血だらけでもどって来ました」

「血だらけ？」

「お奉行所で打擲《ちょうちゃく》されたのだという話でした。どんな人間が応対したのか知りませんがね、かりにもお武家の栂野さんを打擲しやがったんでさ」

紋作は、又八郎と佐知が奉行所の人間ででもあるように、鋭い一瞥《いちべつ》をくれた。なるほどこういうところが、人に変っていると言われる所以《ゆえん》かなと又八郎は思った。

「ま、もっともそれは大家さんが誰かに聞いて来た話で、栂野さんはそのことではご自分はひとこともおっしゃいませんでしたな。ただあっしのみるところ、栂野さんはそういうことがあってからあと少しお人柄が変りやしたね」

栂野専十郎は、長屋の者に好かれていた感じのいい笑顔を見せなくなった。提灯張《ちょうちん》りの内職も怠けがちになり、暗い顔をうつむけて外に出て行くことが多くなった。

そうしているうちに、栂野の家にやはり浪人ふうの男が二、三人、しきりに出入りするようになった。彼らが来ると、栂野は昼日中から戸を閉め切り、何か相談事をするような険しい調子の話し声を立てたり、そうかと思うと物音ひとつ立てずに小半日もじっと家に籠ったあと、夜が更《ふ》けてから客もろとも町に出て行ったりした。

「そして半年も経《た》ったころ、江戸の町まちにご政道批判とやら言う、お上に物申す張り紙が現われるようになったんでさ。それからまた半年ほどして、今度はお奉行所の手の者が長屋に踏んごんで来て、栂野さんを連れて行きやがった。ほかの連中はびっくりしたようですが、あっしはああやっぱりと思っただけでしたな。あんなに血が出るほどの打擲をうけて、栂野さんが何の仕返しもなさらねえはずがありませんからね」

栂野専十郎は、ご政道を悪《あ》しざまに非難した罪で遠島の刑を受けた。しかし栂野はみずからのぞんで幕府の高官の前に出してもらうと、今度は激越な言葉で生類《しょうるい》憐れみの令を罵《のの》しり、悪法が将来世におよぼす害を述べたてたので、刑がいっぺんに重くなり打ち首になった。

ところで専十郎の妻女は、元来が蒲柳《ほりゅう》の質で病気がちの女性だった。しかしさすがに武家の妻で、一連の事件の成行きにも取り乱したところは見せなかったが、いよいよ専十郎の処刑が伝えられると、まず乳の出がとまり、ついでたびたび寝込むようになった。赤ん坊には、同じ長屋の女房が乳を飲ませた。

「でも、それも長くはつづかなかったんでさ。人間気力をなくすると、あんなに急に弱るもんですかね。栂野さんのご新造さんは、それから間もなく亡くなられました。花が萎《しお》れるのを見るようで、あっという間の出来事でしたよ」

紋作は二人から目をはなすと、戸口にのぞいている外の闇に顔をむけた。そのままじっと外を眺めている。

あるいは紋作は、そのむかし若くして死んだその人妻に、ひそかに気持を寄せていたのではなかろうか、と思わせるような放心のいろが顔にうかんでいたが、あるいはそうではなく、その不しあわせな若夫婦は長次郎店のみんなに好かれていて、紋作に限らず、話し出せばいまも、ついこの間のことのように思い出が甦《よみがえ》るということなのかも知れなかった。

紋作は二人に顔をもどした。そして物語りたかったのはここまで話して来た事柄だというように、あとはややそっけない口調で言った。

「そしてあるとき、さっきご新造さんがおっしゃったように、赤ん坊はどっかにもらわれて行きました。いい家で子供を欲しがっているとかで、子供は大家が預かっていたんですが、ある晩その家の人が来て連れて行ったそうです。朝になるともういませんでした。でもその子は、結局育たずに間もなく死んだそうですよ」

又八郎と佐知は、また顔を見合わせた。佐知が言った。

「赤ん坊が死んだというのは、大家さんがそう言ったんですね」

「そうです」

「そのとき養子にくれてやった先がどこかは聞いていませんか」

「さあ、裕福な家だと聞いただけでね。それがどこかということまでは聞きませんでしたな。ま、あっしらもそれぞれ仕事がありやしてね、いつまでも赤ん坊を気にかけているわけにもいかなかったんでさ」

「それは、もっともですね」

「でも、死んだと聞いたときはがっかりしましたぜ。いいところにもらわれて行ったらしいって、喜んでたもんでね」

「女の子だったんですね」

「へい、女の子でした。丈夫で育てば、おっかさんに負けねえ美人になったかも知れねえのに、かわいそうなことをしましたよ」

紋作にいまの下屋敷のお部屋さまを見せたらどう思うだろうか、と又八郎はふと思った。紋作に聞くことは残らず聞いたようだった。

礼を言って土間に降りた二人に、見送りに立って来た紋作が言った。

「いま思い出しましたんですが、以前にも同じようなことを聞きにここをたずねて来たお武家さまがいましたよ」

佐知は、え？　と驚愕《きょうがく》の声を挙げ、又八郎も鋭く紋作を見た。二人の思いがけない反応は紋作をびっくりさせたらしい。声を落として、当惑したように言った。

「同じお屋敷の方ではないんでしょうか」

「いや、どうも別口らしいの」

又八郎が言うと、その間に態勢をたて直した佐知が聞いた。

「以前と言うと、それはいつごろのことですか」

「そうですなあ」

紋作はうつむいてさかやきのあたりを指で掻《か》いた。

「あっしがここへ越して来てしばらく経ってからですから、そうですなあ、いまから五、六年も前でしょうかね」

「どんな人だったかおぼえていますか」

「さあて、齢は六十前ごろでしたかな。ここに……」

と言って紋作は両方の鬢《びん》の毛を押さえた。

「真白な髪のある人で、背はお武家にしては小柄……。おぼえているのは、そんなところですかね」

「顔かたちはわかりませんか」

「忘れちまいましたね。あっしらから見ると、お武家さまはみな同じような顔に見えますんでね」

紋作は言ったが、ふと思い出したことがあるらしく、あ、そうそうと言って、自分の首を押さえた。

「この首がね、ふつうの人よりも長い方でしたよ、ええ。目立つほどにね」

「わかりました」

と言った佐知は、又八郎を振りむいて微笑し、その笑顔を紋作にも向けた。紋作が描いてみせた風貌《ふうぼう》は、いまは故人となった村越儀兵衛その人である。佐知の微笑には安堵《あんど》が現われていた。

「やはり同じ屋敷の者です。ご主人、大そうお手間をとらせました」

と佐知は言った。

刃 凶

三十一

紋作の家を出て、紅葉川《もみじがわ》に沿う材木町通りに出るとすぐに、佐知が言った。

「紋作をたずねたのは村越さまだったのですね。ご公儀の人間かと思っておどろきました」

「わしもおどろいた。まさか村越のじいさまが、何年も前に先回りしているとは思わなんだからの」

「五、六年前というと、あの時のことでしょうね。長戸屋の脅しを受けた時……」

「間違いない。脅しのタネが事実かどうか、確かめに来たのだ」

「でも、村越さまはどうして紋作の居場所がわかったのでしょうか」

「長戸屋が長次郎店を教えたからだろう。ま、これは推測になるが、長次郎店に行けばむかしのことを知っている者がいるとでも言ったかな。もっとも五、六年前となると事情はいまとそう違わんだろうから、村越も今日のわれわれのように引越した者の行方を大家に聞いたかも知れん」

「でも教えたのは今日会った大家ではありませんね。村越さまのことは何も言いませんでしたから」

「几帳面《きちようめん》だったというおやじでもない。おやじなら村越を紋作にやるまでもない。自分で事情を話したろうから、教えたのは裏店の誰かかな」

又八郎は立ちどまった。いつの間にか夜はやや更けて腹が空《す》いていた。

「腹が空いたな。飯を喰って行こうか」

「はい」

「どこがいいかな。このあたりはよく知らんのだが」

「この前、杉村屋の番頭に会った店に行きましょうか。あそこなら、頼めば食事だけでも出してくれると思いますけれども……」

「酒も出してもらっても、いっこうにかまわんぞ」

又八郎が言ったが、佐知は返事をしなかった。

又八郎はにが笑いした。こういうところが佐知の堅苦しいところだと思っていた。これから考えなければならないこと、しなければならないことは多々あって、酒を飲んでいる場合ではないことは又八郎にもわかっている。しかし半分は冗談で言ったことを生真面目《きまじめ》に黙殺されては、少々鼻白むなあと思ったのである。

しかしこれでも、と又八郎は思った。はじめて会ったころにくらべれば、このひともずいぶんとやわらかくはなったのだ、と佐知との運命としか言えない長いつき合いを振り返っていると、突然に佐知が言った。

「こんなときにこんなことを申し上げると、おさげすみになるかも知れませんけど……」

佐知はそこで、いったん口をつぐんでからつづけた。

「今日は思いがけなく、小半日もご一緒出来てたのしゅうございました。こんなことはもう出来ないものと思っておりましたから……」

「うむ」

又八郎は曖昧《あいまい》にうなった。

浪人したころとは違って、江戸詰の日々は万事不自由である。ことに屋敷勤めの女子と連れ立って外を歩くなどということは、何か特別の用でもない限りむつかしい話で、佐知がそう言う気持はよくわかる。しかし佐知のような言い方をされても、男は挨拶に困るというものだ、と又八郎は思っていた。

だが佐知は、聞こえたでもなく、聞こえないでもないといった又八郎のうなり声には頓着《とんちゃく》した様子もなく、さらに言葉をつづけた。

「今日のように、おそばに随《したが》って明るい町中を歩くなどということは、この先もう二度とございますまい。でも、これで本望です。思い残すことはございません」

「それはちと、大げさな申し様だ」

と又八郎は言った。

「まだこの先も、二人で歩く機会ぐらいはあろう」

「いいえ」

と佐知が言った。

「もうふた月もすれば、小塚助左衛門さまは帰府なさいましょう。ふた月という日にちなど、あっという間に過ぎ去りますよ」

佐知の声は、又八郎のうしろ、左斜めのあたりから聞こえて来る。淡々としたその声音に、かすかに悲傷がまじっているのを又八郎は聞き洩《も》らさなかった。

小塚助左衛門は、江戸屋敷で奥御用人を兼ねる近習頭取だが、いま現在は国元の鳥越の湯宿で病気加療中だった。又八郎は、助左衛門の代理で江戸屋敷に来ていて、助左衛門がもどれば交代して帰国することになっている。期間はおよそ半年と、藩では見込んでいた。その日まで、あとふた月しかないと佐知は言っているのである。

大方の男は、たとえ先に別離が見えていても、いちいちそこまでの日にちを数えたりはしないものだ。そのくせ、いざその日が来ると大いにあわてふためいて、うかうかと過ごしたそれまでの日々を悔んだりするのがつねである。

男女のことに関して言えば、又八郎もそうしたうかつな男の一人だった。やがて別れが来ることは承知していても、何の根拠もなしにそれがまだまだ先のことのように思っていた。それだけに佐知の声は胸に突きささって来る。

振りむくと、斜めうしろに佐知がいた。又八郎が立ちどまると、佐知も立ちどまった。

そこは京橋川に架かる白魚橋《しらうおばし》を南にわたったところで、暗くて佐知の顔はよく見えなかったが、町が灯を落とすほどに夜が更けたわけではないので、姿かたちはぼんやりと見えている。又八郎が手をさしのべたとき、築地側の蜊《あさり》河岸に提灯を持つ人が現われて、橋を渡って来るのが見えた。二人はいそいでそこを離れて、裏河岸の方に歩いた。

案じることはなく、絹川ではお茶漬《ちゃづ》けの軽い夜食という注文に、何の文句も言わなかった。この前杉村屋の番頭を接待したときはうっかり見過したが、この小料理屋は、ひょっとしたら佐知が時どき利用している店なのかも知れなかった。どこかにわがままが利《き》く店という気配があるのに、又八郎はおそまきながら気づいたが知らぬふりをした。嗅足の裏の事情は、又八郎には計り知れない。

それはともかく、奥まった小部屋に落ちついてみると、又八郎はかなり疲れているのを感じた。四肢《しし》にけだるい火照《ほて》りがある。さっきの佐知のせりふではないが、小半日も大体は歩き回ったせいだろう。

するると、佐知が言った。

「お疲れでございましょう」

「うむ、もはや紛れもない中年だ」

佐知は笑ったが、声は立てなかった。そしてもっと何か言いかけたときに、食事がはこばれて来た。二人はしばらく無言で夜食をしたためた。腹がすいていたせいもあるだろうが、添えられた焼いた塩鮭《しおざけ》と漬け物がやたらにうまかった。

食事を終って熱い茶をすすっていると、又八郎はさっきまでの疲労感がやや薄らいだようにも思えた。

「うまい茶漬けだった。店の勘定はわしが持とう」

又八郎が言うと、佐知は首を振って組の蓄えが不自由しないほどにあるから、その心配には及ばないと言った。

それから少し声を落としてつづけた。

「さっきはおどろきました」

「根付け職人の話だな」

「はい」

「あの男の話が真実なら、下屋敷のお部屋さまは刑死人の娘ということになる。しかも幕法にそむいた罪人であるところが肝要だ。もしいまの若殿に万一のことがあれば、幕府の刑死人の血をひく方がわが藩の藩主になりかねぬということに相なる」

「はい。ご公儀のしつこい探索を、村越さまを使役したどなたかが必死に逃れようとしているのももっともと思われます。放置すれば、ことは藩の浮沈にもかかわって参りましょうから」

「その男自身の、わが身の保全ということもあろう」

「それも決して軽視は出来ません。帰国したわが配下を、まばたきする間もなく消し去ったのは、むしろそのためではないかと考えております」

「この前申したように、彦十郎の話によればその男はいずれ、そなたらの組はむろん、秘密に触れたわしに至るまで鏖《みなごろ》しにするために刺客を送って来るそうだ。どうするな？」

「江戸嗅足にも備えはございます。あまりご心配なされますな」

佐知は落ちついた口調で言った。

「しかしその心配の前に、まず公儀の手の者の追及を絶つことが肝心かと思われます」

その言い方で、又八郎は佐知が今日一日の探索から公儀の追跡を振り切る方策をつかんだのを感じた。あの老人を消すつもりだな、と又八郎は思った。

本郷平野屋の奉公人から根付け師紋作に至る線を断てば、公儀の探索といえども跡を追って来ることはまず無理だろう。そしてこの場合の要《かなめ》は本郷の老人で、長次郎店の大家でも根付け師でもない。老人を始末すれば、長次郎店と平野屋、長戸屋を結ぶつながりは消滅する。

かりに、と又八郎は思った。公儀がむかし平野屋の家作だった事実を手づるに長次郎店にたどりつき（公儀の威光をもってすればあり得ないことではない）、栂野一家の悲惨な出来事を知り、その直後に平野屋が家作を手放したことを知ったとしても、そのときの幼児が長戸屋の貰《もら》い子《ご》となったことを証明出来る人間は、一人も残ってはいない。

又八郎は佐知の顔を見た。

「なにか、手伝うことはあるかな」

「いえ、わたくしどもだけで何とか……」

と佐知は言った。佐知は浮かない表情をしていた。又八郎は、佐知が昼間、仏心が芽ばえたと言ったのを思い出した。

又八郎は話題を変えた。

「どうもわからんことがある」

「はい、何でしょうか」

「江戸嗅足の者三名が、帰国するやいなや斬殺《ざんさつ》された。ということは、相手はこの三人を嗅足の女子と知っていたとしか思えん」

「そうでございますね」

「ところがだ、この前若松町でそなたらが会合した折の話を聞いていると、村越儀兵衛が毒殺した小雪と申す娘は組の者ではないらしい。そうであったな」

「はい」

「村越のうしろにいた男が、なぜこういうちぐはぐな間違いをしたかがわからん」

「そのことなら、およその見当はついております」

と佐知は言った。

「江戸の組の者は、ことが起きたときにいちいち国元の指図を仰いでいては急場の間に合いませんので、あらかたはこちらの判断で動くことを許されております。けれども、形はもちろん国元の組の指揮下に属するわけでございますから、お頭には江戸の組の名簿をさし上げております。組の者に変更があれば、それも通知します」

「ふむ」

「そのような事情で、組のもっとも新しい名簿は榊原《さかきばら》さまがお持ちでした。しかし帰国した組の者を斬った相手は、その名簿を手に入れていた疑いがあります」

ところで、頭の榊原造酒《みき》にしても、名簿は手もとにあっても江戸嗅足の顔までわかっていたわけではないと佐知は言った。

江戸嗅足の女たちは、およそ半数が国元で嗅足の修行をした者で、あとの半数は江戸で修行した（その修行の場所は藩主家の遠縁にあたる旗本某家の邸内にある、と佐知は打ち明けた）者である。江戸で嗅足組に加えられる者は、屋敷勤めの女たちの中から佐知がえらんで仕込んだ者たちなので、お頭といえども顔を知らないのは当然だが、国元の嗅足組で鍛えられた女たちも、出府するからといって特に頭に挨拶《あいさつ》するということはしない習わしであった。女たちは嗅足の身分を隠したまま、ひっそりと江戸に出て来る。

ただ名簿には、たとえば足軽何某《なにがし》の次女、勘定方何某の妹、あるいは御賄方《おまかないかた》何某の叔母というように、残らず藩中の身分が記されているので、必要があって本人を突きとめようとすれば、わけもないことだった。

思うに暗殺者はその名簿を手に入れていて、あらかじめ国境《くにざかい》の関所か、城下の入口に網を張っておいて待ち伏せをかけたのではあるまいかと佐知は言った。

「青江さまもお気づきのように、その人物は全部かどうかはわかりかねますが、二の組の嗅足をいまもわが手におさめて使役しているようです。しかるべき場所に網を張ったとすれば、おそらくその男たちを使ったに違いありません」

「名簿を手に入れ、二の組の男たちを手足に使っている、か」

又八郎は腕をこまねいた。そしてかねての疑念を口に出した。

「まさか、昨日出府して来たあのご仁ではあるまいな」

「ご家老のことですか」

と佐知は言った。佐知がご家老と言ったのは、急用で出府して来た坂井主税《ちから》のことである。相変らず精力的な男で、幕府の要職にある人間に会う約束だとかで、数々の手土産の品を持つ供をしたがえて今日も朝早くから屋敷を出て行った。

又八郎がそうだと言うと、佐知は首を振った。

「それは違うと思いますよ」

「しかし、下屋敷のお部屋さまを殿に献じて大いに得をした者といえば、ご家老を措《お》いてほかに人はおらん。栄進につぐ栄進のただならなさは、万人の認めるところだ」

「わたくしも最初は疑いを持ちましたけれども、杉村屋の番頭の話を聞いてからは、考えを改めました。坂井さまは要するに実務をすすめられただけで、わたくしどもがこれまでに知ることが出来たようなお部屋さまのご事情については、何も知らされていないのではないでしょうか。むかしのみならず、いま現在もです」

「ほう」

又八郎は鋭く佐知を見た。

「そうなるとお屋敷で船橋どのと激論をかわしたのは坂井家老ではない、したがって死んだ村越を江戸の手足としていた人物もまた、ご家老ではないということに相成らんか」

「はい、多分……」

「そしてまた、帰国した江戸の組の者を斬《き》ったのも、坂井家老ではないと申すのだな」

「はい、そのことですけれども、とよの報告を聞いたときただちには気づきませんでしたが、坂井家老が江戸嗅足の名簿を手に入れることは、まずあり得ないことなのです。前にお話し申し上げたかも知れませんが、ご支配の家老と申しますのはあくまでも殿さまと組との仲介人、組に対して何らかの権限を持つものではありません」

「ふむ、いわばお飾りに類したものだ」

「執政の方々が気休めに設けられたお役目と申してよろしいかと思います。その方に、榊原さまがいわば嗅足の手の内ともいうべき名簿を渡したりお見せしたりすることは、有り得ません」

「すると、やはりべつの人間だ」

又八郎は言って、なおも鋭い目を佐知に注いだ。佐知がこちらにまだ打明けていないことがあるような気がしている。ずばりと言ってみた。

「ひょっとするとそなた、その黒幕に心あたりがあるのではないかな」

「…………」

佐知はしばらく首をかしげていたが、やがてゆっくりと首を振った。

「こうではなかろうかと思うことがないわけではありませんが、それについては腑《ふ》に落ちぬことが多すぎまして、いまここで青江さまにわたくしの推量を申し上げるわけには参りません」

「さようか。わしはまたそなたが、背が高くて痩《や》せ型、つまりひょろひょろしておる男だ、さらに蓬髪《ほうはつ》で目はくぼみ、鼻が高い、そういう男に心あたりがあるのではないかという気もしておったのだが……」

「いいえ」

佐知は訝《いぶか》しそうに又八郎を見た。

「青江さまこそ、杉江を斬ったその人物のことでお気づきのことでもあるのでしょうか」

「いや」

黒幕自身である公算が大きいと思われるその男の風貌《ふうぼう》に、佐知がまったく心あたりがないことは、その表情を見ただけでわかった。心あたりがあろうはずがない、何か気づいたことがあればとっくに申しておる、と又八郎は言った。

「ところで、話をもとにもどそうか」

「はい、小雪のことですね」

「さようだ。名簿があっても顔がわかるとは限らんというさっきの話だったが、するとますますわけがわからなくなる」

「はい、どのように……」

「奥勤めの小雪が争論の場所にお茶をはこんで行ったときも、当然顔を見ただけでは嗅足の者かどうかはわからなかったわけだ。にもかかわらずなぜ疑われたのかという疑問が残る。それとも小雪は、単に秘事を立ち聞きしたと思われて消されたのか……」

「それにはべつの事情がございます」

と佐知は言った。

「表役についてはこの前ご説明しましたが、その役は以前はうち一名を江戸嗅足が勤める習わしでした。しかし実際にはその人選が奥勤めに限られることから人のやりくりがむつかしく、またあるとき不手際《ふてぎわ》があって、その工作が表に洩《も》れかけ、不審を持たれたことがございました。そこでまだ在世中だった父と相談して、組の者を表役からはずすことにしたのです」

「それは、いつごろの話だな」

「十二、三年前にもなりましょうか」

「そうするといま現在はむろん、船橋どのと黒幕と思われるその人物が屋敷で激論をかわしたときも、もう表役には嗅足を使っておらなかったわけだ」

「誤解のないように申しますと、たまたま組合わせで組の者が表に出ることもございましたが、以前のように目で見、耳を欹《そばだ》てて表の動きをさぐる勤めは免ぜられていたということです」

「なるほど」

又八郎は腕を組んだ。

「船橋どのと論争した男は、そのことを知らなかったことに相なるな。それで小雪を毒殺したか」

「しかし逆に申せばその人物は、その以前には表役に嗅足を入れる組のしきたりがあったことを知っていたことになりますね」

二人はしばらく無言で顔を見合わせた。

その夜又八郎は、夢うつつに外から佐知が入って来る気配を感じて目ざめた。音もなくそばににじり寄った佐知が、押し殺した声で言った。

「お目ざめでしょうか」

「目ざめておる」

又八郎は夜具をはねのけると、すばやく畳におりて坐《すわ》った。佐知の気配がいつもと違うのに気づいていた。

「いかがいたした」

「本郷まで行って参りましたが……」

「………」

「亀七というさきほどの老人は、殺されておりました」

江戸の町には網の目のように木戸が張りめぐらされているが、まだ新道と言い横町という抜け道も残っていた。佐知は手のひらを読むように知悉《ちしつ》している夜の抜け道を伝って、飛ぶように本郷の平野屋に達した。

又八郎が主人の吉右衛門と話している間に、佐知は裏に回ってはばかりを借りた。そして裏の敷地に一棟の長屋があって、そこに一部の奉公人が住んでいることを確かめた。佐知が塀《へい》を乗りこえて忍び寄ったのは、その長屋である。

亀七老人は、公儀と藩の暗闘の要《かなめ》だった。躊躇《ちゅうちょ》なく消さなければならなかった。そこに亀七がいなければ母屋《おもや》に忍びこむつもりだった。だがその必要はなかった。長屋の中にもはや丑三《うしみ》つにもなろうという時刻に、まだほそぼそと灯《ひ》をともしている家があって、のぞくと昼の老人が死んでいたのである。

佐知は何かの罠《わな》にかかったかと思い、総身を冷や汗で濡《ぬ》らしながら身動きもせず物の気配をさぐったが、ほかに人の気配はなかった。そこで家の中に入って灯を消し、すばやく長屋から逃れ出たのである。

「平野屋のことも、かの老人のことも、村越のじいさまなら長戸屋から聞いただろう」

「そして当然、国元のその人も、村越さまから聞いていたと思われます」

「亀七を消したのは、すると指令を受けた平井たちかな」

「いいえ」

佐知は膝《ひざ》が触れるところまで又八郎に近づいてささやいた。

「お気づきではありませんでしたか。二の組の者たちは三日前に残らず国に帰りました」


又八郎と佐知が深夜の江戸屋敷で緊迫したやりとりの言葉をかわしているころ、安斎彦十郎は千住上宿のぼたん屋という、名前にそぐわない小さな木賃宿の二階で、眠れない夜を過ごしていた。

眠れないのは、ここ二、三日の間に何か重要なことを見のがしてしまったような、落ちつかない気分があるからだった。

彦十郎は見張っている間に宿を通過して行った藩関係の人間の顔を、またもやおさらいするように丁寧に、一人ずつ思い出してみる。家老の坂井主税《ちから》とその供の男たち、御医師の滝川養庵《ようあん》、江戸詰小姓宮坂助弥《すけや》、多田文次郎、御納戸《おなんど》方《かた》杉山弥右衛門《やえもん》、そして三日前に帰国して行った平井忠蔵、橋本庄七《しょうしち》、中台多次郎、また坂井家老が出府する前日に江戸に来た一人の人物。結局気になるのはその人のようだが、しかしその理由はわからないと彦十郎は思った。

――まあ、明日……。

江戸屋敷に行って少し確かめてみよう。そう決めると、ようやく彦十郎に眠気がおとずれて来た。江戸のはずれの土地のせいか、昼にくらべて夜は思いがけないほどに冷えて来る。彦十郎は悪臭がこもる夜具を頭からかずいて眠った。

三十二

その日、青江又八郎は三田から赤羽橋にかかる道を北に歩いていた。公用で、三田にある親戚《しんせき》藩の江戸屋敷に行って来た帰りだった。

道には人の姿は少なく、橋の手前に職人ふうの身なりの男、橋の上に小僧を連れた商人ふうの男が、それぞれこちらに背を向けて歩いているだけで、人にも道にも七ツ(午後四時)過ぎの日射しが降りそそいでいた。

斜めに傾いた日はむろん又八郎にも射しかけて、又八郎は道わきの家の影に入ったり、そこを出て日に照らされたりして歩いて行く。日の光は半月前のはげしさを失って、物の影が濃かった。風景は、まだ繁茂する緑に覆《おお》われているが、そのどこかに季節の変り目がおとずれている気配が否《いな》めなかった。

橋のむこう側に盛り上がっている三縁山《さんえんざん》増上寺の樹林は、勢いよく日の光を弾《はじ》いているけれども、その緑の塊りから少しはなれて、遠い空の一角にうかんで見えている雲は、夏の間には見かけなかった、はかなげにうすい雲の集まりだった。

——秋か。

又八郎は小さく渋面をつくった。小塚助左衛門が予定のごとく江戸屋敷に復帰するとすれば、もうさほどの時は残されていないと思ったのである。

それまでに、江戸に潜入して来るとみられる国元の刺客を仕留めることが出来るだろうか、また佐知との別れを悔いが残らないものに出来るだろうかと思いながら、又八郎は久留米《くるめ》藩上屋敷の前を通りすぎた。そして同じように前方から橋に近づいて来る男たちをぼんやりと眺《なが》めて歩いたようである。

おや、あの男はと思ったのは、男たちがどういうわけか目の前の橋を渡らずに、その手前でついと右に折れ、川岸の草むら道に入って行くのを見送ったときだった。

男たちは四人、ほかの三人には見おぼえがなかったが、一人は用心棒細谷源太夫の相棒である。すぐに初村賛之丞という名前がうかんで来た。そして、初村と同道している三人も武家だったが、その男たちは初村とは身なりが違っていた。用心棒仲間といった雰囲気《ふんいき》ではなかった。

それでもふつうなら彼らを初村の仕事の上の関《かか》わり合いの男たちかと思うところだが、一瞥《いちべつ》しただけで又八郎はその見方を捨てた。初村賛之丞はほかの三人の男に取り囲まれ、監視されていた。

初村を取り囲んで川岸に連れこんだ男たちのうち、二人は羽織、袴《はかま》の身分ありげなりっぱな風采《ふうさい》の人間で、もう一人は、その二人にくらべるとはるかに若い武士だった。まだ二十《はたち》そこそことみえる若い武士は旅支度をしていた。というよりも、旅支度のまとりあえず一行に加わっているという様子に見える。

その男たちに囲まれる恰好《かっこう》で、初村賛之丞は折り目も見えない袴をつけた見すぼらしい姿で歩いていた。ただ、男たちと同道するのをいやがっているようには見えず、足どりは平然としている。四人は川岸の奥に見える荒れ地にむかっているようだった。

そこは摂津麻田藩の上屋敷の裏手で、邸内の樹木の枝が小暗く覆いかぶさる殺風景な板塀と川にはさまれた場所である。邸内の高い樹木が投げかける影と岸に立つ数本の川楊《かわやなぎ》の木が、その一角をたそがれめいた色で包み、荒れ地の一部は葦《よし》の茂る湿地になっているのが遠目に見えた。

又八郎はいそいで赤羽橋を渡ると、川岸に下りて男たちを追った。男たちをつつんでいる不穏な感じは、見過して通れないものだった。もっとも初村がいなければ、後を追う気になったかどうかは疑問だが、又八郎は初村賛之丞が何かの厄介《やっかい》ごとに巻きこまれているような感じをうけている。

後を追う又八郎に、やがて男たちも気づいたらしい。初村をふくめた四人は足をとめ、振りむいて又八郎をじっと見た。そして中の一人が足早に引き返して来ると、行手を遮《さえぎ》るように又八郎の前に立った。

「失礼ながら……」

初村よりやや齢《とし》が上かと思われる、三十前後のその男は丁重な態度で声をかけて来た。

「どちらへ参られる」

「あっちの方……」

又八郎は上流の橋の方角を指さしたが、すぐにその手をおろして微笑した。

「と申したいが、いや、正直に申そう。そちらさまの中に顔見知りの者を見かけましてな。ひとこと話したいことがあって追って参った次第……」

「顔見知り……」

男の顔に、みるみる困惑の表情がひろがった。それもひととおりの困りようではない、苦痛に近い表情を男は顔にうかべて、又八郎を見た。

「むろん、初村のことでござるな」

「さよう」

又八郎は答えながら、油断なく男を見守った。目の前の男が、自分の出現を迷惑に思っていることは十分に感じ取っているが、追いかけて来たからには事情がはっきりするまで引き下がるつもりはなかった。

むろん、初村が何かの面倒に巻きこまれて困っているのなら、場合によっては一臂《いっぴ》の力をかさねばなるまい。初村賛之丞は細谷が頼りにしている相棒である。だがそう思う一方で、又八郎は自分が何かしらひどく場違いな、余分な差し出口を利《き》いているような居心地わるさも感じはじめていた。

その感じは言うまでもなく男たちの自分に対する態度から来ていた。少し離れてこちらに顔をむけている男たちも、きわめて平静に又八郎と男の話し合いを見守っている。その感じは初村賛之丞も例外ではなかった。静かにこちらの掛け合いが埒《らち》あくのを待っている気配である。

――初村？

いま、この男は初村と言ったなと又八郎が改めて気づいたとき、目の前の男が意を決したという顔色になって言った。

「じつはよんどころ無い事情があって、初村とわれわれはこれから斬り合わねばなりません。ご不審もござろうが、このまま黙ってお引き取り願えまいか」

「いかにも、引き下がりましょう」

と又八郎は言った。もうすっかり事情が読めていた。この男たちが、初村賛之丞が待っていた国元の男たちなのだ。

「敵討《かたきう》ちでござるな」

又八郎がそう言うと、目の前の男はすばやくうしろにさがって刀の鯉口《こいぐち》を切った。又八郎は手を上げた。

「いや、話はうかがっているが敵討ちとなれば事情はまた格別、手出しするつもりは毛頭ござらん。存分に斬り合われよ」

そのとき前方にいた男たちの中から、四十半ばかと思われる一番の年嵩《としかさ》の男が、又八郎とむかい合っている男を呼んだ。

「賛之丞が、そこのご仁に何事かたっての頼みがあるそうだ。話させてはどうか」

呼ばれた男は、その声を聞くと又八郎と初村を見くらべるようにしたが、やがて、ではこちらへと言った。

又八郎は男に監視されながら、奥にいる三人に近づいて行った。初村賛之丞は静かに立っていた。袴こそ見すぼらしかったが、着ているものはさっぱりと洗ったもので、髪もきれいに梳《くしけず》っている。

それだけでなく、初村は以前に見た眉《まゆ》のあたりの底知れない暗い感じが消えて、ごくふつうの若者のような顔をしていた。又八郎が近づくと、とうとう見つかってこの始末です、と言ったが、その声は淡々として聞えた。

「いつ見つかるかと、息をつめて暮らすのも気の重いものですから、これはこれで仕方ありませんが、気がかりなのは細谷どのです」

と初村は言い、いま細谷源太夫と二人で雇われている家の名前を言った。

その家は、汐留橋《しおどめばし》の北にある木挽町《こびきちょう》七丁目の煙草《たばこ》問屋美濃屋で、細谷と初村が用心棒に雇われたのは、今年の春ごろから霊岸島、築地といった海に近い町々に、頻々《ひんぴん》と夜盗が出没しているためだった。

「委細は細谷どのからお聞きいただきたいが、われわれはここ二、三日が仕事の山と見ておりました。細谷どのの身が気がかりでなりません。まことに勝手な申しようながら、一度あの方を見舞ってはいただけませんでしょうか」

初村は、又八郎をひたと見つめながら、よどみなく言った。底知れない暗がりにうずくまっていたようだったかつての印象は消え失せて、初村は新たな前途を見出《みいだ》した男のように、ほとんど明るい口調でしゃべっている。

やや奇異な感じをうけながら、又八郎はうなずいた。いまのこの異常な状況をべつにすれば、初村の心配は、まさに当を得たものだと思われた。

「承知した。美濃屋とやらをたずねてみよう」

「かたじけのうござる」

初村が一礼すると、さっき声をかけて来た年長の男が、又八郎にむかってよろしいかと言った。声音も態度も落ちついた男である。

「ご配慮痛み入る」

又八郎は礼を言った。

「思わぬ邪魔をいたし、お詫《わ》び申し上げる。では、それがしはこれで退散いたそう」

言うと、又八郎は足早に川岸を引き返した。しかし、橋の手前三間ほどのところで立ちどまると、あとにして来た四人の方に向き直った。

頼まれたわけではないが、それとなく検分役を果たすつもりだった。それに、斬り合いに気づいて川岸に下りて来る者がいれば、ここのあたりで阻止しなければなるまい。そう思って見守っていると、さっき又八郎と話した場所からさらに奥に入って行った四人が、ようやく立ちどまったのが見えた。

立ちどまるとすぐに、一番若い武士が旅装の打飼《うちが》いと羽織を捨て、あとの二人も羽織をぬぎ捨てた。すると羽織の下から白い襷《たすき》が現われた。男たちはそれだけの用意をしていたようである。

そして格別の名乗りというものもなく、突然に斬り合いがはじまった。四人が刀を抜いたその場所は、麻田藩の屋敷の木が塀の外まで大きく枝をひろげている場所で、斬り合う男たちは枝の下の暗がりに入って見えなくなったり、日のあたる湿地の方に出て来て刀を光らせたりした。時どき刀を打ち合わせる音がひびいて来るが、その音もさほど高くは聞こえなかった。

斬り合いは長びいていた。ということは、初村賛之丞が三人の討手を相手に、よく戦っているということである。初村を、丹石《たんせき》流の名手だと言った細谷の言葉が頭にうかんだ。

「お武家さま」

不意にうしろから声がかかって、又八郎はおどろいて振りむいた。橋のそばにはやくも町人ふうの男が三人立っていて、一人は遠い川岸の斬り合いを指さしている。

好奇心丸出しの顔で、その若い男が言った。

「あれは何でしょう、喧嘩《けんか》ですか」

「詮索無用」

又八郎は思わず険しい声を出した。

「そこに立っていると、関わり合いになるぞ。さあ、行った、行った」

男たちは又八郎の見幕におどろいて橋を渡ったが、渡り切った袂《たもと》で足をとめ、改めて川岸の斬り合いを見ている。

又八郎は斬り合いに目をもどした。すると、町人たちと口を利いているわずかな間に、変化が起きていた。男たちの一人は草むらの中に倒れ、一人は膝をついて立ち上がろうと試みながら、立てずにいる。まだ斬り合っているのは、初村と若い武士の二人だけだった。

不意に初村が大きく間をあけた。そして若い武士にむかって、何事か大声で叫びかけたようである。武士もそれに答えたが、又八郎の耳には意味不明の叫び声にしか聞えなかった。つぎの瞬間、二人は四、五間の距離を一気に走り寄って刀を打ち合った。

打ち合った剣の速さは同じように見えたが、二人が離れたあとに、よろめき倒れたのは初村賛之丞だった。初村はよろめきながら川の方に歩き、湿地の葦に頭からのめり込む形で倒れた。そこは塀の上から邪魔物もなしに川岸を日射しが照らしている場所で、初村の動きは芝居の所作のように、くっきりと見えた。すぐに、若い武士がとどめを刺すために湿地に踏みこんで行った。

又八郎は、怪我《けが》をした年長の武士を肩にかけて、若い武士がもどって来るのを待って声をかけた。

「本望を遂げられ、祝着《しゅうちゃく》に存ずる」

二人は低い声で挨拶《あいさつ》を返したが、肩と腿から血を滴らせている年長の武士が言った。

「ことのついでと申しては失礼だが、これより当屋敷に……」

と言って、武士は高い塀を仰いだ。

「とどけて出ようと存ずる。ご迷惑かも知れぬが、仔細《しさい》を見とどけた立合い人として同道願えまいか」

「承知いたした」

と又八郎は言った。橋ぎわにはいつの間にか黒山の人だかりがしていて、又八郎の介添えなしには、二人は麻田藩邸の門前にたどりつくのも容易ではあるまいと思われたのである。

三十三

「賛之丞は、当然自分の妻になるものと思っていた遠縁のその女子《おなご》が、片倉という家に嫁《とつ》ぐと決まったとき、片倉が家柄《いえがら》に物を言わせてわが女を奪ったと思ったそうだ」

細谷は背中に隠してあった徳利《とくり》をつかみ出すと、すばやく口をあけてぐびりとひと口飲んだ。

刀を肩に立てかけて壁によりかかっている渋谷雄之助は、その様子を見ておもしろそうな顔をしたが、青江又八郎は顔をしかめた。

「がまん出来んのか」

「なに、こんなものは水みたいなものだ。ちっとも酔うもんじゃない」

細谷は言ったが、その息は十分に酒臭かった。細谷はもうひと口呷《あお》ると未練気に徳利に栓《せん》をして、また背中のうしろに隠した。

三人がいるのは、木挽町七丁目の煙草問屋美濃屋のひと部屋である。そこは茶の間の前にある奉公人部屋だが、細谷たち用心棒が雇われて来てからは、奉公人は二階の部屋にまとまって寝ていた。

いまは茶の間はもちろん、二階も、台所の女中部屋も、人が寝静まったのかひっそりとしている。もっとも、いつ夜盗が押し入って来るかわからず、寝ずの番の用心棒を頼んでいる有様では、店の人々の眠りも決して深くはないだろうとも思われた。

死んだ初村賛之丞の引きつぎをうけて、又八郎が細谷の仕事場に顔を出すようになってから五日が経《た》っている。渋谷雄之助を呼んで、一緒につれて来ているのは、主持《しゅうも》ちの又八郎が毎夜町家の寝ずの番にはげむわけにもいかないからだが、半ばは修羅《しゅら》場《ば》の働きに自信を持てなかったということでもある。

夜盗は四、五人で、その場の成行きで無造作に人も殺す凶悪な連中だという。なに、おれ一人で大丈夫だと細谷は言うが、そういう本人がいざというときはほとんど役に立たないだろうことは、酒に崩れた風体ひとつとってもわかる。

さればといって又八郎も、四、五人の夜盗を一人で引きうけるには、人間にやや薹《とう》が立ったという自覚があった。そこで雄之助に助力をもとめたのだが、その雄之助が二つ返事で助勢に駆けつけて来ると、それはそれでまた新たな頭痛の種となった。

——渋谷に何と言いわけしよう。

と思うのだ。雄之助の父甚之丞《じんのじょう》は、江戸に遊学している息子の秀才ぶりを、遠回しに自慢して鼻をうごめかせたものの、その息子が江戸で剣の修業に打ち込み、ほかの道場の腕自慢と手荒い喧嘩《けんか》までしているなどということはいっこうに知らない様子だった。

しかしそれはまあいい。若くて血の気の多い倅《せがれ》などというものは、とかく父親の目のとどかないところで、親が知ったら目を剝《む》くような危ないことに手を出しているものである。その危険を、いちいち親が手を出して防いでやるなどということは出来るわけがないし、またその必要もない。そういう危険を、自分なりにしのぐことで子は成長するのである。

しかし、だからと言って雄之助に用心棒仕事を手伝わせるのを、甚之丞が喜ぶとは思えなかった。必ずにがい顔をするだろう。二言、三言はわしを責めるかも知れんな、と考えると又八郎は身が縮む思いである。

とにかく、雄之助に怪我をさせることだけは絶対に避けねばならない一事である。しかし一番いいのは、夜盗がこの家を見逭《みのが》してくれることである。

源太夫、と又八郎は呼びかけた。

「盗《ぬす》っ人《と》が、必ずこの家を襲うとは限るまい。ほかにも大きい店はあろう」

「そりゃあ必ず来るとは言えんだろう」

と細谷は言った。

「しかし、この店で用心棒を雇ったのにはわけがある」

「ほう、どんなわけだ」

「美濃屋が音頭《おんど》をとって問屋仲間をつくるとか、つくったとかで、いまこの家には公儀におさめる同業の金があつまって来ておる。大金だ。盗っ人がその金の匂《にお》いを嗅《か》ぎつけはしないかと、主人は近ごろ、商いも手につかぬほど心配しているのよ」

うむ、と又八郎はうなった。それでは夜盗がつかまるか、この家が襲われるか、何らかの形で結着がつくまでは、美濃屋から手をひけそうもないと思ったのだ。ただし、細谷にこの仕事からおりる気持があれば、話はべつである。

「そこまで承知していても、貴公この仕事からおりるつもりはないのだな」

「途中でおりるのは性に合わん」

と細谷は言った。

「それに、これはわしの最後の仕事だろうよ。賛之丞がいなくなっては、用心棒稼業《かぎょう》もおしまいよ。わしも観念した。せめて最後の仕事ぐらいは、帳尻《ちょうじり》を合わせてしまいにせんとな」

細谷は赤くにごった目で又八郎をじろりと見た。そして欲で言うのではないぞと言った。

「やつのためにも、この仕事は何とか片づけたい。おぬしが助けぬというなら、それもやむを得ぬ。一人でやる」

「助けぬというわけではないが、わしも主持ち……」

と言ったとき、又八郎の顔に、ふと飼われているという言葉がうかんだ。喰《く》い扶持《ぶち》をもらって、ために暮らしは安泰だが、そのかわりに日常は狭い規矩《きく》の中に押しこめられて手も足も出ぬ。

そう思った反動のように、又八郎の頭には、むかし細谷源太夫と過ごした野放図な浪人暮らしの月日が、懐《なつ》かしく甦《よみがえ》って来た。危険を紙一重でやり過ごすような日々だったが、一剣を恃《たの》んで恐れを知らなかったものだ。

そんな日々にも、ずいぶんおもしろいことはあった。なによりも身も心も自由だった。あのころにくらべれば、いまのおれは心身ともに小さくかがんで生きているとは言えぬか。細谷がこの齢になって、なおも用心棒というしがない仕事にしがみついているのを憐《あわ》れみ笑うべきではない。

細谷は細谷で、彼らしく筋を通して生きて来たことを認めねばなるまい、と又八郎が思ったとき、細谷がさっきの話のつづきだが、と言った。

「賛之丞は、人を使ってひそかに女の本心を突きとめようとしたが、女は一度も答えなかったそうだ。そこで参勤の一行が出発して、城下が手薄になったころのある夜、やつは片倉という上士屋敷に斬りこんだのだ」

「…………」

「恋敵《こいがたき》の片倉を一刀で仕留め、その妻である女を連れて逃げようと思ったとき、なんとその女が斬りかかって来た。そのときとっさに女を斬ってしまったことが、その後の賛之丞の悔恨の種子《たね》となったのだ。追手の追跡を斬り抜けて江戸にたどりついたものの、わしと会ったころは何やらん生ける屍《しかばね》といった塩梅《あんばい》だったの」

「わが妻にというのは……」

と又八郎が口をはさんだ。

「賛之丞のひとり合点《がてん》ではなかったのか」

「否《いな》とよ」

細谷は古風な言葉を持ち出して否定した。

「契《ちぎ》った仲だと言っておったな。女が心変りしたのだ」

細谷は背中に隠していた徳利を出すと、いそがしく栓を抜き、徳利に口をつけてぐびりと飲んだ。片手で持ち上げるそのしぐさで、中身がだいぶ減っているのが見てとれる。

「気持の素直な若者だった」

細谷はまたひと口酒を飲むと、目をつぶった。その目から不意に涙があふれ出たのが、裸火に光って見えた。

「気持は女子のようにやさしかったが、剣は出来た。賛之丞には、危《あや》ういところをたびたび救われたものだ」

繰り言を言っては喉《のど》に酒を流しこんでいる細谷を、壁に寄りかかって刀を抱いた姿勢でいる雄之助がじっと見つめている。

「仇討《あだう》ちの者がたずねあてて来るのを、あれは待っておった。いさぎよく討たれてやることだけが、やつの望みだったのだ。あたら若い者が、あわれな話ではないか、青江」

「どれ、少し見回って来るか」

又八郎は立ち上がると、柱に下げてある手燭《てしよく》をつかんで百匁蠟燭《ひやくめろうそく》から火を移し、廊下に出た。

はじめに台所に行き、中から材木で釘付《くぎづ》けにしてある出入口を確かめる。異常はなかった。ついで廊下を奥の客部屋のそばまで調べ、もどって茶の間横の玄関の戸締まりを見た。又八郎は引き返して、今度は店にむかった。

──さて……。

時刻はそろそろ四ツ（午後十時）ごろか、と又八郎は思った。まだ何の気配もないからには、今夜も夜盗は来ないとみていいのではなかろうか。

美濃屋の主人の話によると、夜盗は川舟を使って町に出没している形跡があり、そのため官では町奉行所の手の者だけでなく、ひそかに火盗改めの人数を動かし、さらに川船番所の警戒も強めているということだった。細谷の助勢を買って出てから五日、その間夜盗騒ぎが起きていないのは、盗賊の方でも厳重な警戒を察知して二の足を踏んでいるのだとも考えられる、と又八郎は思った。

と、すれば今夜は、あとを雄之助にまかせていったん藩屋敷にもどる方がいいかも知れない、と思うものの、又八郎には一抹《いちまつ》の不安がある。

むかし気を張りつめて用心棒を勤めたころは、盗賊が襲って来るときには必ず何かの徴候らしきものをとらえたものだ、ということである。いわば鼻が利いたのだ。その勘が命を救ったことも一再ではない。

だが、いまは又八郎の嗅覚《きゅうかく》は鈍麻して、盗賊の一味が向かいの家の庇《ひさし》の下からこちらの店先を窺《うかが》っていたとしても、はたしてそれと見破れるかどうかも心もとない。まして細谷源太夫は、むかしから鈍い勘をしている上に酒毒に冒されているし、雄之助はやる気十分だが、用心棒としてはまったくの素人《しろうと》である。

——さて……。

どうしたものかと迷って、又八郎が手燭を柱の釘に懸けて腕を組んだまさにそのとき、店の潜り戸を締めている太い閂《かんぬき》がぽろりと二つに割れて土間に落ちた。そして音もなく潜り戸がひらくと、外から真黒な装束の者が蛇《へび》がうねるように連なって、店の中に走りこんで来た。

人数は七人と読みながら、又八郎は音立てて刀を抜いた。そして大声で呼んだ。

「やって来よったぞ、雄之助、出合え」

三十四

東の高窓から射しこむ朝の光は、すがすがしく床を照らしているが、藩邸内の武術道場に出ているのは、その朝も又八郎一人だけだった。壁の木刀、竹刀《しない》も防具も埃《ほこり》をかぶっている。

実戦を想定した進退をくり返しながら木剣を振り、ひと汗かいたあとは、初心に返ったつもりで梶派《かじは》一刀流の型を丁寧に演じてみる。打ちこみと同時にはげしく気合いを発すると、声がやや古びた屋内にわんと反響した。

型を演じ終って、又八郎はさらに新しい汗をかいた。床に坐って手《て》拭《ぬぐ》いを使い、首筋から胸のあたりを拭っていると、道場に人が入って来て拭《ふ》き掃除をはじめた。顔見知りの庭掃除の夫婦者である。遠目ながら着ている物に見覚えがあった。

「ごくろうじゃな」

又八郎は声をかけた。そのままひろげた稽古《けいこ》着《ぎ》の襟《えり》から手拭いを深く肩の奥まで差しこんで汗をぬぐったとき、激痛が起きた。手拭いの先が二の腕の傷にとどいたのである。美濃屋を襲って来た夜盗の匕首《あいくち》に斬られた痕《あと》であった。深手ではないが、抉《えぐ》られた傷である。

思わず顔をしかめたとき、又八郎のすぐそばで聞きおぼえのある女の声がした。

「傷が、まだお痛みですか」

ぎょっとして女を見ると、跪《ひざまず》いて雑巾《ぞうきん》を使っていた手拭いの下から白髪《しらが》まじりの髪がはみ出している女が、微笑して又八郎を見ていた。いきいきとした目が、佐知である。振りむくと、夫婦者のおやじの方と見た男の方は、いまはぬかりなく道場の入口に移動して、雑巾を使いながら外を見張っている。五十過ぎと思われるその男も、やはり江戸嗅足の一人に違いなかった。

又八郎をおどろかせて、してやったりという顔をしたものの、佐知はすぐに表情をひきしめた。口早に言った。

「昨夜遅く、安斎彦十郎どのの死体が見つかりました。そのことにつきまして、重大なご相談がございます。今夜六ツ半（午後七時）に、例の若松町までお越しいただけませんか」

「承知した」

又八郎が言うと、佐知はすぐに立ち上がった。その連絡をとるだけのために早朝の道場に来たもののようである。

首を回して又八郎は佐知を見送ったが、そのうしろ姿を見て目を疑った。佐知は緩慢な足どりで入口にむかっていた。飽食した猫《ねこ》のように太った身体《からだ》、丸い背、白髪まじりの髪はほつれて頰《ほお》にぶらさがっている。どう見ても、いつも見馴《みな》れている庭掃除の女房としか見えなかった。

ひょっとしたらふだん顔を合わせているその女房も、佐知の変身かと思うところだが、そうではないことを又八郎はよく知っている。姿も身体の動きも、いまの佐知にそっくりな女房は、名前をとくという赤ら顔の女で、田舎から漬《つ》け物《もの》がとどくと又八郎にくれたりする顔見知りだった。

佐知の姿が消えると、それまで油断なく外を窺《うかが》っていた男も、やがて又八郎に一瞥《いちべつ》を残してすばやく道場を出て行った。その瞬間、男が警戒を解いたのが身ごなしで知れた。

安斎彦十郎の所在が、ここ十日近くも不明のままであることを、又八郎は一昨夜遅く、佐知の口から聞いている。

その夜、又八郎は四ツ半（午後十一時）近くなって、斬り合いがあった美濃屋から藩江戸屋敷にもどった。美濃屋を襲って来た賊は、細谷源太夫は予想どおり何の役にも立たなかったものの、又八郎と雄之助が手強《てごわ》く応戦したために一物も得ることなく手負いと死人を出して逃走した。

むこうの怪我人は少なくとも三人、うち一人は重傷のはずだが、賊はその怪我人をはこび去った。問題は連中が死人を一人残して行ったことである。美濃屋ではその夜のうちに、奉行所にとどけて出ると言った。

細谷のために、れっきとした助勢を買って出たのが真相だが、又八郎は奉行所の調べにはかかわり合いたくなかった。奉行所としても、大名藩邸勤めの近習《きんじゅう》頭取が、一商家のために用心棒まがいの働きをしたと知ったところで当惑するだけだろう。

というような配慮から、又八郎は聞かれれば雄之助を連れてたまたま旧知の細谷の仕事先を見舞った人間が、押しかけて来た夜盗に出くわして応戦したぐらいに、美濃屋から取りつくろってもらうことにして、さっさと藩邸に帰ったのである。本人がいなければ、たとえ名前が知れても奉行所がしつこく委細を聞きただすようなことは、まずあり得ない。

また雄之助は部屋住み身分の塾生だから、さほど問題にはなるまいという見通しから美濃屋に残した。とても、仕事が終ったからと塾がある四谷に帰す時刻ではなかった。それに、駄賃《だちん》の儀は固く無用にされたい、と美濃屋に対し雄之助に金をあたえることはきびしく禁じたものの、雄之助だって、奮迅の働きをした手前、朝飯ぐらいは十分に喰って帰りたかろうとも思ったのである。

門番を起こして邸内の長屋に帰りつくと、又八郎は灯をともして傷を手当てした。左肩のすぐ先、腕のつけ根に受けた傷をのぞけば、大方はかすり傷だったが、それでも手当てするひまもなく美濃屋を出て来たので、少なからず出血していた。

もろ肌《はだ》脱ぎになって、手のとどく限りは焼酎《しょうちゅう》で洗い、火で溶かした膏薬《こうやく》を塗りこんだが、どうにも手がとどかない肩のうしろの傷などは残った。

——かすり傷とはいえ……。

こんなに手傷を負ったのは齢のせいか、といささか滅入《めい》った気分で、あとの手当をあきらめたとき、物音もなく佐知が部屋に入って来たのだった。

佐知は残った傷を手当てしただけでなく、手早く台所で湯まで沸かし、汗まみれの又八郎の身体を拭ってくれた。その夜二人はごく自然に、それまでの禁忌を破って又八郎の部屋で同衾《どうきん》した。朝の光が寝間に射しこんで来たとき、佐知はそこに寝た形跡も残さず消え失せていたが、安斎彦十郎の所在不明は、そのときの長い抱擁のあとで佐知が洩《も》らしたことである。

若松町の医者の家に着くと、又八郎は型どおりに来た道を振り返り、さらに四囲の物の気配を窺った。半月が出ていたが空には薄雲が這《は》い、地上に落ちる月の光はありやなしといった程度だった。道も家の軒もおぼろな闇《やみ》いろに包まれて、何事もなく見えた。又八郎は格子戸《こうしど》をあけて門を入った。

しかしこのとき、又八郎はもっと念をいれて町の軒下、垣根《かきね》が抱いている闇の奥に目を光らせるべきだったのである。町医の平田鱗白《りんぱく》の家の斜め向かい側でほぼ四、五軒先にある、軒の深い米屋の店先。そこに人がいた。

軒を支える一本の柱と見えるほど、身動きもせず立っていたその人影は、又八郎が入ってからあと、平田の家を訪れる者がいないと確かめるに十分なほどの時、およそ小半刻《こはんとき》も立ちつづけたあと、ようやく軒下をはなれて道に出た。中背の武家だった。黒い頭巾で顔を隠したその男は、雪駄《せった》の音をひびかせて平田の家の前を通りすぎた。

板塀《いたべい》の隙間《すきま》からちらちらと洩れる屋敷の灯には、顔を向けなかった。

そんなこととは知らず、又八郎は平田の家の奥座敷に通り、そこにあつまっていた江戸嗅足の女たちに会っていた。女たちの数はこの前会ったときよりも多く、佐知を入れて十二人いる。

そのことが、今夜のあつまりの重要さを物語っているようだった。江戸嗅足組のほとんどが顔をそろえているのではないか、と又八郎は思った。

「彦十郎どのが千住の宿にもどっていないことは、連絡の徳蔵から聞いておりました。だが前にもそういうことはありましたし、すぐに心配したわけではありません」

と佐知が言った。女たちは手を膝に置き、目を伏せて聞いている。

「はじめて行方に懸念《けねん》を持ったのは、徳蔵から二度目の連絡でも彦十郎どのに会えず、千住のぼたん屋の部屋は、はじめ見たときのままだったと聞いたときです」

「そうか、連絡はついておったのだな」

と、又八郎が言った。徳蔵というのは今朝道場に現われた男か、いずれにしろ佐知の指揮下にいる江戸嗅足の一人に違いなかった。

「はい、彦十郎どのはいまもなお国元の兼松さまと江戸の組をつなぐ、ただ一本の糸でしたから」

と佐知が答えた。そして目をまた配下の女たちにもどした。

「国元と江戸をつなぐ糸であるだけでなく、彦十郎どのは江戸の組の庇護者《ひごしゃ》でもありました。国元から来る刺客を防ぐのも、兼松さまに命じられたお役目でしたゆえ、この人の失踪《しっそう》には重大な意味がありました」

「刺客が江戸に入りこんだということですか」

地味ななりをした、顔の丸い若い娘が聞いた。

「まず、それを疑わなければなりません。それで、みんなをあつめる前に、外に出て動きやすい徳蔵、はつ、みな江、よし、松乃《まつの》の五人が彦十郎どのの死体をさがしました。彦十郎どのは、もはや亡《な》き者にされたと考えたのです」

「手がかりは？」

又八郎も顔を知っている、幾乃という奥勤めの女が聞いた。

「手がかりは、彦十郎どのが千住の宿から姿を消した前後に、国元からのぼって来た者、です。中でも江戸屋敷には来たものの、その後頻繁《ひんぱん》に他出して所在確かならざる者、または江戸到着の届けを出しただけで、お屋敷には近寄らず市中の縁故を頼って住まいしている者を洗い出し、その立ち寄り先、居住先を調べさせました」

その結果、と佐知は言った。

「赤坂一ツ木にある威徳院裏の雑木林の奥で、彦十郎どのの死体が見つかりました。予想したごとく、身体にははげしく斬り合った痕が残っておりました」

「組の者が威徳院を調べたわけは？」

「そこは、さきごろ私用で出府された組頭石森左門《いしもりさもん》さまの止宿先でした」

女たちは騒然となった。互いに顔を見合わせ、口々にささやいたりうなずいたりしたが、中には呆然《ぼうぜん》と佐知の顔を見ている者もいた。佐知の口から出た名前が、あまりに思いがけないものだったからであろう。石森左門は附属する家中組を持たない名目組頭と言われる家の当主で、かつて一度も藩政の表面に出たことのない地味な人物だった。

ようやく一人が言った。

「それでは彦十郎どのと斬り合った刺客は、石森さまなのでしょうか」

「その前に……」

佐知は目顔でみんなを静め、もうひとつ一同に知らせることがあると言った。

「朝尾から言わせましょう」

「死んだ小雪どのと同役で表役を勤めた者の名前がようやく知れました」

と朝尾が言った。朝尾も奥勤めの女である。

「そのことがあってひと月もせぬうちに、嫁《か》して国元に帰った千波というひとでした。このたびようやくそのことを突きとめ、人をやってあの日船橋さまと激論された方のお名前を聞き出しました」

女たちは風がやんだように静まり返った。

「その方は石森左門さま。当時江戸屋敷で、組頭加役のお傅役《もりやく》を勤めておられました」

だから、当時の日記にもお名前は載っていなかったのですと朝尾は言ったが、朝尾のその声は女たちの騒然としたささやき声に掻《か》き消された。

意外な展開に腕をこまねいている又八郎に佐知が緊張した声をかけて来た。

「青江さま、石森さまが剣がお出来になるという話を、聞いたことがおありでしょうか」

三十五

芝の先の金杉川に架かる将監橋《しょうげん》ぎわに、信州高島藩の上屋敷がある。青江又八郎は、その屋敷の一室で旧知の弓削平左衛門《ゆげへいざえもん》と話していた。

弓削はもとは又八郎と同藩の先輩で奥山平三郎と言い、若いころは藩の兵法指南所に出て、まだ子供だった又八郎や渋谷甚之丞に稽古をつけたこともある人物だが、その後縁あって高島藩に仕え、今日に至っている。

又八郎があとで聞いた話によると、そのころ先代壱岐守《いきのかみ》の姪《めい》にあたる姫が高島藩に嫁し、そのときに附人として選ばれた弓削は、剣名を買われてそのまま高島藩の人となったというのであった。もっとも弓削は三男坊だった。実家の奥山家は国元で物頭を勤める家である。

あれこれとむかしの話が弾んだあとで、又八郎は、今日平左衛門をたずねて来た目的であるひとつの質問を持ち出してみた。

「石森左門に剣の心得ありや、か」

平左衛門は、又八郎をじっと見た。目に怪訝《けげん》ないろが動いて、やがてずばりと言った。

「貴公ら、そんなことも知らんのか」

「すると……」

「もっともあのひとの剣は知る人ぞ知るといったもので、わしも立ち合ったことはない。しかし石森左門は達人だぞ。わしも若いころは剣が出来るなどと言われたものだが、たとえ立ち合ったとしても、あのひとには遠くおよばなんだろう」

又八郎は胸が冷たくなるのを感じた。

「流儀は、何流を？」

「わしは諏訪《すわ》に行ってからも……」

平左衛門はすぐには答えずに、またむかし話を持ち出した。

「用あって実家に帰ったときは、よく市中の道場をのぞいて回ったものだ」

「おぼえております。それがしも道場で手直しをおねがいしたことがござった」

「なに、そのころはおぬしは上達してわしの手直しなどいらなかったものだ」

平左衛門は微笑したが、まんざらでもない顔つきだった。そしてまた話をつづけた。

「五間川の尾花橋の船着き場を道に上がると、ちょうど上がったところから北側に入って行く路地があった。鍋屋《なべや》町の裏通りで、五平横丁と言ったかな」

平左衛門の生国の城下町についての記憶は、おどろくほど確かで、そうした地理を語る口調にはかすかに懐旧のひびきがある。

又八郎は、平左衛門が何を言おうとしているか、およその見当がついて思わず胸が騒いだが、口をつぐんであとの言葉を待った。横丁の中ほど左側に洗い張り屋がある、と平左衛門は言った。

「その洗い張り屋の真向いの道場を知っておるな」

「もちろん、戸田流加治道場でござる」

「あそこはもともと、潰《つぶ》れた造り酒屋の跡地だったところだ。道場は残った酒倉を手入れしたもので、いまはそんなことはあるまいが、加治重助が道場をひらいたころは建物から酒の香が匂って、門人たちは大きに迷惑したそうだ」

平左衛門は突然に口をあけてかっかと笑った。そしてむかし話が終って気が済んだのか、肝心の答えを短く言った。

「石森左門は、草創のころの加治道場が生んだ天才だ」

「…………」

では、石森は牧与之助、安斎彦十郎の兄弟子にあたるわけだ、と又八郎は思った。ただし齢《とし》はかなりはなれているだろう。

「その石森どのの天才ぶりですが……」

又八郎は慎重な聞き方をした。

「立ち合ったことはなくとも、どこかでごらんになったことがあるのではないでしょうか。たとえば殿《との》在国の折の兵法ご検分のときとか、あるいは道場同士の紅白試合を見たとか。いかがでしょうか」

「いや、それがだ」

と弓削平左衛門は言った。

「面妖《めんよう》なことだが、わしは一度も見ておらん。左門どのには若いころから一癖《いっぺき》があって、表に出てひとに目立つことを好まなんだ。加治のような小さくて地味な道場を選んだのも、その一例だな。おそらくはそんなこともあって、試合に出て剣才をひけらかすなどということはなさらなかったとも考えられる」

そのあたり、われわれとは大きに了見が違うところだ、と平左衛門は言ってにが笑いしたが、ただしと言葉をつづけた。

「一度だけ、あのひとが戸田流の型を遣ったのを見たことがある。されば二十五、六年前にもなろうか、やはり実家の法事に帰国して、ふとさっき申した加治の道場をのぞいたことがある」

のぞいてみると道場主の加治重助は不在で、見馴れない中年男が門人に稽古《けいこ》をつけていた。その中年男が、ひさしぶりに見る石森左門だったのである。

平左衛門が道場の入口に身体を入れたちょうどそのとき、石森は若い門人を相手に戸田流の型らしきものを演じてみせているところだった。これはまずいところに来合わせたかな、と思ったが、引き返すのも不自然な気がして平左衛門はそのまま見物した。

小太刀を模した並よりやや短めの木刀を持っているのが石森で、相対する相手、背は高いもののややひ弱な感じがする若者の方は二尺以上の普通の木刀を構えている。ほかの十人あまりの門人たちは、羽目板の際《きわ》に一列に坐って、おし黙ったまま稽古を見つめていた。

見はしなかったが、おそらく石森は平左衛門が道場に入って来たのに気づいていたらしい。稽古はそのあと間もなく、ほとんど唐突と見えるほどにあっけなくしまいになった。やはり流儀の型を見せたくなかったのだな、と平左衛門は思った。

「考えてみれば、石森左門どのの剣技らしきものを見たのは、そのときのただ一度だけだの」

と平左衛門はくり返した。そしてつけ加えた。

「だが一度見れば十分だった。左門どのの木刀遣いには達人の風韻があった。そうそう、それで思い出したが、そのとき左門どのは受け太刀をつとめた若い門人をしきりに自慢しておったの。いずれ自分以上の遣い手になろうと、つねに冷静なあのひとにしては大そうなほめ方だったのをおぼえておる。ええーッと、若い者の名前は牧と申したかな」

「牧与之助でしょう。おっしゃるとおり、そのあと藩随一の遣い手になりました。それがしの親友です」

又八郎は高島藩上屋敷を出て、ゆっくりした足どりで将監橋にむかった。

胸の中に、石森左門が牧与之助に稽古をつけていたと聞いたときに起きた胸さわぎが、まだ尾を引いていた。それが事実なら、むろん事実に違いないが、二人のそのつながりは、剣士にとっては血のつながりよりも濃いものであるはずだった。

——牧か。

又八郎の脳裏に、これまであったさまざまな凶事がめまぐるしくうかんでいる。寺社奉行榊原造酒の横死、それより二年ほどを溯《さかのぼ》る船橋光四郎の暗殺、そして又八郎本人を襲って来た闇の凶刃《きょうじん》、帰国した女嗅足三人をまたたく間に屠《ほふ》り去った暗殺者の跳《ちょう》梁《りょう》、平野屋の奉公人亀七の死、そして安斎彦十郎の死。

これらの凶事のどこかに、牧与之助が一枚嚙《か》んではいないか、というのが、又八郎の胸さわぎの正体だった。凶事の中心に、石森左門がどっしりと居据《いす》わっていることは、まず疑い得ないところだった。

——その石森と……。

牧与之助は、一心同体だと見なさなければならないだろう。そう思ったとき、又八郎の耳に、以前何気なく聞いた、牧の病いは仮病だというううわさがあるという言葉が甦って来た。それは若松町の会合があった夜、帰りがけの安斎彦十郎がぽつりと残して行った言葉である。そして同じ夜、国元から急行して来たとよは、三人の女嗅足を屠った人物について、背が高く痩《や》せていて、目はくぼみ鼻が高かったとは言わなかったか。

又八郎は将監橋の袂《たもと》に足をとめた。対岸の増上寺の広大な寺域に目をむけた。橋の際《きわ》から左手奥にひろがる増上寺の境内は、背後の小丘からなだれるようにひろがる緑の木立に覆《おお》われていた。その間に見え隠れする伽藍《がらん》の瓦《かわら》や丹《に》塗りの軒も木々の緑も、八ツ（午後二時）過ぎの真夏のような日射しに照りかがやいている。しかし対岸の水際に点々とちらばる芒《すすき》の株は、もう白い穂をつけていた。

とよが報告した暗殺者の風貌《ふうぼう》は、必ずしも牧与之助と合致するものではなかった。

しかし、一、二度しか見かけたことがないから確かなことは言えないが、石森左門はさほど背丈のある人物ではなかったはずである。牧与之助に抱いた一抹《いちまつ》の疑いは、容易に消えなかった。

――しかし安斎彦十郎を斬ったのは……。

まず石森左門に間違いない。そして平野屋の亀七を殺害したのも、多分石森だ。その石森との対決は避け得まい、と又八郎は思った。殺人鬼の所業をあえてしているその男は、御用人船橋光四郎との争論を立ち聞きされるという不覚の事態を招いたことで、江戸嗅足《かぎあし》にお卯乃の方の秘密の一端をにぎられたと、確証はつかめないものの、深く疑っているのだ。

そのために腰元の小雪を毒殺させ、帰国した女嗅足三名を暗殺した。出府直前の又八郎を襲った意味不明の凶刃も、狙《ねら》いが江戸嗅足の帰国の阻止か、または帰国を遅らせることにあったとすれば、辻褄《つじつま》は合わないでもない。

安斎彦十郎は、国元から来る刺客は江戸屋敷の秘密に近づいた者を鏖《みなごろ》しにするつもりだと言ったが、もし鏖しが不可能だとしても、江戸嗅足の頭《かしら》佐知と、佐知につながる又八郎の二人は、江戸嗅足にかける石森の疑いの要《かなめ》である。一番手に狙われるだろう。まして又八郎がちらと疑ったように、亀七を殺害する直前に、又八郎と佐知とおぼしい女が平野屋をたずねたことを亀七を強制して聞き出しているとすれば、これはもう、石森はこの瞬間にも又八郎の背後に迫って来ていると考えなければならない。

こちらも石森の所在をさがしているが、石森もどういう手段でか、必ず又八郎と佐知に接近を図って来るはずだった。石森とはいずれ生死を賭《か》けて斬り合う時が来るのではないか。

――しかし……。

ねがわくば牧与之助と斬り合うような羽目にはなりたくないものだ、と又八郎は思った。首尾よく石森に勝って帰国しても、そこに白刃をにぎった与之助が待ちうけているといった図柄《ずがら》はねがい下げだった。

橋板を鳴らして渡って来た大八車が、放心して金杉川の水辺の芒を見ている又八郎の横を、車力《しゃりき》の男たちの掛け声もろとも、轍《わだち》の音をひびかせて通りすぎて行った。頭を振って又八郎は歩き出した。

これから赤坂溜池《ためいけ》そばに屋敷を構える旗本久保家をたずねて帰るつもりだった。遅きに失した気もするが、久保家で確かめたいことがあった。

三十六

その日の日没後、又八郎は宿直《とのい》の者にとどけて屋敷を出ると、佐知と打ち合わせてある裏河岸《うらがし》の小料理屋絹川にむかった。

日が少しずつ短くなって、暮れ六ツの鐘を聞くとすぐに出て来たつもりだったのに、屋敷の前の道はもう夜色に包まれていた。夏のころは日が落ちても、しばらくは町に余光がただよい、その中で子供たちが遊んでいたりしたものだが、秋は夜がそっけないほどすばやくやって来る。

又八郎は屋敷の角を曲り、人気《ひとけ》なくひえびえとしている小路《こうじ》を抜けて表通りに出た。そこではまだかなりの商家が店をあけていて、まぶしいほどに灯をつらねていた。店をしめるには少し時刻が早いのだろう。又八郎は、表通りに出たところで一度油断のない目を前後にくばった。どこに石森の目が光っているか知れないぞと思ったのである。それから芝口にむかって歩き出した。

絹川に着くと佐知が先に来ていた。又八郎を見るとすぐに中から立って来て、ごくろうさまでございますと言った。

「さきに、ご飯をいただいてしまいましょうか」

と佐知は言った。佐知はこの前又八郎と本郷の平野屋をたずねたときと同じように、武家方の婢《はしため》という恰好《かっこう》をしていた。おそらくその服装が、屋敷を抜け出すのに一番つごうがいいのだろうと思われた。紺がすりの襟《えり》もとに、白の肌着《はだぎ》の襟がのぞいているのが清潔に見えた。

又八郎が同意すると、佐知はまた立って行って、部屋の入口で手を叩《たた》いた。すぐに店の者が来て注文を聞いて行った。

部屋には小さな手焙《てあぶ》りが出ていて、それが季節を感じさせた。手焙りを中に向き合うと、佐知は待ち切れないように、そっと言った。

「弓削さまの方は、いかがでしたか」

「うむ」

又八郎はうなずいた。この前、又八郎は石森左門は剣が出来るかという佐知の質問に答えられなかったので、弓削をたずねたのである。

「やはりただ者ではなかった。石森どのは戸田流加治道場の出で、草創期の天才剣士だったそうだ」

「まあ、すると彦十郎どのと同門」

佐知は安斎彦十郎が加治道場の剣士だったことを知っていた。だから安斎を斬ったと思われる石森左門の剣の腕を気にしたのだろう。

「そして彦十郎が一目おいておったわしの友人牧与之助、この二人の大先輩にあたるおひとということになる」

「お齢はいくつぐらいでしょうか」

佐知がそう言ったとき、座敷回りが食事をはこんで来た。膳《ぜん》には銚子《ちょうし》がついていた。

佐知の心遣いだろう。

「お疲れでございましょう。一杯召し上がれ」

座敷回りの女が去ると、佐知は銚子を持ち上げて酒をすすめた。

盃《さかずき》をつかみかけて、又八郎は少しためらった。石森左門という目的のためには血も涙もなく凶刃をふるっている敵のことがちらと頭をかすめたのである。これからは、たとえ微酔といえども、酒気を帯びて夜道を歩くことは避けねばなるまい。

「わたくしは今夜はいただきませんから……」

又八郎の躊躇《ためらい》をすばやく見て取ったらしく、佐知が微笑した。

「どうぞ、ご心配なく召し上がれ。もっとも、今夜のお酒はこれっきりにしていただきますから、お酔いになるとも思えませんけれど」

「済まんな」

と又八郎は言った。盃をあけると、酒の旨味《うまみ》がはらわたに染みるようだった。昼すぎから芝、赤坂と歩き回った疲れがゆるやかにとれ、四肢《しし》に新しい力がもどって来るような気がした。

「今日会って来た弓削どのが五十八。石森どのはその弓削どのより、たしか七つ八つ齢上だそうだ」

「そういたしますと、六十半ば……」

佐知は又八郎から目をはずして、何かを思いみるような表情をした。やがて言った。

「それにしては手ごわい傷痕《きずあと》でした」

佐知は、斬り合いのあとをとどめた安斎彦十郎の遺骸《いがい》を思いうかべていたらしい。又八郎はその遺骸を見ていなかった。

「なかなかの強敵だ」

「少しも油断なりませぬ」

佐知は気をひきしめるように言った。そして又八郎に盃を取るようにうながしながら話を変えた。

「久保さまにも回って来られたのですね」

「行って来た」

又八郎は酒をついでもらったが、すぐには飲まずに盃を膳に置いた。

「やはり船橋光四郎どのは、久保家をたずねて行ったそうだ。しかしそれだけでなく、ほかにも意外なことがわかった」

「それはどういう？」

いや、まず先に船橋どののことを話そうと又八郎は言った。

「わしが会ったのは平瀬という用人どのだが、船橋どのがたずねたときのことをよくおぼえておった。それは五年前の春だそうだ」

「と申しますと、やはり……」

「長戸屋が毒殺されたあとだろう。そのとき船橋どのは、まことにつかぬことをおうかがいするがと言って、お卯乃さまの素姓と久保家とのかかわり合いの中身をたずねたそうだ」

「すると何かのきっかけで長戸屋の死に不審を持ち、そのこととお卯乃さまをむすびつけたということでしょうか」

「わしが思うには、船橋どのはその以前から、坂井満之助どのやら村越儀兵衛やらがせわしなく動き、出入りの長戸屋の娘を側室に上げる画策をすすめるうちに、みるみる坂井どのが立身したりする有様をうさんくさく眺《なが》めておったのではないかと思う。そこに突然に、長戸屋の変死という事件が起きたことを知った。江戸屋敷の者の手が動いた疑いが、きわめて濃い事件だ。そこでもよという娘が殿のお側《そば》に上がることになったいきさつを調べてみるつもりになったのではないかの」

「久保さまでは、船橋さまのおたずねに答えられたのでしょうか」

「平瀬という方は気さくな老人でな。船橋どのに答えられたことを、煩《はん》をいとわず話してくれた。それによるとお卯乃さま、当時もよと言われたひとと久保家とのかかわり合いはつぎのようなことだったという」

もよは十四のときに、行儀見習いとして久保家に奉公に入った。そのときはもちろん、長戸屋が一人で頼みに行ったのである。長戸屋は多年出入りの商人であり、また着る物その他はすべて親元でそろえ、その上奉公先へは附けとどけをするのが慣例だったから、久保家としては行儀見習いの娘一人を預かるのに何の支障もなかった。快く承知した、と平瀬用人は言った。

ところがもよが十六になった二年後、長戸屋惣兵衛はふたたび改まった恰好で、久保家をたずねて来た。そのときは人品いやしからぬ武家を同道していた。

「それが、当時内御用人を勤めておられた坂井どのだ。そう名乗ったと平瀬用人は申したが、老人はむかしのことをよくおぼえているものだ」

と又八郎は言った。

長戸屋は坂井を紹介すると、今日はこちらのお屋敷ではなく、平瀬さまにねがいごとがあって来たと言った。そして、じつはもよをこちらの藩の殿さまのそばにと望まれているので、僭越《せんえつ》なお願いだが、娘を平瀬さまの名義養女にしていただくわけにはいかないかというのが、その日の長戸屋の頼みごとだった。かたわらから坂井も口を添え、そうしてもらえば藩としてもお礼の方は十分に考えさせていただくつもりであると言った。

「え？　お卯乃さまは、久保家のご養女ではなかったのですか」

と佐知が言った。又八郎の話は、佐知をかなりおどろかせたようである。

「話を聞いてわしもびっくりしたが、顔には出さなんだ。もしも坂井どのが、その事実を隠して久保家の養女を騙《かた》ったのだとすると、相手に知れてははなはだ具合わるいことになるのでな。で、黙って話のつづきを聞いた」

長戸屋が持ちこんだ話は、平瀬用人をびっくりさせたが、もちろんその場で返事が出来るわけではない。主人夫婦にも相談して、いずれ返事をすると言った。

主人夫婦に相談するということは、もちろん久保家の家臣であるから当然のことだがそれだけではなかった。平瀬用人は六百石の久保家に仕える薄給の用人だが、筋をただせば久保家の縁につながる人間だった。久保家の当主の祖父が晩年に置いた妾《めかけ》に生ませた子が平瀬の母親で、久保家の籍とは無縁とはいえ、血のつながりはある。

　平瀬はそのあたりを考慮して、主人夫婦にその話を披露《ひろう》したのだが、意外にも間もなく主人夫婦から許しを得ることが出来た。その間に坂井満之助が頻々《ひんぴん》と足をはこんだことも効があったかも知れないが、そのときどきに坂井がちらつかせた礼金、平瀬と久保家の双方に献じる礼金話も利《き》いたに違いなかった。

「平瀬用人は、養女の件に許しが出たのはもよが奥さまのお気に入りだったからで、礼金に目がくらんだわけではないとしきりに弁解していたが、ほかで聞いた話によると、久保家はいまは新大番組頭で威勢よく勤めているが、当時は小普請《こぶしん》入りでくすぶっていたとかで、思いがけぬ大枚の礼金にも食指が動いたのではないかな」

「いかほど？」

「むろんはっきりとは申さなかったが、平瀬用人の口ぶりでは久保家に五百両、平瀬に百両といった感じだった」

「まあ、大金」

　と佐知は言った。

「しかし、いくらそのご用人さんが身内だとしても、その縁組をもって久保家の養女を名乗るのは、やはり名を詐称《さしょう》するものではないでしょうか」

「むろん、そうだ。なぜ、そのような大胆なことを屋敷うちに触れたかは謎《なぞ》だ。しかし、平瀬老人の話を聞いているうちに、平瀬に養女話を持ちこんだ狙いは、そのへんにあったのではないかという気もした」

佐知はうつむいて考えこむふうだったが、やがて顔を上げた。

「お部屋さまの素姓については、何か言っておられましたか」

「いや、平瀬老人も、当然久保家でも、お卯乃さまは長戸屋の娘と信じて疑ったこともない様子であった。船橋どのの素姓云々《うんぬん》という質問も、何のことかわからなかったと、いまだに不審そうな顔をしておったな」

「船橋さまは、お部屋さまの秘密をどのあたりまでご存じだったと思われますか」

と佐知が言った。言いながら佐知は銚子の蓋《ふた》を上げて残る中身をたしかめ、それから又八郎の盃に酒をついだ。

酌《しゃく》を受けながら、又八郎はさればと言った。

「久保家をたずねて、お方さまの素姓を口にしたほどだから、船橋どのは当然長戸屋をたずねて番頭の甚七にも会ったに違いない。長戸屋が潰《つぶ》れたあとでも、甚七の家までたずねて行ったはずだ。と、すれば……」

又八郎はゆっくりと盃を干した。

「甚七が奉行所に訴えを上げた程度の事実は手に入れたのではないかと思う」

「長戸屋は藩にゆすりをかけて毒殺された疑いがあること、お方さまの素姓定かならずということ、またその赤ん坊を長戸屋に連れて来たのは同業の平野屋であること……」

「そして狂言回しは石森左門どのということも話したかも知れんな。杉村屋の番頭清五郎がどうしても思い出せなかった名前は多分石森どののことだ。お卯乃さまの秘密にかかわる激論の相手が、坂井どのでなく石森どのだったのは、そう考えれば納得が行く。もっとも坂井どのは、その二年前には国元勤めに変っておったはずだ」

「坂井さまは、お部屋さまの件でずいぶん出世なさいましたけれども、それでもただのお使いだったのでしょうか」

「やはりお使いだと思う。絶対に表に姿を出さんのが石森流のやり方だ。しかしそれにしては、もよという娘を殿の側室お卯乃さまとするために異様に熱心に働いた形跡がある。あるいは石森どのにも隠れたもくろみがあったのかも知れぬ」

「たしかに、奇妙な気配が残ります」

「坂井家老は、まだ数日滞在するらしい。一度当時の事情を率直に聞いてみようか。どこまで話すものかはわからんが、何か聞けることがあれば儲《もう》けものだ」

三十七

それはそれとして、と又八郎は言った。

「船橋どのが知っていたのは、さっきそなたが申したようなこと。あるいはあのひとのことだ、平野屋まで行ったかも知れぬ。しかし真実を突きとめるには至らなかったはずだ。それでもお部屋さまの素姓が確かでなく、そのかかわり合いで長戸屋が毒殺された。これは藩にとっては大問題だ。激論の中身はそれだったろう」

「当時、真実を知っていたのは二人だけでした。石森さまと村越さま」

「さよう。この二人はすべてを知っていた。脅しをかけたとき、長戸屋はお卯乃さまの秘密を残らず話したに違いないからだ。刑死人の子というお卯乃さまの素姓、平野屋と長戸屋の間にひそかにすすめられた養子話、そしてついに平野屋が赤ん坊を連れて長戸屋にやって来た夜のこと。もしお疑いなら、佐内町に根付け師の紋作という当時を知る者がいる、お聞きくださいなどということも言ったかも知れん」

「長戸屋が赤ん坊を養子として引きとったころは、おそらく平野屋も長戸屋もまったくの善意から事をはこんだのでしょうね」

「そうとしか考えられぬ。刑死人の娘という予期せぬ運命に落とされた店子《たなこ》の赤ん坊を、平野屋は不愍《ふびん》と考えたのだろう。しかしたとえ赤ん坊とは言えお上がいったん極印を押した素姓を消し去るということは、反逆とまでは言わなくともお上に逆らうに似た所業だ。それを承知で引きうけた長戸屋も、当時は善意の塊りだったろう」

まさかそれを種に、後年わが藩をゆすることになるとは、長戸屋も夢思わなかったはずだと又八郎は言った。二人はしばらく黙って顔を見合わせた。

又八郎は言葉をつづけた。

「ゆすられて石森どのと村越儀兵衛は驚愕《きょうがく》したはずだ。まさにそれは三千両の金には換えられない秘密だった。しかし長戸屋の念頭に金のことしかなかったように、脅しを受けた二人は、まずこの秘密を知る者は誰かと考えたことだろう」

「真相を知る者は二人、そのうち平野屋は病死して、残るは長戸屋一人でした」

「即座に毒殺した理由だ。脅しを受けた二人はほかにもこの秘密のまわりに何人か、監視を要する人間がいることも覚《さと》っておったろう。たとえば長戸屋の番頭甚七、裏店《うらだな》の大家と栂野《とがの》一家のことを知っている当時の店子たち、長戸屋の話の中に出て来た平野屋の提灯《ちょうちん》持ち亀七……」

「しかし甚七は長戸屋と平野屋のつながりは知っていても、赤ん坊の素姓を知りませんでした。また、平野屋の家作である裏店の人たちは、栂野一家の事件を知っていても、赤ん坊の行方は知りませんでした。しかし平野屋の奉公人亀七は、赤ん坊の素姓は知らなかったものの、主人が赤ん坊を抱いて出て来た裏店と、その夜の主人の怪しいそぶりをおぼえておりました」

「そういうことだ。亀七は赤ん坊、いまのお卯乃さまと佐久間町の裏店をつなぐ生き証人だった。そのことを石森どのはよく承知して抹殺《まっさつ》する時期をみていたはずだ。ついに消されたのはあわれだが、幕府が手を入れて来た状況では、石森どののその判断は間違ってはおらぬ」

佐知が目を伏せて小さいため息をついた。石森がやらなければ自分が亀七を抹殺するはずだったことを思い出したのかも知れない。

佐知が顔を上げて、二人はまた顔を見合わせた。又八郎は事件の全貌《ぜんぼう》がほぼ姿を現わしたのを感じていたが、佐知も同じ感想を持ったようである。

「船橋さまが帰国した折に、誰にとも知れず暗殺されたわけが腑《ふ》に落ちませんでしたが、やはり石森さまの手が動いたのでしょうね」

「この間、江戸屋敷の役の異動と藩士の出府と帰国を記した留め書を調べてみた」

と又八郎が言った。

「それによると、石森どのがお傅役《もりやく》を解かれて帰国したのは五年前、時期は船橋どのと激論をかわしたあと間もなくだった。また坂井どのはそれより二年前の正徳四年に、小姓頭に昇進して国元勤めに変っておった。家老に挙げられて執政入りしたのはその三年後だが、船橋どのはさらにその二年後に帰国して殺されたことになる」

「長戸屋の一件を問いつめるために、また石森さまに会われたのでしょうか」

「それも考えられるが、あるいは船橋どのは、今度はお卯乃さまのお側《そば》入りに深くかかわり合った坂井家老に会おうとしたのかも知れぬ」

「ああ、そうですか。そのときは秘密の保持はおろか、事件は一気に拡大して石森どののみならず、藩が危機に陥ることにもなりかねませんから、石森さまも坐視出来なかったでしょうね」

「もうひとつ考えられるのは幕府隠密《おんみつ》の動きだ。隠密二名が嗅足組の網にかかって殺害されたのはその翌年秋だが、幕府が動き出したのはもっと前のことだ。あるいは船橋どのが帰国したころには、領内にもうその徴候があったかも知れぬ。もっとも、そうだとしてもはたして石森どのがその徴候なるものを捉《とら》え得たかどうかは疑問だが……」

「…………」

そのとき、佐知は一瞬何か言いたそうな顔をしたが、思い直したように口をつぐんだ。その表情を注意深く見守りながら、又八郎は言葉をつづけた。

「ついでに言えば、前にそなたに話した隠密らの動き、川幅をはかって図面をつくったとか、城の濠幅《ほりはば》をさぐり、武器蔵を破ったとかはすべて目をひきつける陽の動きで、事実は彦十郎が持って来た手紙についてそなたが申した言葉、上士屋敷が頻々《ひんぴん》と荒らされたという方が隠密の真実の狙いだったろう。それもあちこちと荒らしたのは擬態で、本命は石森どの、坂井家老の屋敷の探索に違いなく、さすがは幕府隠密、ついに村越から石森どのにあてた例の密書を手に入れたのだと思う」

「まことに危機一髪でした」

と佐知は言った。

「あの密書には、死んだ長戸屋のことで江戸屋敷内に争論があったこと、それを立ち聞きした女子が一人始末されたこと、が書かれておりました。しかし密書が石森さまのお屋敷で見つかったことで、もし幕府の手に落ちれば幕府は手紙の中の船光と争論した相手が石森さまで、その船光とは前年に暗殺された用人の船橋さまである動かぬ証拠を手に入れるところでした」

「藩は榊原どのの働きで救われたのだ。救われたといえばわれわれも同様だ」

と又八郎は言った。

「彦十郎が持参したあの手紙がなかったら、われわれは帰国して命をうばわれたそなたの配下たちのように、目を覆《おお》われたままで襲って来る者とたたかうしかなかったろう。いまは、何者とたたかうべきかがはっきりしておる」

「石森さまのつぎの狙《ねら》いは、どこだと思われますか」

「江戸の組が秘密に近づいた疑いがあると言っても、組の者を残らず抹殺するのは出来ぬ相談だ。そうなると、つぎに狙われる一番手はわしとそなただろう。亀七を消す直前に、われわれのことを聞き出していることも考えねばならん」

「そういうやり方を迂遠《うえん》として、下屋敷におられるお卯乃《うの》さまと御子《おこ》たちを、一気に抹殺してしまう危険はないでしょうか」

と佐知が言った。佐知の声は平静だったが、又八郎は衝撃を受けた。考えたこともない展開だったからだ。

「禍根を絶つ、か。なるほど。しかしそれをやるとすれば人非人の所業だ」

「あの方は、もう十分に人非人でございます」

佐知は静かに言った。そして、おや、食事がすっかり冷めてしまいましたが、ご飯にいたしましょうかと言いながら、小さな飯櫃《めしびつ》を引き寄せた。

飯はまだあたたかみが残っていたが、蛤《はまぐり》にもずくをあしらった吸物は冷め切っていて、佐知はあたためてもらうかと聞いたが、又八郎は首を振った。話が長びいたので、そうのんびりもしていられないと思ったのである。

膳には焼いた今年の鮭《さけ》が出ていて、季節を感じさせた。しかしまた大根おろしを添えた枝豆の小皿もあって、それは過ぎ去った夏を思わせる喰《く》い物《もの》だった。骨つきの焼鳥の一品があって、佐知に聞くとつぐみだと言った。佐知は絹川は雁《がん》、鴨《かも》、雉《きじ》といった鳥料理がうまい店だ、とも言った。

二人は黙々と食事をしたためたが、終りに近づいたころ、ふと又八郎が言った。

「石森どのの所在は、まだつかめておらんのだな」

「はい、まだです」

佐知は箸《はし》を置くと、つつましく懐紙を使ってから答えた。

「手の者がさがしておりますが、まだ見つかりません。あるいは彦十郎どのとの斬り合いで手傷を負い、どこかにひそんで傷を労《いたわ》っていることも考えられます」

「さっきそなたが申した下屋敷のことだが……」

と又八郎は言った。

「万一を考えて、人を配る方がいいかも知れぬ」

「はい、一存でいたしましたけれども、組の者三名を入れてあります。相手が石森さまといえども、一時のしのぎには十分役立つ腕の者を選びました」

「さすがだ」

又八郎がぬかりない処置をほめると、意外にも佐知は頰《ほお》をそめた。言葉とはうらはらに、初々《ういうい》しく見えた。

そのあと二人は無言で残る食事を終え、最後に熱い茶を喫して店を出た。勘定は又八郎が支払った。

三十八

外に出たときはすぐには気づかなかったが、店がある路地から出雲町裏河岸に出ると、東の空に来るときにはなかった大きな月がうかんでいた。そばを流れる三十間堀《ぼり》の水がきらきらと月の光を弾《はじ》き、人の顔がはっきりと見えるほどに明るかったが、夜はかなり更《ふ》けたとみえ、対岸の木挽町《こびきちょう》の家々は屋根を光らせたまま、ひっそりと静まり返っている。

佐知は袂《たもと》から頭巾《ずきん》を出すと、歩きながらすばやく顔を覆いつつんだ。そして言った。

「今夜はお屋敷までご一緒いたします。およばずながら見張り役をつとめますから、ご心配なく」

「なに、あれしきの酒に酔ってはおらん」

「そうおっしゃる方がいちばん危ないと申します」

頭巾の中で、佐知はくすくす笑ったが、ふと気配を改めて言った。

「さっき申し上げようかと思いながら、推測で物を申してはいかがかと控えましたけれども、やはりお話した方がよいように思うことがひとつございます」

ほうと又八郎は言った。一歩遅れてついて来る佐知を、横に並ぶようにと手で招いた。河岸の道には、はるかうしろに提灯《ちょうちん》がひとつ見えるだけで、ほかに人影は見あたらなかった。

「それは何か」

「以前青江さまに、嗅足組には支配のご家老のほかに後見人がいると申しました。その後見人は石森左門さまではないかと思われます」

「ほほう」

又八郎は組んでいた腕を解いて、鋭く左右に目を配った。体の中にわずかに澱《よど》んでいた酒気が、一瞬にして消え失せ、そのあとに張りつめた緊張感がみなぎるのを感じた。

「それは容易ならぬ話だ。くわしく聞こうか」

「父が亡《な》くなる前に、呼ばれて一度だけ国元の家に帰りました」

と佐知は言った。

屋敷の者にもほんの二、三人しか知らせない密行だった。家に帰ると、父の権七郎は時折り昏睡《こんすい》が襲う、臨終間近の身だった。しかし権七郎は、佐知を見るとにわかに生色を甦《よみがえ》らせて、人払いをした。

話しておくことがある、と権七郎は切り出したが、その話の中身はつぎのようなことだった。近年執政の重職たちから、陰の組織である嗅足組の徹底した秘匿《ひとく》性に対する多年の不満が出て、いずれ（いずれとは、わしが死んだらということだ。連中はわしが頭だとうすうす気づいているが、誰も口に出せずにいると権七郎は言った）執政のうちに支配の家老という職分を設け、嗅足組といえども、その闇《やみ》の力をふるうときには執政側の一定の掣肘《せいちゅう》を受ける場合があるという形をととのえたい、という意見が大勢を占めるに至った。

しかしそれは、たとえ一部であれ、嗅足組が世の明るみに姿を現わすということだった。嗅足の力に恐れを抱く連中は、それで大いに安心するかも知れぬが、嗅足組がもとの陰葦《かげあし》、主君の第二の旗本としての本来の使命を果して行く上では、いささか不都合な仕組みと言わねばならなかった。

権七郎は、執政の意を体してその話を持ちこんで来た前任者とはげしく論争したが、やがて妥協して、その時期は権七郎以後とする、支配の家老との接触は拒まないが、その場合の手順は秘密の保持を第一に勘案して権七郎が作成したものを以後の仕来《しきた》りとしてこれに従う、といったことを条件に受け入れることにした。

それというのも、かなり長い間物色したにもかかわらず、嗅足組は後任の頭領に人材を得ることが出来ず、すでに権七郎の後を継ぐことが決まっている寺社奉行の榊原《さかきばら》造酒《みき》は謹直の人ではあるが、陰の組を束ねるにはやや覇気《はき》に欠ける憾《うら》みのある人物だった。

むろん榊原は草創の時期の嗅足に組みこまれた家系の裔《すえ》であり、組のいかなるものであるかは心得ているので、手堅く職分を守ることは出来るとしても、近年目立って来た執政たちの攻勢に対抗する縦横の才覚を榊原にのぞむのは無理と思われたのである。谷口権七郎は、一歩しりぞく形で組の本来を守ることにした。

「なぜ、あの方を後任にお据《す》えにならなかったのですか」

そこで佐知は口をはさんだ。

「石森左門さまを……」

佐知が嗅足の頭として江戸屋敷に送りこまれたのは二十《はたち》前である。そのころ佐知は、父の谷口権七郎が時どき石森左門の名前を口にしたのを聞いている。権七郎は、はじめは名前を言わずに、突然にあれはいい、あれは出来物《できぶつ》だと言ったりした。それが石森のことだった。

大方はひとりごとだったが、時にはわざと佐知の耳にとどくように、少し若いが、あれならわしの後釜《あとがま》がつとまるだろうとか、あの無口ぶりは組にうってつけの男だなどと言うこともあった。

それでいて権七郎は、佐知が石森左門とは何者かと聞いたのに対しては、うるさそうに名目組頭と呼ばれる閑職の家の当主だと答えただけで多くを語らなかった。石森左門が谷口家をおとずれることはなく、佐知はそのひとを見たことがなかった。

しかし父親のその秘密めかした態度こそ、石森を後継者と決めた証拠のように考えていたので、佐知はいま、垂死の父親の口から逆風期にさしかかった嗅足組の頭が石森でなく榊原造酒だと聞いておどろいたのだった。

だが谷口権七郎は、じろりと佐知を見返したものの、佐知の質問には答えなかった。時どき痰《たん》がからむ低いだみ声でつづけた。

「執政どもは、わしがやつらの要求に屈したとみるかも知れない。そう思わせておく方が得だ。しかし事実は違ってな、わしは組の外にもう一人陰の頭領ともいうべき者をおくことにした。組の頭の、言えば後見人だ。榊原も了承しておる。これでもって、支配の家老などというものは有名無実のものとなる」

おまえを江戸から呼びよせたのは、このことを話しておくためだと谷口権七郎は言い、急に疲れ切ったように目をつむった。すると病いにやつれた顔に一瞬死相がうかび上がった。

「わかりました。で、その陰の後見人のお名前は……」

「…………」

「おとうさま、後見人のお名前をお聞かせください」

「後見人の名は……」

そこまで言ったとき、深い昏睡が権七郎を襲った。元の名家老にして嗅足の頭領谷口権七郎は、それっきり目覚めることなく逝《い》った。

「いかが思われますか」

佐知は足をとめて、又八郎に身体をむけた。そこはもう江戸屋敷がある小路の途中で、前方に帰るべき屋敷の門が月に照らされて見えている。

又八郎も足をとめた。

「確証はないものの、まず九分九厘《りん》までそなたの推測には間違いがあるまい。そう聞けばなるほど、突然現われて隠密とわたり合い、村越の始末までして姿を消した二の組の者の動きも納得が行くというものだ。石森の指図に相違ない」

二人は黙然と向き合ったが、前方に提灯の灯が現われたのをしおに、佐知が一歩身を引いて言った。

「どうぞお先に、お屋敷に入られませ。わたくしはあとから参ります」

その夜又八郎は、横たわっていた暗い寝床の中で大きく目をひらいた。

——そうか。

榊原造酒を殺したのは、石森かと気づいたのである。

理由は例の密書だろう。佐知が安斎彦十郎から聞いた話によると、彦十郎が隠密の懐《ふところ》からうばったその手紙をとどけると、榊原は黙読したあと顔色を曇らせ、彦十郎に他言を禁じたという。榊原にはその密書がどの屋敷から盗まれたものかの推察がついたのだ。

そして榊原は、その密書を持主には返さずにひそかに保管することにしたらしい。返すのは適当でないと思わせる重大な秘密が、その手紙から匂《にお》ったということかも知れず、あるいは榊原は時期をみてその秘密の探索に手をつけるつもりだったとも考えられる。

しかし彦十郎が隠密の死体からその手紙を抜き取ったこと、それを頭の榊原にとどけたことは、筒抜けに元の持主に洩《も》れていた。その人物には、手中ににぎって頤使《いし》している二の組の一部の者たちがいて、その男たちは彦十郎と一緒に働いていたからである。持主は榊原を呼びつけて、密書の返還をもとめた。

——補佐役の谷村が……。

榊原が殺害される前に、二度支配の家老に呼ばれたと言ったのは事実とは違い、榊原はそのとき後見人の石森に呼ばれたのだ。しかし榊原はそこで粘りをみせ、手紙を返すのを拒んだ。それで殺されたのだ。

石森としては、暗殺したあと機を見て人を使い、榊原の屋敷から密書を取り返すつもりだったろうが、大目付の兼松が機敏に屋敷を手入れして密書を取り上げてしまった。

これだ、おそらくこれが真相だ、と又八郎は思った。榊原造酒の暗殺は理由のわかりにくいものだったが、これで説明がつくようである。そして榊原に対してそれだけのことが出来る石森左門という人物こそ、佐知が言う後見人、陰の頭領なのだ。

又八郎は目をひらいて考えつづけた。いったん去った眠気は、容易にもどる気配はなかった。

三十九

「わしもいそがしい身でな、八ツ（午後二時）になるとまた出かけなければならん。話は手短かにたのむぞ」

会うには会ったが、家老の坂井主税《ちから》は又八郎の顔を見るとのっけからそう言った。

留守番勤めでひまが多い又八郎をあてこすったようにも聞こえるが、事実は坂井家老は、ただ働き者である自分を誇示しているに過ぎなかった。実際に坂井は、いそがしく働いてさえいれば機嫌《きげん》がよく、また身体のぐあいもいいという人物で、齢《とし》は又八郎より四つ五つ上、もはや五十の坂にさしかかったはずなのに、顔色などはつやつやしている。

風采《ふうさい》がよくて弁舌に長《た》け、又八郎のように腹も出ていない。藩を代表する家老として申し分ない人物と思うべきところを、藩内には坂井家老が腰軽く働くのは成り上がり者の習性で、口の利《き》き方も気さくにすぎて重味がないなどと陰口を利く者がいる。しかし、威儀ばかり重々しくて何の働きもない、家柄《いえがら》大事の重職たちよりはよほどいいではないかと、又八郎はこの働き者の家老には好意的な気持を抱いていた。

「今日はどちらまで」

「うむ、霊南坂の下館《しもだて》藩屋敷だ。と申しただけではわかるまいが、ここの主石川近江《おうみの》守《かみ》さまはいま若年寄を勤めておられる」

「ははあ、では幕府重職さまに会いに……」

「そうだ」

と言ったが、家老は又八郎が自分の仕事に興味を示したので気が変ったらしく、青江、これから申すことはほかに洩らすなよと言って内緒話をはじめた。

「いまの将軍家はなかなか気性活発なお方で、幕府財政の建て直しについてもいろいろと新たな政策を考えられておるということだが、その中に新田開発の奨励ということがあるらしい。ところがこれについて、少々気になる知らせが国元にとどいた。知らせて来たのは留守居の堀興之助《ほりおきのすけ》だ」

堀の報告は、天領の新田開発についてはいずれ公儀の名前で下令されることになるだろうが、その際天領側の開墾は、私領と境を接する場所でもぎりぎりの境界まで遠慮なくすすめられることが予想される。ご用心が肝要である、というものだった。

「これは何のことかと言うと、青江も知るとおり領内の金石郡には天領と境を接する広大な原野がある。いずれ開墾しなければならない土地だが、湿地をふくむ荒蕪《こうぶ》の土地ゆえに開墾して新田をひらくには莫大《ばくだい》な費用がかかる。ということでいまだに手をつけかねている状態だが、ここはまた、多年にわたって隣接する天領の村々との境界争いが絶えない場所でもある」

「それは知りませんでした」

「郡代の所管だから、城勤めの者は事情にうとかろう。それはそれとして、その境界のことで天領の村々とこれまで三度にわたって公事《くじ》を行なったにもかかわらず、一部にまだ境界の定まらぬ場所さえあるという厄介《やっかい》な土地だ」

「………」

「堀が懸念《けねん》したのはそういうことだ。原野は天領側にもつづいているので、そこを開墾したついでに、当領内まで鍬《くわ》を入れられたのでは、またもや問題が再燃するのではないかと心配をしておるのだ。この間からわしがここへ来ておるのはそのためだ」

坂井家老は深々とため息をついた。だがため息とはうらはらに、家老の顔には生気がみなぎっている。

「まず、堀の報告の中身をたしかめてみたが、これはどうやら事実だ。となれば殷鑑《いんかん》遠からず、当藩としてはいざ開墾実施となった場合に、天領側が無法に境界を動かしたりすることがないように、事前に手を打たねばならぬ。こういうことで、天領の元締めである勘定奉行をはじめとする幕府要路の方々にお会いして、いま根回しを行なっているところだ。手ぶらで行くというわけにもいかず、藩としては物入りだが、とかくこうしたことは事が起きてから代官所に掛け合っても埒《らち》あかぬとしたものだ。おぼえておくがよい」

「心得ました」

「ま、それと申すのも、当藩は先年幕府が領内に探りの者たちを入れた一件で、いささか先さまの心証を害しておる。将軍家が力をいれる開墾で新たな争いを生じ、またしても公事訴訟などということになるのは、ひらにご免こうむりたいものだ」

家老はとうとうと述べたて、さて用件は何かなと言った。そして又八郎が言うことを、耳を傾けてじっくりと聞いてから顔を上げた。坂井家老の顔には奇妙な微笑がうかんでいる。

「それについては他言無用と言われたのだが、昔のことだ、ま、いいか」

と家老は言った。いまは藩中に隠れもない実力者にのし上がった自信が、そう言わせたようだった。むろん誰がと聞くまでもなく、他言を禁じたのはかつての上司石森左門に違いあるまい。

「そなたの申すとおり、お卯乃さまの一件で采配《さいはい》を振《ふる》ったのは石森どのだ。当時あの方はお傅役《もりやく》で当屋敷におられた。わしはただ、指図にしたがって動いただけよ」

「しかし、そうなると不審が残ります」

と又八郎は言った。聞きにくいことだが、それでもやはり聞かねばならないことがあった。

「おそれながらお許しをいただいて、歯に衣着《きぬ》せず申しますが、藩内にはご家老が目をみはる立身を遂げられたのは、お部屋さまを殿にすすめた功績によるものだと申す者がおります」

「みんながそう申しておるて」

と坂井家老は言った。この苦労人くさい気さくさが、この家老の人柄の好もしい一面だった。又八郎の表情をみて、家老は手を振った。

「立身出世はわしの才覚のせいでもある、などと慰めてくれるな。それにはおよばん。

わしはお卯乃さまを殿のお側《そば》に献じ、さいわいに御子二人を得られたことでいささか藩の安泰に貢献した。報酬をうけて当然、そう思っても悪いことはあるまい」

「しかしそれでは果実はすべてご家老が独り占めされて、采配を振った石森どのは何のご褒美《ほうび》にも与《あずか》らないことになりませんか。ちと、解《げ》せないお話です」

坂井家老は又八郎をじっと見た。そしてしばらくして、はたしてそうかなと言った。

「石森どのはわしに目をかけられて、お卯乃さまを側室とするという、わしにとっては千載一遇の働き場所をあたえられた。事実それが今日の立身の緒になった。以後もあの方は何かと後押しをされ、ついにわしを家老職に押し上げることに成功したと言える。異な言い方をすると思うかも知れんが……」

坂井家老はひと息ついて、又八郎から目をそらした。

「いわば子飼いのわしを家老にして執政の座に送りこんだ、これがすなわちあの方の報酬だったと考えることも出来ぬわけではない」

「立身されたご家老を強請して、いずれさまざまの利益を受け取る算段という意味でしょうか」

又八郎がそう言うと、坂井家老はうつむいて沈黙した。しかし顔を上げたときには、かすかな笑いをうかべていた。

そういうやり方もある。だが、あの方はそういうことはなさらなかった、しかしと家老は言った。

「平時といえども物頭は足軽組を率い、組頭は家中組を率いて戦に備える。しかし名目組頭は率いる配下を持たぬ。絵にかいた餅《もち》のごときものだ。聞くところによると、むかし石森どのの祖父に勤めの上の大失態があって、その処分を受けたということだ。つまり藩は家柄だけは残したのだ、といってもまことに危《あや》うい残しようというほかはない」

「………」

「その処分は、先代のときも、石森どのの代になっても解けず、かの家は日陰に置かれたままだ。そこに幼君のお傅役という下命があった。本来ならお傅役は大役であり、家の名誉とすべき役だが、石森どのは喜べなかったのではないかな」

「組頭の加役は似合わぬと……」

「それもあろう。だがもっと重大なことは、元来無意味に近い名目組頭という称呼が、それでもっていよいよ影がうすくなったことだ。ひとの見る目とは違って、お傅役就任はかの家にとっては危機到来にほかならなかった。名目組頭などという称呼は、おのれの代はともかく子の代にはどうなるかわからぬと、石森どのは思われたかも知れぬ。しかしそのときにだ」

坂井家老は、太い溜息《ためいき》をひとつついた。

「そのときにわしが執政の職にいれば、いや、執政を辞しても先の家老として執政たちに影響力を残していれば、石森の家は安泰だという考えがあったとしてもおかしくはない。事実藩がかの家から名目組頭の称呼を剝《は》がしにかかるなどという事態になれば、わしとしては是非を言わずにひと肌ぬがざるを得ぬ。場合によっては職を賭《と》してもだ。それがひとの世の義理というものだろう。とすれば、石森どのが報酬のかけらも受け取っていないとは言えんのではないか。どうだ」

「しかしそれならば、なぜ石森どのご自身が、表に立ってお卯乃さまのために働かなかったのかが疑問です。それを功績として、ご自身が組頭に復帰し、執政入りする道をひらくべきではなかったでしょうか」

「それはだめだ、青江」

家老は即座に言った。

「石森家が抜けたあとには、ただちに曾田《そだ》家が取り立てられて組頭の穴を埋めておる。いまの曾田新三郎がその家だ。石森どのが、組頭に復帰する目などどこにもありはせんのだ。それをだ、表に出てお卯乃さまのために働いたりしても、ひとにはただ物欲しげと見られるだけだろうて。またそのやり方は、元来あの人に似合わぬ」

「まことに、ご明察のとおりかと思われます」

又八郎が言うと、家老は大いに気をよくしたらしく、ほかにも何かあるかと言った。最初に、手短かに話せと言ったのは忘れたらしかった。

では、いまひとつと又八郎は言った。

「お方《かた》さまは旗本久保家のご養女とうわさがありましたが、事実は久保家の家臣の養女だそうではありませんか。ご家老はそのあたりのことは十分ご存じのはずだったにもかかわらず、旗本のご養女と言い触らされたのは、ことを偽るものではないでしょうか」

坂井家老はしぶい顔をした。急に声まで低くなった。

「わしは言い触らしたりせん。言って回ったのは村越儀兵衛だ。むろん石森どのの意を体してな。しかしそれを黙認したからには、わしも同罪だが、それには裏がある」

「…………」

「お卯乃さまには競《せ》り合う相手がおったのだ。相手は某藩の禄《ろく》をはなれた重職の娘とかで、落ちぶれてはいたが家柄はよかった。そこで石森どのが、何とか申した久保家の用人は久保家と縁つづきである。久保家の養女と言っても詐称《さしょう》にはあたるまいという理屈を考え出したのだが、なに、れっきとした詐称だ。わしは恥ずかしかった」

「村越の役目は何だったのですか」

「根回しだ。お卯乃さまの美貌《びぼう》に最初に目をつけたのは村越でな、石森どのを一度長戸屋に連れて行って鑑定させたと聞いたな。そこからはじまった話だ。功績といえば村越ももっと報われてよかった男だが、あまり出世もせずに、ついこの間病死したそうだな」

この方は、お卯乃の方の秘密については、何もご存じないと又八郎は思った。多忙な家老を解放するために、礼を言って部屋を出た。


その日の夕刻、勤めを終えた又八郎が長屋にもどると、家の中に掃除女が来ていて、それが佐知だった。

「石森さまの所在が知れました」

と手拭《てぬぐ》いの頬《ほお》かむりを取った佐知が言った。

昨日の夕方に、石森左門は前触れもなく本郷にある藩下屋敷に現われた。佐知の配下三名は、すぐにお卯乃の方を護衛する態勢に入ったが、石森はお卯乃の方に会って、少し物語りをしただけで何事もなく帰って行った。

当然、配下のまつという婢《はしため》が後をつけた。一人の方が目立たないという判断である。しかしまつは夜更《よふ》けても、空が白んでももどらないので、残る二人は夜が明けるのを待って、まつが路上に残して行った追跡の印を追って行った。そして本郷の東にある東淵寺《とうえんじ》という寺の門前で、倒れているまつを見つけた。

「まつは深手を受けましたが、息がありました。これをどう考えられますか」

「われわれに誘いをかけておるのだ」

と又八郎は言った。

「来いというわけだ」

「わたくしもそう思います」

「場所はどこだな」

「上野の不忍池《しのばずのいけ》の西側です」

「では、出かけよう。ただし今から出かけては夜中になるし、敵は待ちうけているに違いない。明日、時刻をはかって行くのがよかろう」

二人は手短かに、明日の落ち合う場所と時刻を打ち合わせ、それがすむと佐知は足音も残さず出て行った。

四十

本堂の左手前、参道から一段高いところに、とびらをあけたままの古びた御堂があって、石森左門はその堂の半分朽ちかけたような濡《ぬ》れ縁に腰かけていた。木綿の袷《あわせ》に黒っぽいカルサンを穿《は》き、白い髪は総髪にしてうしろに結んでいる。前腰にたばさんだ小刀と、そばに置いた刀がなければ、左門の姿は年老いた医者か、そのあたりの隠居のように見える。ただ二つの目だけは、近づく二人を射るように見ていた。

又八郎と佐知が立ちどまると、左門は縁に腰かけたままで声をかけて来た。

「ゆうべのうちに来るかと思ったが、来なかったな。ずいぶん待たせたではないか」

左門の声は、痩《や》せて見える身体に似合わず野太かった。

「そちらさまと立ち合うには、十分の用意が必要です。気構え、体力、立ち合う時刻に至るまで」

又八郎が言うと、左門は意外に闊達《かったつ》に聞こえる声で笑った。

「で、用意はととのったかの、青江」

てお《お》るかな」

「谷口どのには世話になったが、この際の私情は禁物。手加減をせぬが、覚悟は出来
「はい」

「谷口どのの娘御にして江戸嗅足組の頭は、そなたか」

左門は今度は佐知に呼びかけた。

「そちら」

「そのつもりです」


「申すまでもありませぬ」

「そなたら……」

左門はまだ腰をおろしたままで言った。

「下屋敷のお方さまの秘密を、どこまで調べたかかな」

「すべてを」

と又八郎が答えた。左門は沈黙したが、やがて少し声を落として言った。

「桐野専十郎の娘であることもか」

「そのとおりです」

「ほかに、その秘密を知る者はいるかかな」

「では、二人とも死んでもらわねばならん」

そう言うと左門は身軽に縁をはなれた。手は刀をつかみ、歩きながら腰に帯びた。

その姿に、佐知が鋭く声をかけた。

「あなたさまにも、死んでもらわねばなりません」

「ほう」

参道に降りかけていた左門が足をとめた。威圧するような目を佐知にむけた。

「何か、わしに意趣があるとみえる」

「ございます。わたくしの推察に間違いがなければ、あなたさまはわが父権七郎が嗅足組の後事を託した陰の頭領。ところがその地位を逆用して、あなたさまは私が国元に帰した配下、何の罪咎《つみとが》もない三人の者を手にかけられました。しかも、虫をひねりつぶすような無慈悲なされ方で。許しませぬ」

声は平静だったが、佐知が言っている言葉の中身は叱咤《しった》だった。又八郎は、佐知が元の嗅足の頭領谷口権七郎の娘の気位で、左門に相対しているのを感じた。

左門は佐知の推測を否定しなかった。少し沈黙してから言った。

「江戸の組に、秘密が洩《も》れている疑いがあった」

「疑いだけで鏖《みなごろ》しになさるつもりでしたか。何という傲慢《ごうまん》、吐き気がいたしまする」

「なるほど、さすが谷口どのの娘御だ。おやじどのに似て言いたいことを言う」

左門は苦笑まじりに言ったが、その声も表情もたちまちつめたくなった。

「何とでも申せ。ことは藩の興廃にかかわる秘事だ。手段をえらんではおれぬ。それに……」

左門は六十半ばとは見えないしなやかな足どりで道に出て来ると、行手をふさぐように二人の前に立った。

「蒔《ま》いた種は自分で刈らねばならんのでな。わしはいそがしい。ところでひとこと言うと、ここの住職はわしの遠縁の者だ。手出し無用と申してあるゆえ、存分に斬《き》り合ってかまわぬ」

さあ、来いと言うと、左門は刀を抜いて無造作に下段に構えた。流祖の戸田清玄は一尺九寸五分の木刀を用いて三尺の白刃を持つ相手と試合したというが、左門の小太刀はそれよりさらに二寸ほども短く見える。しかし無造作に構えたように見える下段の剣には無気味な威圧感があって、又八郎と佐知は、はじかれたように左右にわかれると刀と短剣を抜いた。

時刻は暮れ六ツにまだ間があるはずだった。日は本郷の台地の陰にかくれたが、上野の山や不忍池の方角にはまぶしいほどに光が溢《あふ》れ、その照り返しのような余光が、木立に覆われた寺の境内を満たしていた。又八郎は青眼《せいがん》に構え、低く剣を構えている左門を見つめた。

――やはり、このひとではない。

ちらとそう思った。背が高く、痩《や》せていたという殺人者のことである。左門は記憶にあるとおり中肉、中背で、細おもてにさすがに皺《しわ》がきざまれているものの、目立つほど鼻が高くもなく目もくぼまず、むしろ平凡な顔つきの男である。

だが、その平凡な顔つきの男は、又八郎の胸にうかんだ一瞬の雑念を嗅《か》ぎつけたらしい。五間の距離を気合いもろともすべるように走って来た。下段の剣は高く斜め上に上がり、そこから糸をひくような斬撃《ざんげき》が又八郎を襲って来た。身の毛もよだつ神速の剣を、又八郎も一歩もひかず迎え撃ち、剣を合わせると、強くはね返した。一瞬の隙《すき》に短剣を胸に構えた佐知が躍りこんで行ったが、左門ははやい引き足を使って、佐知に鋭い一撃を浴びせた。左門の体勢は少しも崩れず、十分に腰の入った一撃だった。

又八郎がはっとしたとき、佐知は軽々ととんぼを切って、さっき左門が出て来た御堂の前の草地に逃れていた。目をみはる体術である。

今度は又八郎が斬りかけ、目まぐるしく斬り合ううちに、三人は次第に斬り合いの場所を本堂前の広場に移して行った。長い斬り合いの間に双方ともに手傷を負っていた。しかし石森左門は、少しも衰えない鋭い剣をふるっている。

ただ、左門はおびただしい汗をかいていた。さっきまで境内に漲《みなぎ》っていた光はもう跡形もなく消え失せ、斬り合いの場所は青白いたそがれ色に覆《おお》われはじめていたが、そのかすかな光の中でも左門のかく汗が顔面から胸に、また袖《そで》の下から手首に流れ落ちるのが見えた。左門の髪もぼうぼうと湯気を立てていた。

又八郎は、またしても下段に構えた左門の足くばりに、わずかに隙があるのを見ていた。呼吸をはかって疾風のように斬りこんで行った。又八郎の、青眼から摺《す》り上げて、やや斜めに肩を打つ剣には重厚な迫力がある。

左門は剣を上げてその打ちこみを受けとめた。そのとき、右の膝《ひざ》ががくりと折れたのを佐知は見のがさなかったらしい。音もなく左門の背後にすべりこむと、片手をすばやく胴に巻いて深々と背を刺した。それが致命傷になった。だが、致命傷を負いながら左門の左手がすばやく小刀の柄《つか》をつかむのが見えた。佐知をうしろ手に刺すつもりだろう。

「はなれろ」

又八郎はどなり、佐知がすばやくとびはなれるのを見ながら大きく踏みこんで左門の肩を斬り下げた。声もなく、石森左門は仄《ほの》暗い地面に横転した。二人は一瞬の躊躇《ためらい》もなく足早にその場をはなれて、寺門の外に出た。

二人が神田の町にもどったときには、日は残りなく暮れ果てて、町は夜の闇に沈もうとしていた。月もまだ出ていなかった。それでも二人は町のあちこちに点在する灯をはばかって、無言のまま足をいそがせた。又八郎と佐知はともに手傷を負い、また左門の返り血を浴びて、二人とも衣服は血だらけだった。灯があるところを通れば、人があやしむこと必定である。

しかし両国の広小路を横切り、暗い米沢町の裏通りに入りこむと、又八郎はようやく緊張がゆるやかに解けるのを感じた。二人は若松町の町医平田の家にむかっていて、その町はもう遠くなかった。

二人は傷の手当てと着換えのために若松町に寄るのだが、平田の家には一昨夜石森左門に斬られたまつも担《かつ》ぎこまれていて、佐知の話によればまつはどうやら命を取りとめたということだった。

「ここまで来れば、もう大丈夫だ」

又八郎が言うと、佐知ははいと言ったが、その声は何かほかに心をうばわれているようで、虚《うつ》ろに聞こえた。又八郎は振りむいた。

「どうした、傷が痛むかな」

「いえ」

佐知はおどろいたように否定したが、すぐに青江さまと言った。

「事件はこれで終りでしょうから、後始末が終ったら今度こそ組を解散します」

「そういうことになるか」

「解散と申しましても、組にある多少の蓄えを分配し、残る者は残し、帰国する者は帰す。その始末がつくまでには、まだ三ヵ月、半年とかかりましょう。しかしそれが終ったら……」

佐知は一度言葉を切ってから言った。

「わたくしは尼になろうかと思います」

「尼に、そなたが……」

又八郎は惘然《ぼうぜん》とし、つぎにうろたえて言った。

「それはやめた方がいいぞ。まだ、そんな齢ではあるまい」

「いいえ」

と佐知は言った。

「いま急に考えたことではありません。これまで何人かの組の者を死なせましたし、わたくし自身もずいぶんたくさんの人の命を手にかけました。罪業《ざいごう》の深い身です。それに……」

佐知は少し言い淀《よど》んでからつづけた。

「青江さまとも間もなくお別れです。しばらくの間は組の後始末に気が紛れるとしても、それが終れば必ずさびしくなりましょう。時には堪えがたいほどに」

しかし仏門に入れば、そうしたもろもろのこの世に対する未練も断ち切れるだろうと思い、近ごろは藩主家ゆかりの海光尼《かいこうに》が住む尼寺をたずねて相談しているのだ、と佐知は言った。

「わたくしにとって、現世はさほどしあわせな場所ではありませんでした。縁あって青江さまとお会いしたことをのぞけば……」

又八郎はきりきりと胸が痛むのを感じた。しかし自分が佐知をなぐさめるどんな言葉も持っていないことは、よくわかっていた。

「着きましたね」

と佐知が言った。又八郎は先に立って、門の戸に手をかけた。そのとき、又八郎は首筋のあたりに不意に寒気を感じ、同時に佐知が、お気をつけなされませと絶叫するのを聞いた。

又八郎は、傷を労《いたわ》って手を通さずにはおっている羽織をはね上げると、片膝《かたひざ》をついた姿勢で体を回しながら抜き打ちに背後に迫る気配を斬った。存分に斬った手ごたえがあって敵が倒れるのがわかったが、又八郎も肩を斬られ、無理な体勢から刀をふるった勢いで、そのまま仰のけに倒れた。

「大丈夫ですか」

佐知が駆け寄って来た。又八郎は大丈夫だと言い、家の中からすぐに灯を持って来るように言った。手でさぐってみると、肩の傷は浅いようだった。

しかし起き上がって、中腰で倒れている敵の方に向き直ったとき、又八郎には襲って来た敵が誰かわかっていたようである。佐知が持って来た提灯《ちょうちん》が照らし出したのは、多分病気のためだろう、頬骨が出て目がくぼみ、鼻は異様に高く面変《おもがわ》りしていたが、紛れもなくかつての美剣士牧与之助だった。与之助は右の腋下《えきか》を深々と斬られ、その一撃で息絶えていた。又八郎の胸がつめたくなった。二人をあくまで抹殺《まっさつ》するために、石森左門がこの場所に必殺の罠《わな》を仕掛けたことに気づいたのである。

「牧与之助だ。帰国した三人を斬ったのはこの男だ」

と又八郎は言った。

翌日の昼すぎ、国元から来た飛脚が、大目付の兼松から又八郎にあてた一通の手紙をはこんで来た。探索の結果、帰国した江戸嗅足の女たちを斬った者は牧与之助と判明した。牧の病気は事実だが寝こむほどのことはなく、しかも先日ひそかに出府した。手引きしたのは石森左門と思われる。厳重に警戒しろ、と手紙は言っていた。

秋が深まっていた。日はあるものの日の色は白く、目に入る限りの物は枯れ色が目立った。千住上宿のはずれには風が吹いていて、強くはないその風がつめたかった。

又八郎は佐知と向き合っていた。しかしそばにおじゃま虫が一人いた。渋谷雄之助である。又八郎は一昨日の夜、雄之助を長屋に呼んで飯を喰わせ、少なからぬ小遣いをあたえた。その恩を感じてか、雄之助は小塚助左衛門と交代して帰国する又八郎を見送りに来たのである。

又八郎は雄之助をからかった。

「一昨日は細谷の見送り、今日はわしの見送りで、雄之助もいそがしいの」

細谷源太夫は一昨日、娘の美佐に附き添われて越前に旅立った。北国の藩に儒臣として仕えている長男から、加増を受けて住む家もひろくなった。あまり年老いないうちに当方に来られたいという手紙が来たのを機会に、住み馴《な》れた江戸をはなれる決心をしたのである。又八郎と雄之助は、細谷を高輪《たかなわ》の大木戸まで見送った。

雄之助については、懸念がひとつあった。

「くれぐれも申しておくが、小遣い稼《かせ》ぎに用心棒の手伝いをなどと考えるでないぞ」

「いや、大丈夫です。ご心配なく」

「では、もう帰ってよい。おやじどのには、まじめに勉強していると伝えよう。身体に気をつけろ」

「はあ」

「帰ってよいぞ、ここは寒い」

「いや、大丈夫です。見送ります」

「このひとと、少し話があるのだ」

しびれを切らして又八郎は言った。

「と申しても誤解してはいかんぞ。この人はお屋敷の見送り人だ。少々打ち合わせもあるゆえ、先に帰ってよろしい」

「そうですか」

雄之助はうさんくさそうに又八郎と佐知を見くらべた。それから急にぺこりと頭を下げて、ではお気をつけてと言って背をむけた。宿場の途中まで行って、もう一度振りむいたところをみると、又八郎の説明がいまひとつ納得いかなかったらしい。

又八郎と佐知は顔を見合わせて微笑したが、又八郎はすぐに目をそらした。重苦しいものに胸を塞《ふさ》がれはじめていた。

昨夜、二人は松村町の小料理屋「さざ波」の離れ部屋に泊った。佐知はめずらしく又八郎が危ぶむほどに酒を過ごし、床に横たわったあとは少し乱れた。なまめかしかった。そしていとなみが、お互いの命の最後の一滴まであたえ合うようにして終ると、又八郎の胸に汗ばんだ額をつけて、もう思い残すことはないと、熱い吐息をつきながらささやいた。

そのことが頭を横切って、又八郎は佐知の笑顔を見ていられなかった。わざと淡泊を装った口調で、大事の相談が残っていたと言った。

「帰国すれば、兼松どのに委細を報告せねばならん。しかしお部屋さまの秘密の一件は相手が兼松さまといえども伏せたいと思うが、そなたはどう考えるか」

「お考えのとおりでよろしいかと思います」

「すると、どこまで話すかが問題だな」

「兼松さまは、幕府隠密が藩に介入して来たことを怪しんでおられます。でありますから、長戸屋の毒殺とそれに絡《から》んでいるお卯乃さまの素姓明らかならずということ、しかし詳細は不明で幕府ももはや手をひいたことは申し上げていいのではないでしょうか」

「素姓不明を言ってもいいかな」

「栂野専十郎の娘という一点をのぞけば、ほかは何を申しても少しも心配はないと思います。そしてその真の秘密に至る道は、すべて断たれました」

「よし、それで行こう」

と、又八郎は言った。

「それにしても、お方さまの秘密を知る者はついにわれわれ二人だけになったか」

「はい、墓場まで持って行くしかありませぬ」

と佐知も言った。

あと、話すことが何かないかと思ったが、もう何も残っていなかった。おそらく、二度と会うことのない別れの時が来ていた。そして別れは佐知とのことだけではなかった。細谷は越前に去った。相模屋《さがみや》吉蔵《きちぞう》は夏の終りに二度目の卒中に襲われて死亡し、いね夫婦は亭主が引き抜かれて番頭勤めをすることになった本所の古手屋のそばに引越して行った。そのことを、又八郎は細谷と連れ立って別れを言いに行った橋本町で、相模屋の隣人に聞いたのである。相模屋の店先は模様替えされ、小ぎれいな小間物屋に変っていた。

若かった用心棒時代から心をゆるしてつき合って来たすべての人々と別れ、そしていまは最後の一人と別れるところらしい。そう思ったとき、又八郎の胸を突然に悲傷の思いがしめつけた。咳《せき》ばらいをひとつして、又八郎はでは行くぞと言った。

「身体をいとわれよ。丈夫でおれば、また会う折もあろう」

だが佐知はすぐには返事をしなかった。うつむいてしばらく黙ってから、青江さまと言った。

「国元の薬師町に明善院という尼寺があるのを、ご存じでしょうか」

又八郎は城下の南西のはずれにある、小ぢんまりした寺院のことを思い出した。建物は大きくはないが境内はひろく、深い雑木林につつまれた寺である。

「存じておる」

「明善院は、いまのお殿さまの祖母にあたる方にゆかりの寺で、その祖母《おばぁ》さまは谷口の家の縁者でもありました」

「ほう」

「わたくしは間もなく仏門に入り、数年海光尼さまのもとで修行いたしますが……」

佐知は目を上げた。しかし又八郎を見て、ふと赤くなったかと思うと、その顔にみるみる恥じ入るような表情が浮かんで、佐知はまたうつむいてしまった。聞きとれないほどの小声で、佐知はつづけた。

「その修行が終るとわたくしは国元に帰って、明善院の庵主《あんじゅ》をつとめることが決まりました。青江さまはご迷惑に思われるかも知れませんが……」

「ふむ」

と、又八郎はうなった。唖然《あぜん》としてしばらく佐知を見つめてから、くるりと背をむけた。風景はもとのままだったが、別離の重苦しさは足早にほぐれて行き、四囲がにわかに明るく見えて来た。

不意に又八郎は哄笑《こうしょう》した。晴ればれと笑った。年老いて、尼寺に茶を飲みに通う自分の姿なども、ちらと胸をかすめたようである。背後で佐知もついにつつましい笑い声を立てるのが聞こえた。

解説

――ふたつの世界を生きる又八郎

川本三郎

『用心棒日月抄』『孤剣』『刺客』に次ぐ用心棒シリーズの第四作である。前三作が短篇連作だったのに対し、これは長篇の形をとっている。それだけでなくこの『凶刃』は前三作とはがらりと趣きを変えている。『刺客』以後十六年の長い歳月が流れ、主人公の剣客青江《あおえ》又八郎《またはちろう》が四十代なかばになっていることである。この時代、四十なかばといえば、そろそろ老いを意識する年齢といっていいだろう。人生の秋に入りはじめている。その寂寥感《せきりようかん》が『凶刃』の隠し味になっている。

『用心棒日月抄』で登場したとき青江又八郎は二十六歳、独り身の青年剣士だったが、いま、年を重ね、自分の身体《からだ》がもう若くはないことに気づきはじめている。妻の由亀《ゆき》もあと二、三年で四十歳になる。三人の子ども（上二人が女子、下が男子）も大きく育っている。かつて「私を、青江さまの江戸の妻にしてくださいまし」といった佐知《さち》ももうじき四十歳になる筈《はず》だ。徳川の世を時間だけが確実に流れている。赤穂《あこう》浪士による吉良《きら》邸討入りの大事が起きたのが、又八郎が最初に江戸に出て来たときだったから、それから約十八、九年後のいまは、享保《きょうほう》の世ということになる。藤沢周平が『市《し》塵《じん》』で描いた新井白石が幕閣の中枢《ちゅうすう》にいたころである。

北国の小藩の武士、又八郎が四たび密命を帯びて江戸に出るところから物語は始まる。佐知が属している嗅足組《かぎあしぐみ》が解散されることに決まり、その知らせをひそかに佐知に伝えるのがこのたびの又八郎の任務である。これに幕府の隠密《おんみつ》、藩内の姿の見えない敵がからみ、三つ巴《どもえ》の死闘がくりひろげられていく。

嗅足組とは、シリーズ第二作『孤剣』によってはじめて明らかにされた藩内の影の組織である。「嗅足の者は、深夜の城下を、足音もなく姿も見せず歩き回り、時には家中の家屋敷の奥深くまで入りこんで、藩士の非違を探るといわれる陰の組だった」。いわば影の警察である。藩草創から百五十年にわたって藩を陰から支えてきた。それがいま幕府に対する建前上からも、組を解かれることになった。江戸時代も深まるにつれ、次第に戦乱の世の名残りともいうべき血なまぐさい組織は不要になってきたということなのだろう。徳川の世もすでに百年がたとうとしている。

江戸に出た又八郎は十六年ぶりに佐知に再会し、それだけの歳月がなかったかのように熱っぽく抱き合う。しかし、徐々に又八郎は、確実に時間が流れ過ぎたことを思い知らされていく。かつての用心棒仲間、細谷《ほそや》源太夫《げんだゆう》は妻を狂死させたあと酒毒に冒され荒《すさ》んだ生活をしている。老いが深く刻まれている。他方、口入れ屋吉蔵《きちぞう》の娘おいねは、お店《たな》の番頭と結婚し、いまはいいおかみさんになっている。変らぬように見えた佐知も、役目上、罪のない老人を殺さざるを得なくなったとき、仏心が出たのだろう、顔を曇らせる。彼女もまた、確実に人生の秋に向かっていることに気づいている。だから再会した又八郎に「今日のように、おそばに随《したが》って明るい町中を歩くなどということは、この先もう二度とございますまい。でも、これで本望です。思い残すことはございません」と寂しい気持を洩《も》らしたりする。

　無論、激しい斬り合いはある。しばらく刀をとっていなかったとはいえ、敵と向かいあえば又八郎の剣客としての身体は自然に動く。佐知もまたよく動き、又八郎を助ける。その意味では、この作品も、剣客ものとして充分に読みごたえがある。ただ、闘ったあとに、無常感、寂寥感がにじみ出るのだけは避けようがない。十六年の年月の重みである。

　青江又八郎は、二つの世界を生きる両義的存在である。二つの顔を持っている。いうまでもなく、北国小藩の藩士としての顔と、脱藩して江戸に出た素浪人としての顔である。組織人と自由人の二つの面を合わせ持っている。そこが又八郎の面白さである。

彼は藩と江戸を往還することで、二つの世界を生きる。藩にいるときの又八郎は、組織人として藩の制約のなかに生きる。彼はまた藩内では、由亀との家庭を持つ家庭人である。三人の子どもの父親である。だから江戸で、友人の子ども渋谷《しぶや》雄之助がさっぱりとしたいい若者に成長しているのを見て「よい息子ではないか」「わが家の上の娘に似合うかな」と親の情にかられたりする。

藩内にいる又八郎がインサイダーとすれば、江戸に出て来た素浪人の又八郎はアウトサイダーである。藩の密命を帯びているのだから本質的には藩士だが、見かけだけは細谷源太夫と同じように浪人であり、そして自由人である。しがない用心棒稼業《かぎょう》に身をやつし、口入れ屋吉蔵に半端《はんぱ》仕事をまわしてもらい、その日暮しをしながらも、又八郎は江戸での浪人暮しを明らかに楽しんでいる。それは武士である又八郎が市井《しせい》の人々と肌《はだ》触れ合わせて暮す絶好の機会でもある。彼は裏長屋に住み、粗末な飯に満足し、市井の人々と哀歓を共にする。

用心棒としての又八郎が、同じ長屋に住む可憐《かれん》な夜鷹《よたか》のためにひと肌ぬごうとした（「夜鷹斬り」、『用心棒日月抄』）のも、十三歳の心映《こころば》えのいい娘のために働こうとした（「誘《ゆう》拐《かい》」、『孤剣』）のも、彼が市井の人々の暮しに次第に惹《ひ》かれていったからに違いない。

この「夜鷹斬り」(涙なくしては読めない!)と、ユーモラスな「誘拐」は、用心棒シリーズ中の佳品《かひん》だと思うが、それは、このときばかりは又八郎が、自分が密命を帯びた藩士であることを忘れ、一介の浪人になり切っていたためだろう。

確かに市井の生活にも悪や不正はある。理不尽な運命の戯《たわむ》れもある。にもかかわらず、つねに抗争、暗闘を繰り返している藩内政治の世界に比べれば、市井の暮しのほうがはるかに無垢《むく》で清潔とはいえないだろうか。策謀を仕掛けてくる権力者よりも、裏長屋に住む汚れた私娼《ししょう》のほうがはるかにけなげで可憐ではないか。素浪人の又八郎がその日暮しをしながらも、どこか晴れ晴れとした顔つきをしていたのは、そのためだったと思う。

『凶刃』で四たび江戸に上がった又八郎は、今回ばかりは、表の顔で通さなければならない。もう自由に、気ままに浪人暮しを楽しむことは出来ない。「主持《しゅうも》ち」となったいまとなっては、若いころのように用心棒稼業をするわけにはいかない。だから又八郎は、酒毒に冒されながらも、宮仕えを辞め、用心棒暮しをしている細谷源太夫を見ながら、こんなことを呟《つぶや》く。

「(主持ちの自分は)喰《く》い扶持《ぶち》をもらって、ために暮らしは安泰だが、そのかわりに日常は狭い規矩《きく》の中に押しこめられて手も足も出ぬ。そう思った反動のように、又八郎の頭には、むかし細谷源太夫と過ごした野放図な浪人暮らしの月日が、懐《なつ》かしく甦《よみがえ》って来た。危険を紙一重でやり過ごすような日々だったが、一剣を恃《たの》んで恐れを知らなかったものだ」

「そんな日々にも、ずいぶんおもしろいことはあった。なによりも身も心も自由だった。あのころにくらべれば、いまのおれは心身ともに小さくかがんで生きているとは言えぬか」

もはやあの二十代の野放図な浪人暮しの日々は戻ってこない、という青春の終りの確認である。ここにも人生の秋がしのびよっている。『凶刃』が前三作とがらりと雰《ふん》囲気《いき》を変えているのはこの秋の気配のためである。江戸に出て来た又八郎が、しきりに故郷の味を懐しがり、佐知が用意してくれたカラゲ（鱏《えい》の干物）と醬油《しょうゆ》の実をおいしく食べるのも（ちなみにこのふたつは、藤沢周平の郷里山形県の〝故郷の味〟なのだという）、彼の心が次第に江戸から藩へと向いているからなのだろう。

青江又八郎の面白さは、両義性にある、と書いた。藩と江戸、地方と中心、組織人と自由人、武士社会と市井、あるいは死闘に次ぐ死闘の非日常と、小春日和《こはるびより》のような長屋の日常。又八郎はこの両極を往還している。いうまでもなく、この両義性は、時代小説における武家ものと市井ものに対応している。両方の名手である藤沢周平は、青江又八郎という格好の主人公を設定することによって、一つの作品のなかで、武家ものと市井ものをうまく溶け合わせることが出来たといえる。読者は、このシリーズを読むことで、藤沢周平の武家ものと市井ものの両方を楽しむことができる。

そして、二つの世界を生きる又八郎にとって何よりも重要なのは、二人の女である。いうまでもなく故郷にいていつも又八郎の帰りを待っている妻の由亀と、「私を、青江さまの江戸の妻にしてくださいまし」と戯《たわむ》れにまぎれるようにして真情を訴えた佐知である。由亀が妻として母として穏やかな日常を生きる普通の女とすれば、妾腹《しようふく》の子として早くからひかげの危険な道を生きなければならなかった佐知は非日常の女である。二人の女を愛する又八郎の心が揺れぬ筈はない。彼は、無論、由亀のことを愛《いと》しく思っている。佐知に比べると目立たない由亀だが、父の死後、あえて又八郎の家に来たその心は並々ならぬものがある。「最後の用心棒」（『用心棒日月抄』）の最後で、故郷に戻った又八郎を万感の思いで出迎え、ぶつけるようにして身を投げかけてきた由亀の愛情はいじらしいほどだ。だから江戸で、佐知と再会し、身体を寄せ合う又八郎は、「罪の意識」を覚えずにはいられない。

『凶刃』の最後で、佐知は故郷に戻って、尼になりたいという。少しでも又八郎のそばにいたいからだろう。かつて又八郎は、佐知のことを、一人でも生きる強い女、と評したことがあった。「あれはいつでも、一人で自分の身を始末できる女なのだろう」と。それに対して由亀は違う。「ここにいるのは、おれが一緒にいるほかはない女のようだ」（「最後の用心棒」、『用心棒日月抄』）。だが、佐知もまた決して強いだけの女ではなかった。

故郷の寺で尼になるという佐知を前にして又八郎は、思わず気分が明るくなる。由亀と佐知と、二人の女がいる。この両義性だけは簡単に解決できそうもない。とすれば、又八郎は、どうしてまだまだ若いといわなければならない。細谷源太夫なら、「お主、羨《うらやま》しいぞ」というところだろう。

（平成六年六月、文芸評論家）

この作品は平成三年八月新潮社より刊行された。

藤沢周平著

用心棒日月抄

故あって人を斬り脱藩、刺客に追われながらの用心棒稼業。が、巷間を騒がす赤穂浪人の動きが又八郎の請負う仕事にも深い影を……。

藤沢周平著

竹光始末

糊口をしのぐために刀を売り、竹光を腰に仕官の条件である上意討へと向う豪気な男。表題作の他、武士の宿命を描いた傑作小説5編。

藤沢周平著

時雨のあと

兄の立ち直りを心の支えに苦界に身を沈める妹みゆき。表題作の他、江戸の市井に咲く小哀話を、繊麗に人情味豊かに描く傑作短編集。

藤沢周平著

冤（えんざい）罪

勘定方相良彦兵衛は、藩金横領の罪で詰め腹を切らされ、その日から娘の明乃も失踪した……。表題作はじめ、士道小説9編を収録。

藤沢周平著

橋ものがたり

様々な人間が日毎行き交う江戸の橋を舞台に演じられる、出会いと別れ。男女の喜怒哀楽の表情を瑞々しい筆致に描く傑作時代小説。

藤沢周平著

神隠し

失踪した内儀が、三日後不意に戻った、一層凄艶さを増して……。女の魔性を描いた表題作をはじめ江戸庶民の哀歓を映す珠玉短編集。

藤沢周平著

消えた女
―彫師伊之助捕物覚え―

親分の娘おようの行方をさぐる元岡っ引の前で次々と起る怪事件。その裏には材木商と役人の黒いつながりが……。シリーズ第一作。

藤沢周平著

春秋山伏記

羽黒山からやって来た若き山伏と村人とのユーモラスでエロティックな交流――荘内地方に伝わる風習を小説化した異色の時代長編。

藤沢周平著

時雨みち

捨てた女を妓楼に訪ねる男の肩に、時雨が降りかかる……。表題作ほか、人生のやるせなさを端正な文体で綴った傑作時代小説集。

藤沢周平著

孤剣
用心棒日月抄

お家の大事と密命を帯び、再び藩を出奔――用心棒稼業で身を養い、江戸の町を駆ける青江又八郎を次々襲う怪事件。シリーズ第二作。

藤沢周平著

驟《はし》り雨

激しい雨の中、八幡さまの軒下に潜む盗っ人の前で繰り広げられる人間模様――。表題作ほか、江戸に生きる人々の哀歓を描く短編集。

藤沢周平著

密謀（上・下）

天下分け目の関ケ原決戦に、三成と密約がありながら上杉勢が参戦しなかったのはなぜか？　歴史の謎を解明する話題の戦国ドラマ。

凶《きょう》　刃《じん》　用心棒日月抄《ようじんぼうじつげつしよう》

新潮文庫　ふ‐10‐4

平成六年九月一日　発行
平成十六年六月二十日　三十刷改版
令和六年四月五日　六十五刷

著者　藤《ふじ》沢《さわ》周《しゅう》平《へい》

発行者　佐藤隆信

発行所　株式会社　新潮社

郵便番号　一六二―八七一一
東京都新宿区矢来町七一
電話　編集部(〇三)三二六六―五四四〇
読者係(〇三)三二六六―五一一一
https://www.shinchosha.co.jp

印刷・大日本印刷株式会社　製本・株式会社大進堂

ISBN978-4-10-124722-9 C0193